4-1

초등 과학 실험 관찰

자습서 & 평가문제집

금성출판사

이 책의 구성과 특징

이 책은

교과서 내용 해설 + **시험 대비 평가 문제** + **부록: 창의력 문제**

로 구성되어 있습니다.

하나 교과서 내용 해설

교과서 개념 알기

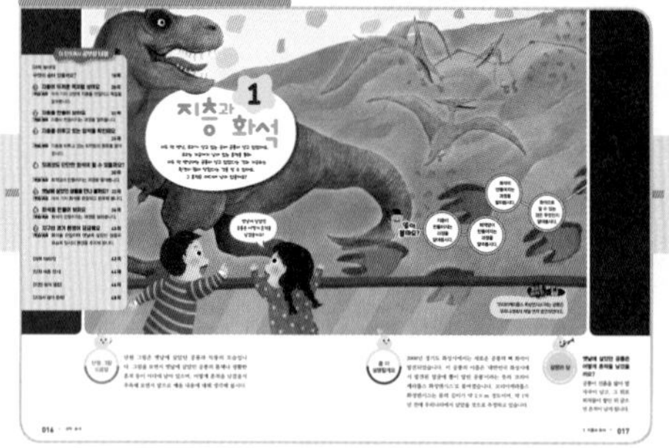

단원에서 배울 내용을 알아봅니다.

교과서 개념 알기

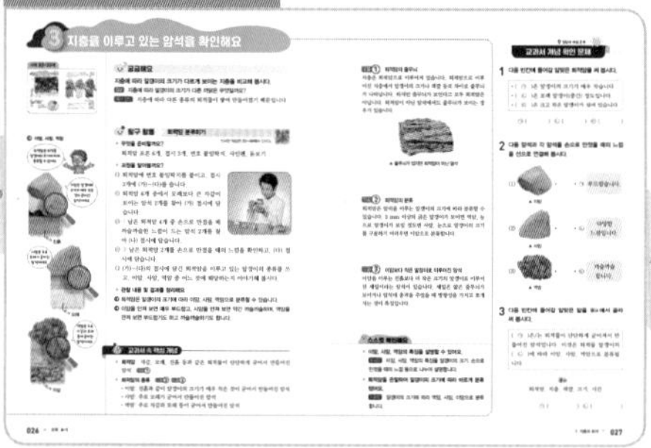

교과서에 나온 개념을 알아보고, 개념 확인 문제를 풀면서 이해력을 높입니다.

실험 관찰 해설

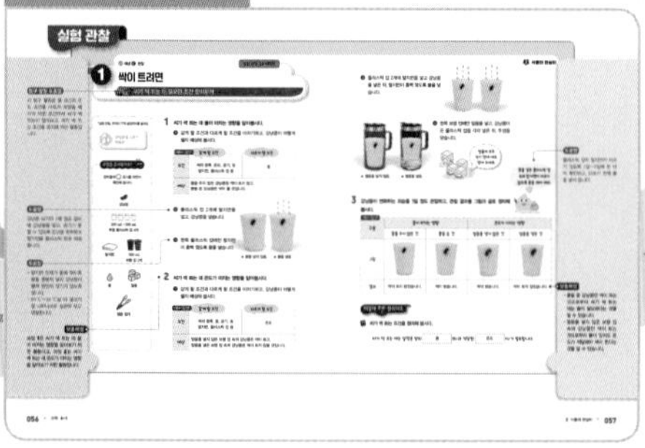

실험 관찰의 탐구 활동을 꼼꼼하게 정리합니다.

교과서 평가 문제

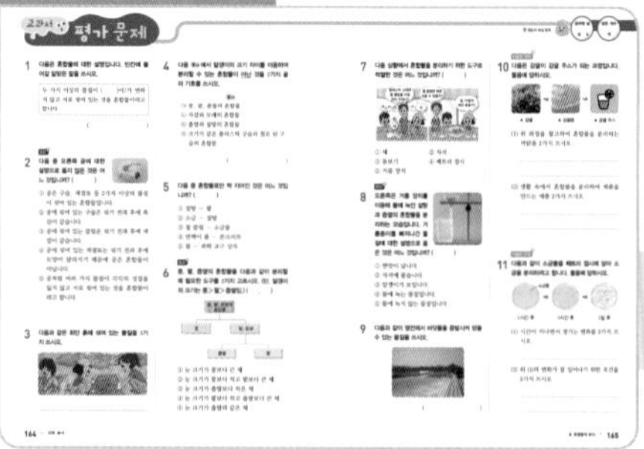

평가 문제로 익힌 개념을 다시 확인하고, 단원을 마무리합니다.

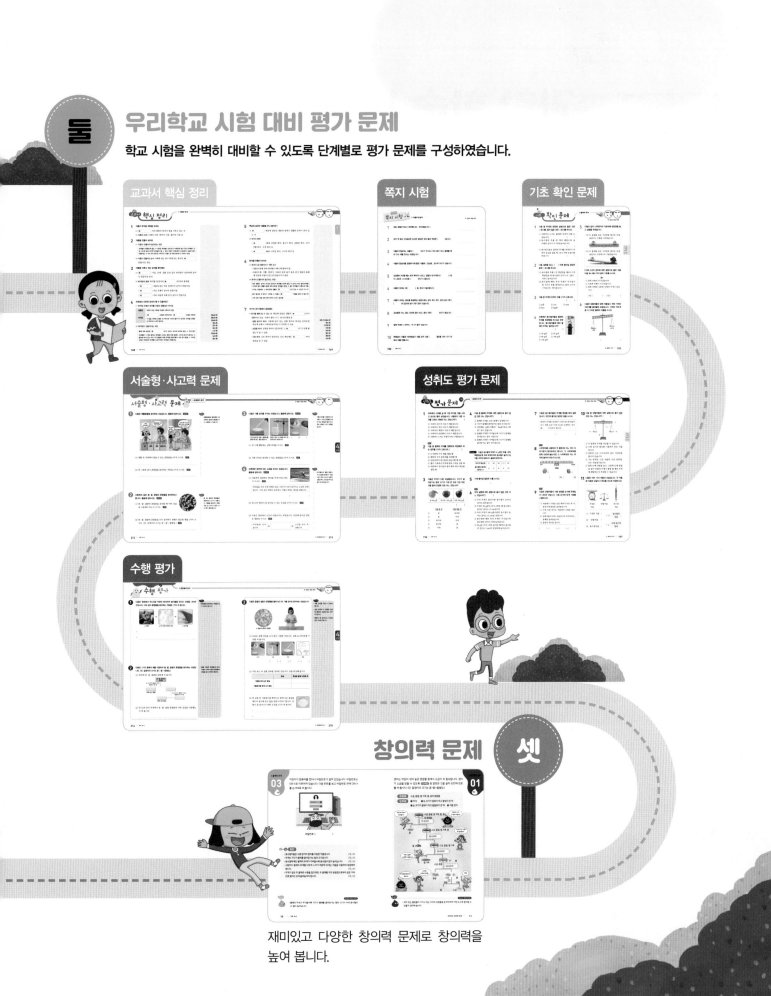

둘 우리학교 시험 대비 평가 문제

학교 시험을 완벽히 대비할 수 있도록 단계별로 평가 문제를 구성하였습니다.

교과서 핵심 정리

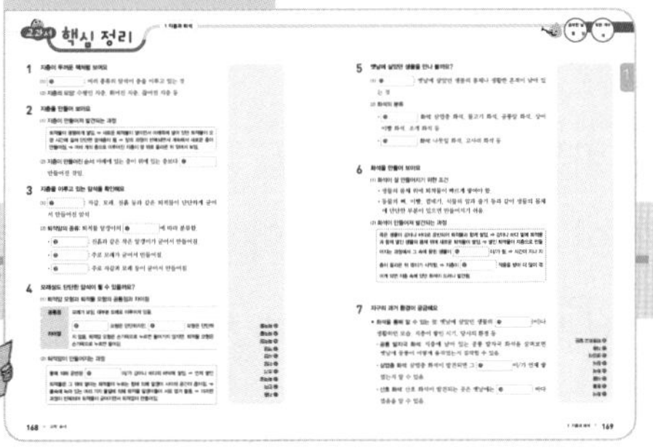

쪽지 시험

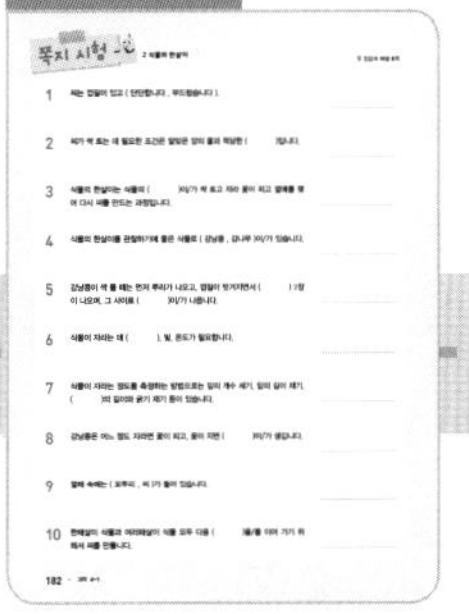

기초 확인 문제

서술형·사고력 문제

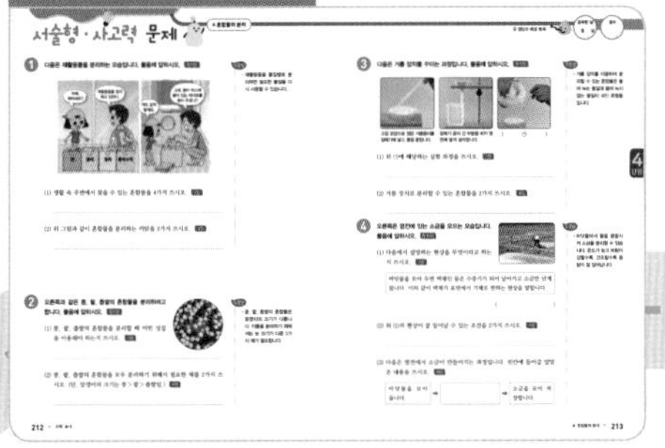

성취도 평가 문제

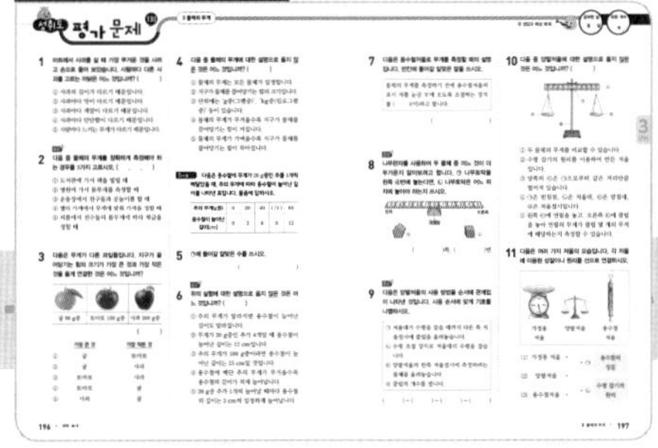

수행 평가

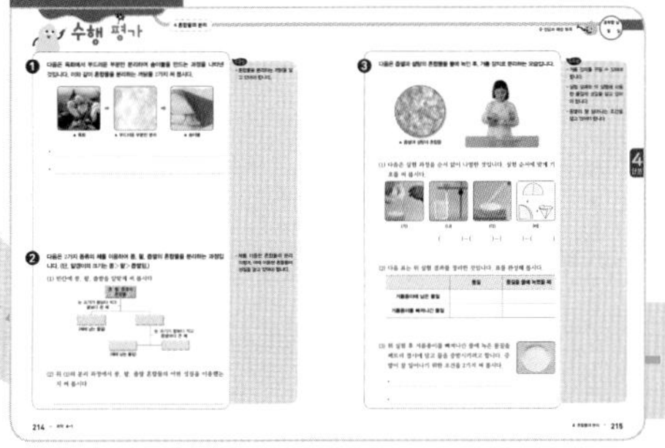

창의력 문제 셋

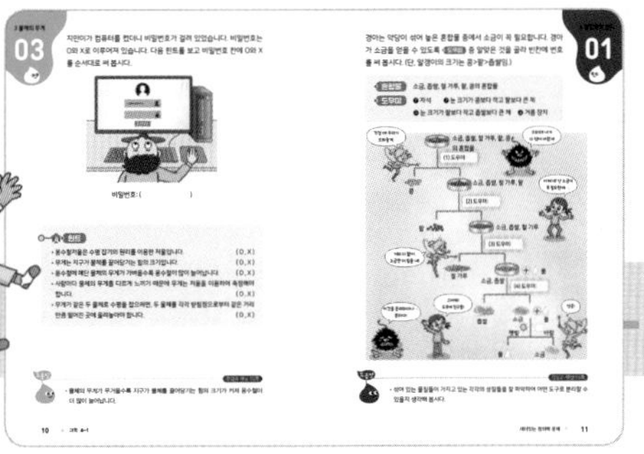

재미있고 다양한 창의력 문제로 창의력을 높여 봅니다.

과학 학습 비법

1

과학 공부는 기본 원리부터!

운동 경기에서 기본 규칙을 모르면 경기를 할 수도 없고, 재미도 없습니다. 그러나 규칙을 알고 경기를 하면 시간이 지날수록 재미와 자신감이 생겨요. 과학도 마찬가지랍니다. 기본 원리를 알고 공부하면 어느 순간 과학을 재미있어 하는 자신을 발견할 거예요.

2

용어 이해는 과학 공부의 출발점!

과학의 기본 개념은 여러 가지 과학 용어로 표현됩니다. 처음 보면 어렵지만 그 의미를 알고 나면 과학 공부가 쉬워져요. 과학 용어를 단순히 암기하기보다 그 뜻을 먼저 이해한다면 과학 공부가 훨씬 흥미로워질 거예요.

3

그림으로 과학 공부를 쉽게!

과학책에 나오는 그림은 과학 개념을 이해하기 쉽게 표현한 거랍니다. 내용과 함께 그림을 찬찬히 살펴보고, 그 의미를 이해한다면 과학 개념이 좀더 쉽게 다가올 거예요.

또, 그림의 제목은 그림의 중요 내용을 알려줘요. 그림을 살펴볼 때 제목도 꼭 확인하도록 해요.

이 책의 차례

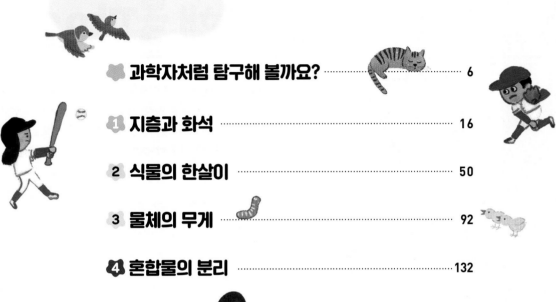

우리학교 시험대비 평가 문제

과학자처럼 탐구해 볼까요?

과학자들은 주변의 다양한 일들에 대해 궁금증을 가지고
답을 찾아가는 과정에서 새로운 과학 지식을 발견하거나 쌓아간답니다.
과학자들이 탐구할 때 사용하는 방법 중 어떤 것은 의외로 간단해요.
그러나 간단한 탐구 방법이라도 꾸준히 하다 보면
새로운 원리나 법칙을 발견할 수 있어요.

단원 그림 도움말

과학자들은 평소 주변의 다양한 일들에 대해 가진 궁금증을 해결하기 위해 탐구를 합니다. 그렇지만 과학자만 탐구를 하는 것은 아닙니다.
주변에서 흔히 볼 수 있는 것들에 대해서 궁금증을 가지고, 이에 대한 답을 찾아가는 과정을 모두 탐구라고 할 수 있습니다.

과학자처럼 탐구하고 싶나요?
꾸준한 관찰로 놀라운 발견을 한 다윈*의
탐구를 함께 살펴볼까요?
*다윈: 영국의 생물학자

탐구 방법에는 사물을 관찰하는 것부터 실험과 새로운 것을 발명하는 것까지가 포함됩니다.
과학자들의 탐구 이야기를 따라가면서 궁금증에 대한 답을 찾는 과정인 과학 탐구에 대해 생각해 봅니다.

과학자처럼 탐구해 볼까요?

1 관찰

과학 10~11쪽

(1) **과학 탐구:** 다양한 일들에 대해 궁금증을 가지고, 궁금증에 대한 답을 찾으면서 새로운 과학 지식을 발견하거나 쌓아가는 활동입니다.

(2) **과학적 관찰 방법**

- 눈, 코, 입, 귀, 피부 등의 감각 기관을 사용하여 관찰할 수 있습니다.
- 돋보기, 현미경 등의 관찰 도구를 사용하면 더 자세히 관찰할 수 있습니다.

(3) **변화가 일어나는 대상을 관찰할 때 주의할 점** 도움①

- 변화가 일어나기 전부터 변화가 일어날 때, 그리고 변화가 일어난 뒤를 모두 관찰해야 합니다.

2 분류

과학 12~13쪽

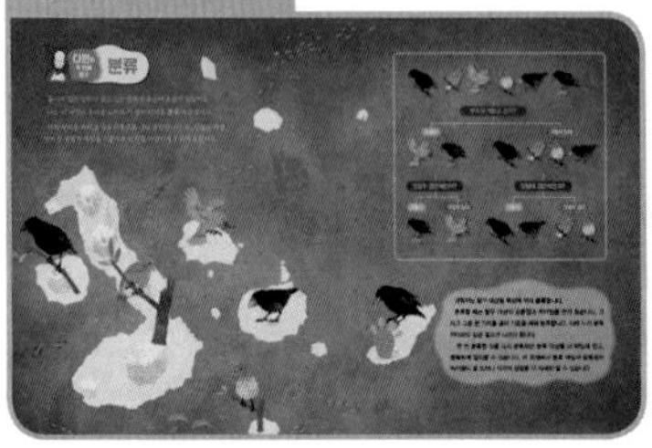

(1) **분류:** 탐구 대상의 공통점과 차이점을 찾아 그것을 바탕으로 무리 짓는 것입니다.

(2) **과학적 분류 방법**

- 대상의 공통점과 차이점 중 한 가지를 선택해 분류 기준을 세웁니다.
- 누가 분류하더라도 같은 결과가 나오는 것이 과학적인 분류 기준입니다.
- 한 번 분류한 것을 여러 단계로 계속 분류할 수 있습니다.

(3) **탐구 대상을 여러 단계로 계속 분류할 때의 좋은 점**

- 분류 대상의 공통점과 차이점이 분명하게 드러납니다.
- 분류 대상 각각의 성질을 더 자세하게 알 수 있습니다.

3 추리

과학 14~15쪽

(1) **추리:** 관찰한 것에 대해 이미 알고 있는 사실, 이전에 겪었던 경험 등을 바탕으로 설명하는 것입니다.

(2) **과학적 추리 방법**

- 탐구 대상을 다양하고 정확하게 관찰해야 합니다.
- 관찰한 것을 알고 있는 사실이나 경험과 연결해야 합니다.
- 관찰한 것에 대해서 논리적으로 설명할 수 있어야 합니다.

4 의사소통

과학 16~17쪽

(1) **의사소통:** 자신의 탐구 결과를 다른 사람들에게 알리고, 생각이나 정보를 주고받는 것입니다.

(2) **과학적 의사소통 방법**

- 생각에 대한 적절한 근거를 들어 설명해야 합니다.
- 표, 그림, 그래프, 몸짓 등을 사용하면 더 쉽게 의사소통할 수 있습니다.
- 다른 사람의 탐구에 대해 궁금한 점을 질문하는 것도 의사소통입니다.

5 측정

과학 18~21쪽

(1) **과학 탐구와 문제 해결:** 과학 탐구는 관찰이나 실험 등과 같은 활동은 물론, 과학 지식을 적용하여 새로운 문제를 해결하는 해결 활동도 포함합니다.

(2) **측정:** 탐구 대상의 길이, 무게, 온도, 시간 등을 재는 것입니다.

(3) **과학적 측정 방법**

- 탐구 대상에 알맞은 측정 도구를 선택해 올바른 방법으로 측정합니다.
- 정확한 측정 결과를 얻기 위해서는 여러 번 반복해 측정하는 것이 좋습니다.

(4) **측정 도구** 도움 ②

물체의 무게 측정	액체의 양 측정	물체의 둘레 측정
전자저울	눈금실린더	줄자

6 예상

과학 22~23쪽

(1) **예상:** 관찰, 측정 및 경험한 것을 바탕으로 앞으로 일어날 수 있는 일을 생각하는 것입니다.

(2) **과학적 예상 방법:** 이미 관찰, 측정하거나 경험하여 알고 있는 것에서 규칙을 찾습니다.

(3) **정확하게 예상하는 방법**

반복하여 관찰하거나 측정함. ▶ 측정한 값에서 규칙을 쉽게 찾음. ▶ 측정하지 않은 값을 예상함.

도움 ① 관찰

관찰은 감각 기관이나 관찰 도구를 사용하여 사물이나 현상에 대한 정보와 자료를 얻는 과정으로, 예상이나 추리, 이미 알고 있는 사실을 이야기하는 것과 다릅니다.

도움 ② 측정 도구 사용 방법

- 전자저울: 평평한 곳에 놓음. ➡ 수평 조절기로 공기 방울이 동그라미의 가운데 오도록 함. ➡ 전원을 켜고 영점 단추를 누른 뒤 물체를 올려놓고 무게를 잼.
- 눈금실린더: 평평한 곳에 놓음. ➡ 액체를 넣은 뒤 가운데 오목한 부분에 눈높이를 맞춰 눈금을 읽음.
- 줄자: 물체의 둘레에 맞게 두름. ➡ '0'과 겹치는 곳의 눈금을 읽음.

정답과 해설 2쪽

교과서 개념 확인 문제

1 다음은 무엇에 대한 설명인지 써 봅시다.

> 관찰한 것에 대해 이미 알고 있는 사실, 이전에 겪었던 경험 등을 바탕으로 설명하는 것

( )

2 다음 중 과학적 의사소통 활동에 해당하지 않는 것은 어느 것입니까? ( )

① 표와 그래프 사용
② 그림과 몸짓 사용
③ 적절한 근거를 들어 설명
④ 알맞은 측정 도구를 선택
⑤ 다른 사람의 탐구에 대해 질문

실험 관찰

실험 관찰 8~9쪽

관찰 분류 추리 의사소통

과학자처럼 탐구해 볼까요?

탐구 활동 외계 생명체 우주선에 태우기

탐구 활동 도움말

이 탐구 활동은 외계 생명체 카드를 활용해 눈으로 관찰하고, 과학적 기준을 세워 분류하며, 분류한 기준에 맞는 대상을 추리한 뒤 친구들과 결과를 나눠 이야기하는 활동입니다.

『실험 관찰』 꾸러미 77쪽 붙임딱지를 붙여요.

카드를 잃어버리거나 찢지 않아요.

무엇을 준비할까요?

준비물에 ◯ 표시를 하면서 확인해 봅시다.

외계 생명체 카드 (『실험 관찰』 꾸러미 78쪽)

길을 잃은 외계 생명체가 있어요. 이 외계 생명체를 자기 집으로 돌려보내기 위해 4대의 우주선을 준비했답니다. 그런데 같은 우주선에는 2개 이상의 공통된 특징을 가진 생물끼리만 탈 수 있다고 해요.

어떻게 이 생명체들을 나눠 태워야 할지 함께 생각해 볼까요?

보충해설

칸의 개수에 상관없이 자유롭게 관찰한 내용을 쓴 뒤, 자신이 관찰한 내용이 과학적인 것인지 점검해 봅시다.

1 가 ~ 아 8개의 카드 속 외계 생명체를 관찰한 뒤 각각의 특징을 써 봅시다.

예시 답안

구분	특징			구분	특징		
	더듬이	눈	입 모양		더듬이	눈	입 모양
가	예 더듬이가 2개입니다.	눈이 1개입니다.	입 모양이 세모입니다.	나	더듬이가 1개입니다.	눈이 2개입니다.	입 모양이 동그라미입니다.
다	더듬이가 2개입니다.	눈이 2개입니다.	입 모양이 세모입니다.	라	더듬이가 1개입니다.	눈이 1개입니다.	입 모양이 네모입니다.
마	더듬이가 2개입니다.	눈이 2개입니다.	입 모양이 네모입니다.	바	더듬이가 1개입니다.	눈이 1개입니다.	입 모양이 동그라미입니다.
사	더듬이가 2개입니다.	눈이 1개입니다.	입 모양이 동그라미입니다.	아	더듬이가 1개입니다.	눈이 2개입니다.	입 모양이 세모입니다.

2 관찰한 특징을 기준으로 외계 생명체 카드를 2개의 큰 무리로 분류해 봅시다. 분류한 각각의 무리를 다시 2개의 무리로 분류한 뒤 아래 그림에 정리해 봅시다.

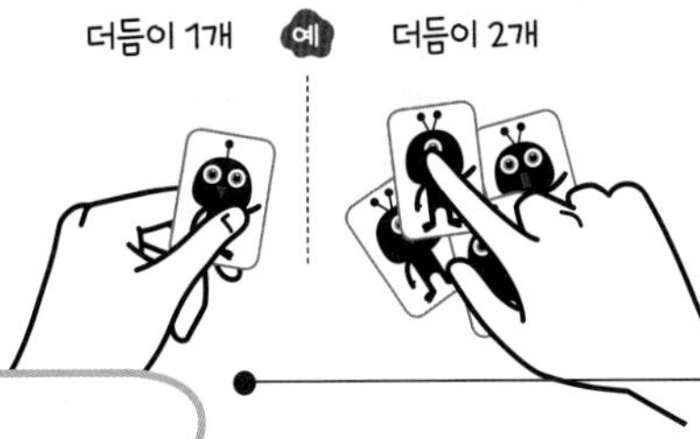

예시 답안

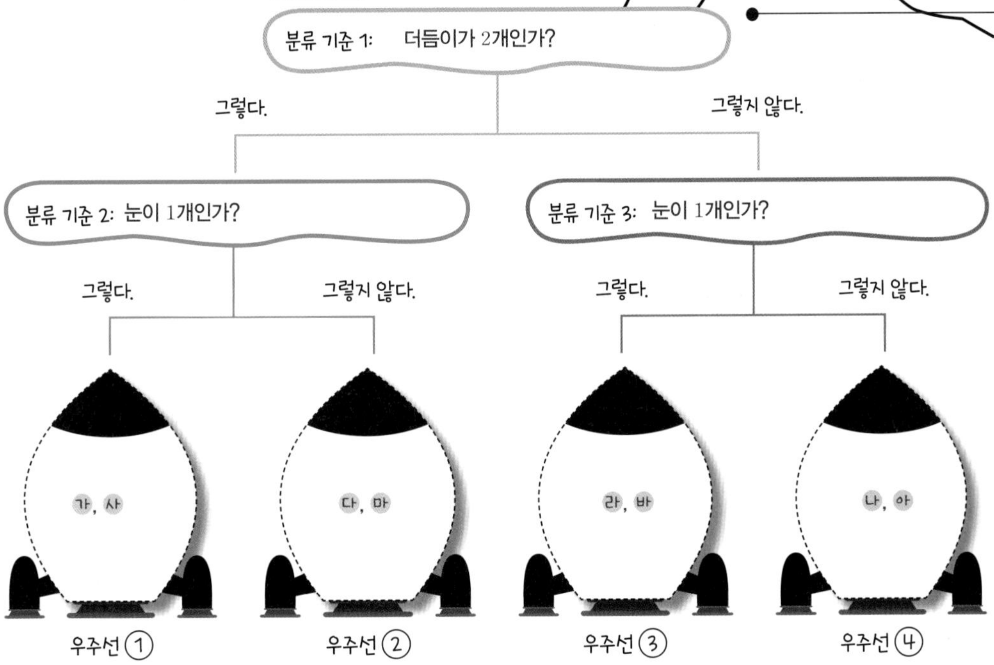

보충해설

분류 기준을 먼저 자유롭게 쓴 뒤, 그 기준이 과학적인지 점검하고 외계 생명체 카드를 분류해 봅시다.

3 과정 2에서 분류한 기준으로 자 는 우주선 ④에 태울 수 있다고 합니다. 자 의 모습을 오른쪽에 그려 봅시다.

예시 답안

보충해설

분류 기준에 해당하는 부분만 알맞게 그리고, 그 외 형태는 자유롭게 그립니다.

4 분류하여 정리한 결과를 발표한 뒤 친구들과 비교하여 같은 점과 다른 점을 이야기해 봅시다.

예시 답안

- 같은 점: 우주선 ③에 두 개의 외계 생명체가 타고 있습니다.
- 다른 점: 나와 친구의 분류 기준이 다릅니다. (나는 '더듬이가 2개인가?', '눈이 1개인가?'로 분류하였는데, 친구는 '더듬이가 1개인가?', '입 모양이 세모인가?'로 분류하였습니다.) 내가 추리한 외계 생명체 자 와 친구가 추리한 외계 생명체 자 의 모습이 다릅니다.

보충해설

친구들과 이야기하는 중 분류, 추리 결과에서 과학적으로 옳지 못한 부분이 드러났을 경우, 과학적인 분류와 추리에 대해 학습하고, 다시 분류와 추리를 해 봅시다.

실험 관찰

측정 관찰 예상 의사소통

실험 관찰 10~13쪽

과학자처럼 탐구해 볼까요?

탐구 활동 베이킹 소다와 식초로 고무풍선 불기

탐구 활동 도움말

이 탐구 활동은 베이킹 소다와 식초, 고무풍선의 둘레를 적절한 측정 도구를 선택하여 측정하고, 식초에 넣는 베이킹 소다의 양을 달리할 때 풍선의 크기가 어떻게 변할지 예상한 뒤, 실제 실험을 통해 확인해 보는 활동입니다.

다음은 봄이의 일기예요. 아빠와 음식을 만들면서 생긴 봄이의 궁금증을 함께 해결해 볼까요?

『실험 관찰』 꾸러미 77쪽 붙임딱지를 붙여요.

발생하는 기체들을 들이마시지 않아요.

무엇을 준비할까요?

준비물에 ○ 표시를 하면서 확인해 봅시다.

예시 답안

베이킹 소다 무게 측정 도구

식초 양 측정 도구

고무풍선 둘레 측정 도구

베이킹 소다

시약포지

진한 식초

깔때기

약숟가락

플라스틱병 (500 mL)

고무풍선

도움말

식초 냄새가 문제가 될 경우 식초를 시트르산(구연산)으로 대체할 수 있으나, 자극성이 있으니 장갑과 보안경을 꼭 끼고 주의하여 사용해야 합니다.

도움말

같은 종류, 같은 크기의 고무풍선이 여러 개 필요합니다.

봄이의 일기

○월 ○일 날씨 맑음

오늘 집에서 아빠와 함께 음식을 만들었다. 그런데 아빠를 돕다 실수로 베이킹 소다를 식초에 떨어뜨렸다. 신기하게도 거기에서 거품이 보글보글 났다. 기체가 생긴 것 같다. 나는 갑자기 이 기체로 고무풍선을 부풀게 할 수 있을지 궁금해졌다. 또, 내가 베이킹 소다를 더 많이 넣으면 고무풍선이 더 커질지도 궁금해졌다.

무게와 양, 둘레 측정에 적합한 실험 도구를 찾아 준비물을 완성해 봐요. (『실험 관찰』 꾸러미 80쪽 측정 도구 붙임딱지 이용)
밀가루

예시 답안

- 나는 베이킹 소다의 무게를 측정하는 도구로 전자저울을 선택했습니다. 전자저울은 정확한 무게를 재기에 좋은 것 같습니다.
- 나는 식초의 양을 측정하는 도구로 눈금실린더를 선택했습니다. 액체의 양을 측정할 때는 눈금실린더가 적합한 것 같습니다.
- 나는 고무풍선의 둘레를 측정하는 도구로 줄자를 선택했습니다. 둥근 모양의 물체 둘레를 측정하기에는 줄자가 적합한 것 같습니다.

1 각자 준비물로 선택한 측정 도구에 대해 모둠원과 이야기를 나눠 봅시다.

도구 사용 방법은 『과학』 부록 121쪽을 참고할 수 있어요.

2 가장 적절하다고 생각되는 측정 도구를 선택해 사용 방법을 조사해 봅시다.

예시 답안

구분	베이킹 소다 무게 측정	식초 양 측정	고무풍선 둘레 측정
측정 도구	전자저울	눈금실린더	줄자
사용 방법	① 전자저울을 평평한 곳에 놓습니다. ② 공기 방울이 동그라미의 가운데 오도록 수평 조절기를 이용해 맞춥니다. ③ 전원을 켭니다. ④ 용기나 시약포지를 올리고 영점 단추를 누릅니다. ⑤ 측정하려는 물체를 가운데 올리고 무게를 잽니다.	① 측정하는 양보다 약간 큰 양의 눈금실린더를 고릅니다. ② 눈금실린더의 가운데를 잡고 기울여 액체를 흘려 넣습니다. ③ 액체의 오목한 부분과 눈높이를 수평으로 맞추고 눈금을 읽습니다.	① 줄자를 측정하는 물체의 둘레에 맞게 두릅니다. ② '0'과 겹치는 곳의 눈금을 읽습니다.

보충해설

측정 도구를 선택하기 전 9쪽의 '5. 측정 (4) 측정 도구'에서 측정 도구들을 확인해 봅시다.

3 식초에 베이킹 소다를 넣으면 어떤 변화가 일어나는지 관찰해 봅시다.

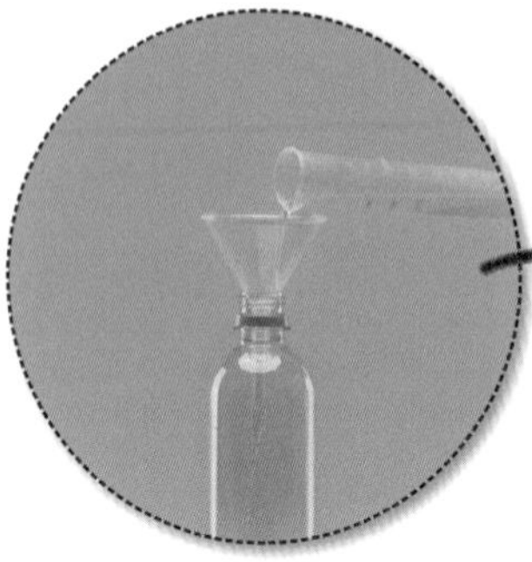

❶ 식초 100 mL를 플라스틱 병에 넣습니다.

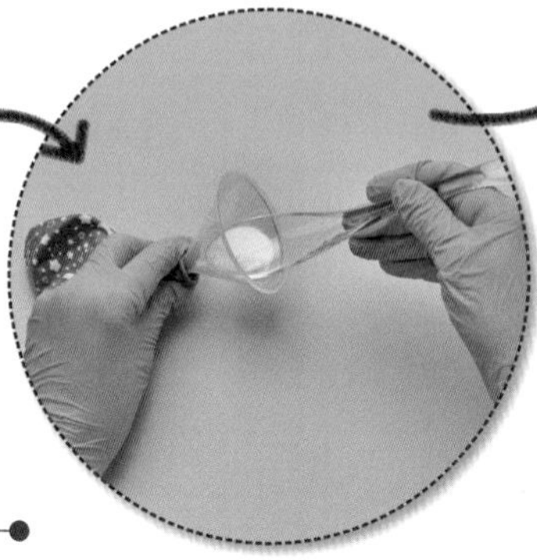

❷ 베이킹 소다 한 숟가락을 고무풍선에 넣고, 고무풍선을 플라스틱병에 씌웁니다.

❸ 고무풍선의 베이킹 소다를 병 안에 천천히 넣으면서 병 안과 풍선의 변화를 관찰합니다.

도움말

고무풍선을 플라스틱병에 고정할 때 절연 테이프를 사용하면 더 잘 고정할 수 있습니다.

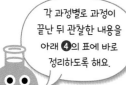

각 과정별로 과정이 끝난 뒤 관찰한 내용을 아래 ❹의 표에 바로 정리하도록 해요.

주의!

고무풍선을 플라스틱 병에 씌울 때는 2명이 짝을 이뤄 플라스틱병을 잡고 넘어지지 않도록 조심해요.

❹ 감각 기관을 사용해 탐구 과정에서의 변화를 관찰하고, 관찰한 내용을 그림이나 글로 나타내 봅시다.

예시 답안

구분	변화가 일어나기 전	변화가 일어날 때	변화가 일어난 뒤
사용한 감각 기관	눈, 코, 피부	눈, 귀	눈
관찰한 내용	• 베이킹 소다는 하얀색 가루로, 만지면 부드럽습니다. • 식초는 시큼한 냄새가 나고, 옅은 노란색입니다.	• 플라스틱병의 식초와 베이킹 소다가 섞이면서 부글부글 거품이 생깁니다. • 거품이 생길 때 플라스틱병에 귀를 대보면 작은 소리가 납니다. • 거품이 생기면서 풍선이 부풉니다.	• 부글부글하던 거품이 없어집니다. • 풍선은 그대로 부풀어 있습니다.

4 식초에 넣는 베이킹 소다의 양을 다르게 할 때 풍선의 크기가 어떻게 변할지 예상해 봅시다.

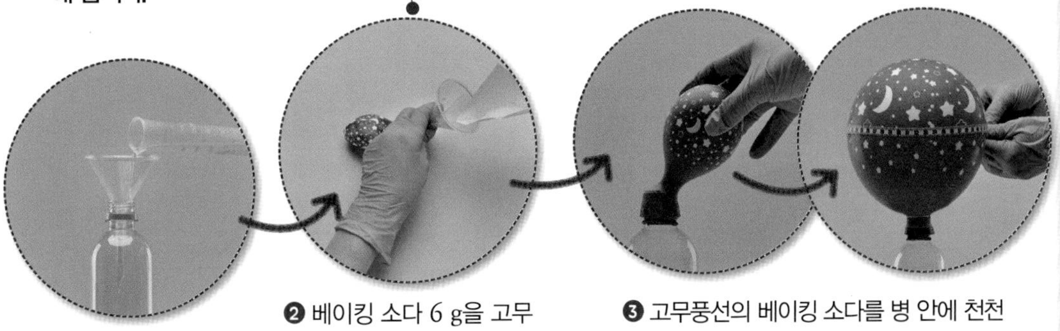

❶ 식초 100 mL를 플라스틱병에 넣습니다.

❷ 베이킹 소다 6 g을 고무풍선에 넣고, 고무풍선을 플라스틱병에 씌웁니다.

❸ 고무풍선의 베이킹 소다를 병 안에 천천히 넣은 뒤 풍선의 크기가 더 커지지 않을 때 풍선의 둘레를 측정합니다.

도움말 한번 썼던 풍선을 다시 사용하면 실험 결과가 달라질 수 있습니다. 종류와 크기가 같은 새로운 풍선을 사용하도록 합니다.

❹ 베이킹 소다의 양을 9 g과 12 g으로 바꿔 실험한 뒤 풍선의 둘레를 측정해 봅시다.

예시 답안

베이킹 소다의 양(g)	6	9	12
풍선의 둘레(cm)	43	47	53

풍선의 둘레를 측정할 때는 풍선의 가장 볼록한 부분을 측정해요.

도움말 측정하기 전에 풍선의 가장 볼록한 위치에 미리 점을 찍어 표시해 두면 측정할 때 도움이 됩니다.

❺ 측정 결과를 바탕으로 알게 된 사실을 정리해 봅시다.

▶ 식초의 양이 일정할 때, 베이킹 소다의 양이 늘어나면 풍선의 둘레가 [늘어납니다].

❻ 베이킹 소다의 양을 3 g과 15 g으로 바꿨을 때 각각 풍선의 둘레를 예상해 보고, 그렇게 생각한 까닭을 써 봅시다.

▶ 베이킹 소다의 양을 3 g으로 바꾸면 풍선의 둘레는 6 g일 때보다 (☐ 커질, ☐ 그대로일, ✔ 작아질) 것입니다. 왜냐하면 [베이킹 소다의 양이 줄어들면 풍선의 둘레가 줄어들기] 때문입니다.

▶ 베이킹 소다의 양을 15 g으로 바꾸면 풍선의 둘레는 12 g일 때보다 (✔ 커질, ☐ 그대로일, ☐ 작아질) 것입니다. 왜냐하면 [베이킹 소다의 양이 늘어나면 풍선의 둘레가 늘어나기] 때문입니다.

[실험 결과]

❼ 다른 모둠의 예상과 비교해 보고, 예상이 다르게 나왔다면 그 까닭이 무엇일지 이야기해 봅시다.

예시 답안 우리 모둠은 베이킹 소다의 양이 6 g일 때와 9 g일 때 풍선 둘레가 차이가 나지 않아 15 g에서도 풍선 둘레는 그대로일 것이라 예상하였습니다. 다른 모둠과 예상이 다른 것은 9 g일 때 우리 모둠에서 베이킹 소다를 일부 쏟았기 때문인 듯합니다.

1 지층과 화석

아주 먼 옛날, 우리가 살고 있는 곳에 공룡이 살고 있었어요.
우리는 지금까지 남아 있는 흔적을 통해
아주 먼 옛날에는 공룡이 살고 있었다는 것과 지금과는
환경이 많이 달랐다는 것을 알 수 있어요.
그 흔적은 어디에 남아 있을까요?

이 단원에서 공부할 내용

옛날에 살았던 공룡은 어떻게 흔적을 남겼을까요?

단원 그림 도움말

단원 그림은 옛날에 살았던 공룡과 익룡의 모습입니다. 그림을 보면서 옛날에 살았던 공룡의 몸체나 생활한 흔적 등이 어디에 남아 있으며, 어떻게 흔적을 남겼을지 추측해 보면서 앞으로 배울 내용에 대해 생각해 봅시다.

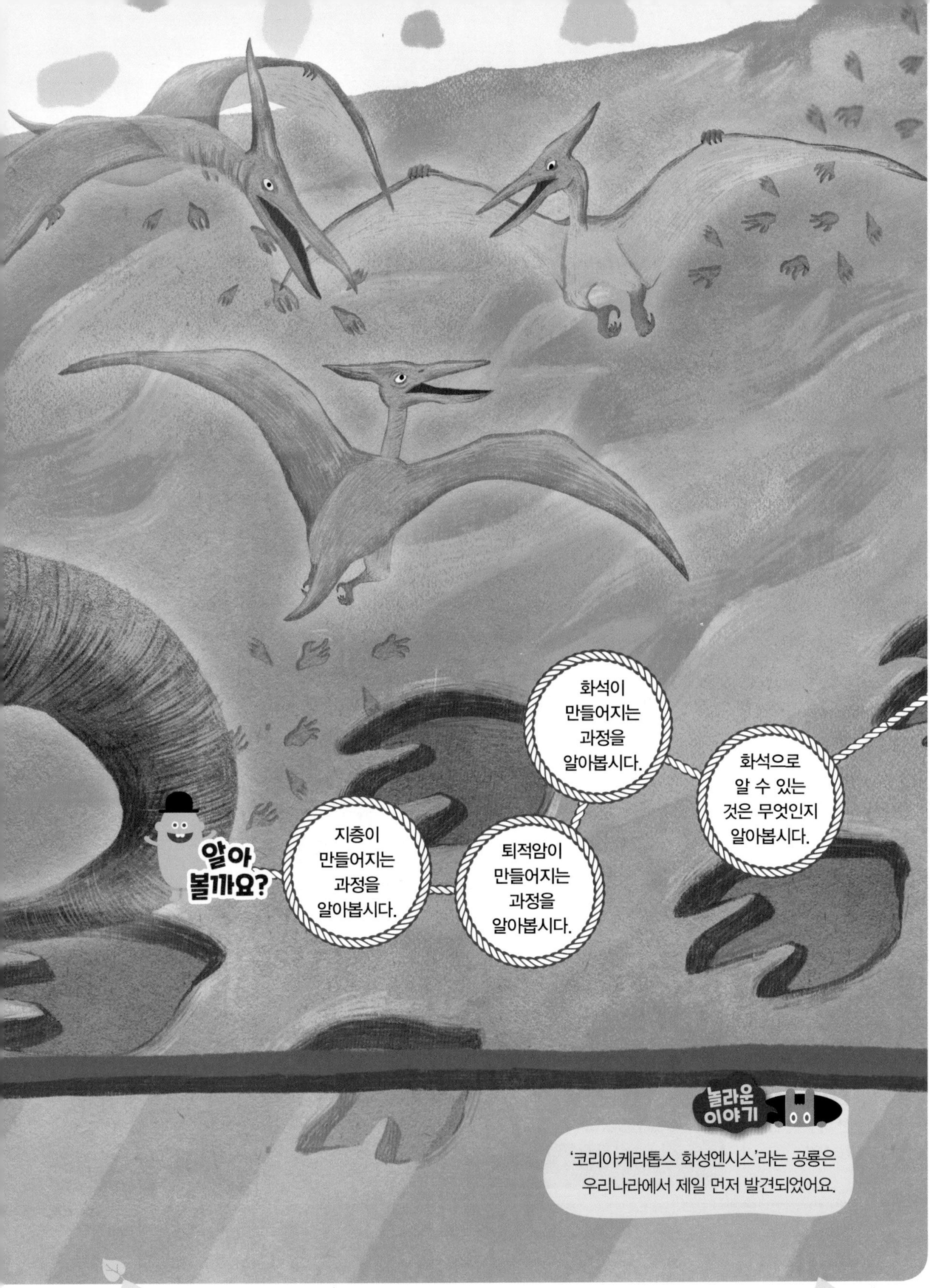

알아 볼까요?
지층이 만들어지는 과정을 알아봅시다.
퇴적암이 만들어지는 과정을 알아봅시다.
화석이 만들어지는 과정을 알아봅시다.
화석으로 알 수 있는 것은 무엇인지 알아봅시다.
놀라운 이야기
'코리아케라톱스 화성엔시스'라는 공룡은 우리나라에서 제일 먼저 발견되었어요.

좀 더 설명할게요

2008년 경기도 화성시에서는 새로운 공룡의 뼈 화석이 발견되었습니다. 이 공룡의 이름은 '대한민국 화성시에서 발견된 얼굴에 뿔이 달린 공룡'이라는 뜻의 '코리아케라톱스 화성엔시스'로 붙여졌습니다. 코리아케라톱스 화성엔시스는 몸의 길이가 약 2.0 m 정도이며, 약 1억 년 전에 우리나라에서 살았을 것으로 추정하고 있습니다.

질문과 답

옛날에 살았던 공룡은 어떻게 흔적을 남겼을까요?

공룡이 진흙을 밟아 발자국이 남고, 그 위로 퇴적물이 쌓인 뒤 굳으면 흔적이 남게 됩니다.

과학 놀이터

과학 26~27쪽

무엇이 숨어 있을까요?

친구들이 조심스럽게 공룡 화석을 찾고 있어요.
우리도 반죽 안에 숨어 있는 장난감을 찾아보고,
어떤 모양의 장난감인지 알아보아요.

옥수숫가루의 양을 1컵이라고 하면 흑설탕은 1컵, 밀가루는 반 컵, 소금은 조금만 넣어 반죽을 만들어요.
이렇게 해요

무엇을 준비할까요?

장난감, 물, 옥수숫가루, 흑설탕, 밀가루, 소금, 쟁반, 붓, 플라스틱 통, 끝이 뾰족한 나무 막대, 실험용 장갑

① 옥수숫가루, 흑설탕, 밀가루, 소금을 잘 섞은 뒤 물을 부어 만든 반죽을 플라스틱 통에 절반 정도 채웁니다.

② 반죽 위에 장난감을 놓고 그 위에 반죽을 더 채운 뒤 손으로 누릅니다.

과학 놀이터 도움말

반죽 안에 숨어 있는 장난감을 찾아보는 활동을 통해 화석이 어떻게 발굴되는지 이해할 수 있습니다.

이렇게 해요

유의점

- 여러 조각으로 분리된 장난감의 일부만 반죽 안에 넣어 장난감 전체의 모습을 추리해 보아도 됩니다.

준비물 도움말

- 옥수숫가루, 흑설탕, 소금은 퇴적물의 느낌을 표현하기 위한 준비물이고, 흑설탕, 밀가루, 소금은 반죽이 잘 뭉쳐지게 하기 위한 준비물입니다.

활동 도움말

① 옥수숫가루, 흑설탕, 밀가루, 소금을 잘 섞은 뒤 물을 부어 만든 반죽을 플라스틱 통에 절반 정도 채웁니다.

도움말 옥수숫가루, 흑설탕, 밀가루, 소금의 비율은

찾은 장난감은
어떤 모양인가요?

③ 5분 정도 지나면 다른 모둠원과 바꾼 다음, 나무 막대로 반죽을 파내면서 안에 들어 있는 장난감을 찾아봅시다.

플라스틱 통을
뒤집어서 조심스럽게
반죽을 꺼내세요.

④ 장난감이 보이면 붓으로 잘 털어 내어 어떤 모양의 장난감인지 확인해 봅시다.

1 : 1 : 0.5 : 소량으로 섞은 다음, 물을 부어 반죽을 만듭니다. 예를 들어 옥수숫가루를 2숟가락 넣으면 밀가루는 한 숟가락 넣으면 됩니다.

② 반죽 위에 장난감을 놓고 그 위에 반죽을 더 채운 뒤 손으로 누릅니다.

도움말 반죽은 장난감이 완전히 보이지 않을 정도로 채워 줍니다.

도움말 장난감은 지층 속에서 만들어진 화석을 나타냅니다.

③ 5분 정도 지나면 다른 모둠원과 바꾼 다음, 나무 막대로 반죽을 파내면서 안에 들어 있는 장난감을 찾아봅시다.

도움말 플라스틱 통을 뒤집어서 반죽을 꺼낼 때 반죽이 부서지지 않도록 조심스럽게 꺼내야 합니다.

질문

- 찾은 장난감은 어떤 모양인가요?

나의 답 공룡 모양입니다. 자동차 모양입니다.

1 지층이 두꺼운 책처럼 보여요

과학 28~29쪽

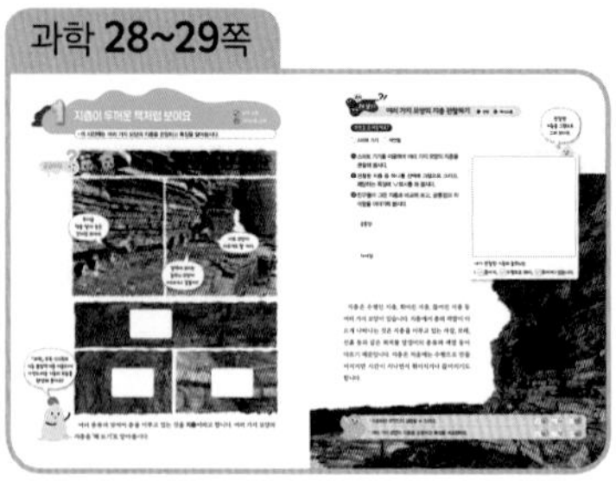

➔ 지층의 모습 관찰하기

이 지층은 수평으로 되어 있고, 여긴 끊어져 있어.
여긴 휘어져 있네. 지층의 모양은 다양하구나!

➔ 여러 가지 지층의 공통점과 차이점

지층의 모양은 서로 다르네. 층의 두께, 색깔도 달라.
하지만, 지층마다 줄무늬가 있고, 층이 여러 개로 이루어져 있는 공통점이 있어.

궁금해요

지층 붙임딱지를 이용하여 자연스러운 지층의 모습을 완성해 보면서 여러 가지 모양의 지층을 확인해 봅시다. 도움①

질문 『과학』 부록 123쪽의 지층 붙임딱지를 이용하여 자연스러운 지층의 모습을 완성해 볼까요?

예시 답안

해 보기 여러 가지 모양의 지층 관찰하기

- **무엇을 준비할까요?**

  스마트 기기, 색연필

- **어떻게 할까요?**

① 스마트 기기를 이용하여 여러 가지 모양의 지층을 관찰해 봅시다. 도움②

② 관찰한 지층 중 하나를 선택해 그림으로 그리고, 해당하는 특징에 ∨표시를 해 봅시다. 도움③

③ 친구들이 그린 지층과 비교해 보고, 공통점과 차이점을 이야기해 봅시다.

➔

공통점	• 줄무늬가 보입니다. • 여러 개의 층으로 이루어져 있습니다.
차이점	• 지층의 모양이 서로 다릅니다. • 층의 두께와 색깔이 다릅니다.

예시 답안

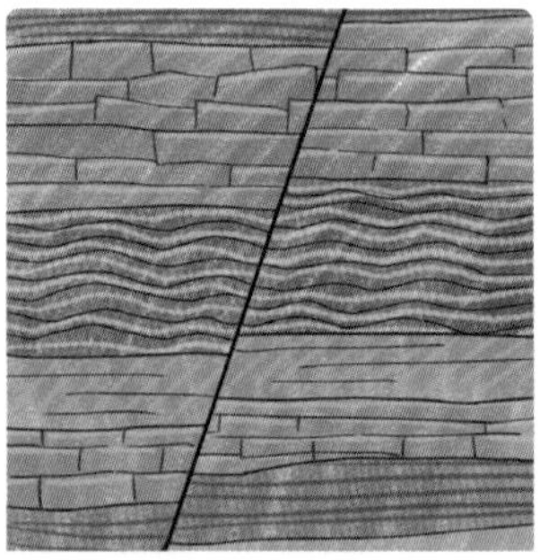

내가 관찰한 지층의 줄무늬는 (☑끊어져, □수평으로 되어, □휘어져) 있습니다.

교과서 속 핵심 개념

- **지층** 여러 종류의 암석이 층을 이루고 있는 것
- **지층의 모양** 수평인 지층, 휘어진 지층, 끊어진 지층 등
- **지층에서 층의 색깔이 다른 까닭** 지층을 이루고 있는 자갈, 모래, 진흙 등과 같은 퇴적물 알갱이의 종류와 색깔 등이 다르기 때문

도움 ① 지층의 모양
지층은 자갈, 모래, 진흙 등이 쌓여 층을 이루고 있는 것을 말합니다. 대부분의 지층은 알갱이가 층을 이루며 쌓일 때 땅과 수평으로 쌓입니다. 그래서 현재 기울어져 있거나 휘어져 있거나 끊어져 있는 지층은 쌓인 이후 지층에 변화가 있었음을 알게 해 줍니다.

도움 ② 스마트 기기로 지층 찾기
PC, 스마트폰, 태블릿, 노트북 등 다양한 스마트 기기를 이용할 수 있습니다. 포털 사이트에서 이미지 검색 기능, 지도에서 거리 보기 기능 등을 사용하여 바닷가의 절벽이나 도로 옆에 산이 깎인 모습 등에서 지층을 확인할 수 있습니다.

도움 ③ 지층 그림 그리기
관찰한 지층 중 하나를 선택해 그림으로 그릴 때는 지층의 줄무늬 모양을 표현하도록 합니다. 그리고 똑같이 그리려고 하기보다는 모양, 층의 두께나 색깔 차이 등 지층의 특징이 잘 드러나도록 그리는 것이 중요합니다.

스스로 확인해요

- **지층이란 무엇인지 설명할 수 있어요.**
  도움말 지층은 여러 가지 암석이 층을 이루고 있음을 설명합니다.
- **여러 가지 모양의 지층을 관찰하고 특징을 비교했어요.**
  도움말 스마트 기기로 조사한 여러 가지 지층에는 어떠한 공통점과 차이점이 있는지 비교합니다.

정답과 해설 2쪽

교과서 개념 확인 문제

1 다음 여러 가지 지층의 모습과 그 특징을 선으로 연결해 봅시다.

(1)  • • ㉠ 수평인 지층

(2)  • • ㉡ 휘어진 지층

(3)  • • ㉢ 끊어진 지층

2 다음을 읽고 여러 가지 지층이 가지는 공통점은 ○표시를, 차이점은 △표시를 해 봅시다.

㉠ 줄무늬가 보입니다.	㉡ 지층의 모양이 서로 다릅니다.
(　　)	(　　)
㉢ 층의 두께와 색깔이 다릅니다.	㉣ 여러 개의 층으로 이루어져 있습니다.
(　　)	(　　)

3 다음 빈칸에 들어갈 알맞은 말을 써 봅시다.

> 지층에서 층의 색깔이 다른 까닭은 지층을 이루고 있는 자갈, 모래, 진흙 등과 같은 퇴적물 알갱이의 (㉠)와/과 (㉡) 등이 다르기 때문입니다.

㉠ (　　　　) ㉡ (　　　　)

2 지층을 만들어 보아요

과학 30~31쪽

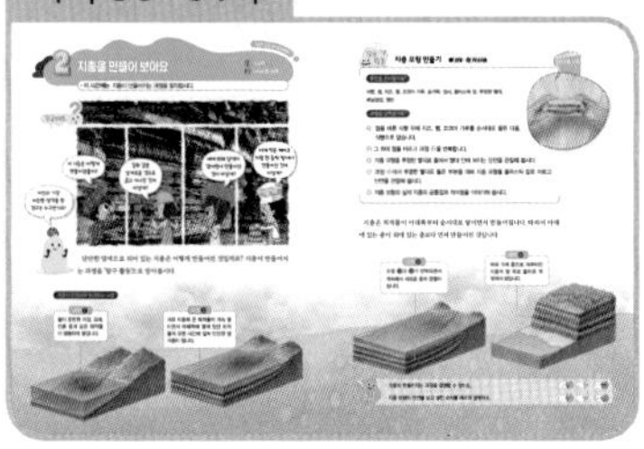

➲ 지층이 만들어져 발견되는 과정

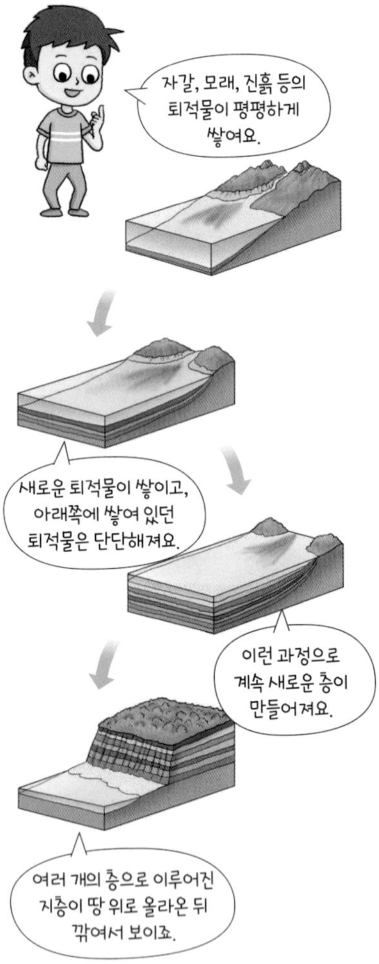

자갈, 모래, 진흙 등의 퇴적물이 평평하게 쌓여요.
새로운 퇴적물이 쌓이고, 아래쪽에 쌓여 있던 퇴적물은 단단해져요.
이런 과정으로 계속 새로운 층이 만들어져요.
여러 개의 층으로 이루어진 지층이 땅 위로 올라온 뒤 깎여서 보이죠.

궁금해요

지층이 어떻게 만들어졌는지에 대한 친구들의 생각 중 한 가지를 골라 봅시다. 그리고 그 생각을 고른 까닭을 이야기해 봅시다. 도움①

질문 자신과 가장 비슷한 생각을 한 친구는 누구인가요?

예시 답안 "어제 먹은 케이크처럼 한 층씩 쌓여서 만들어진 것이 아닐까?" 라고 대답한 친구입니다. 지층은 퇴적물이 차례대로 쌓여 만들어졌고 층이 있기 때문입니다.

탐구 활동 지층 모형 만들기

자세한 해설은 24~25쪽에 있어요.

- **무엇을 준비할까요?**

식빵, 잼, 치즈, 햄, 코코아 가루, 숟가락, 접시, 플라스틱 칼, 투명한 빨대, 비닐장갑, 쟁반

- **과정을 알아볼까요?**

① 잼을 바른 식빵 위에 치즈, 햄, 코코아 가루를 순서대로 올린 다음, 식빵으로 덮습니다.
② 그 위에 잼을 바르고 과정 ①을 반복합니다.
③ 지층 모형을 투명한 빨대로 뚫어서 빨대 안에 보이는 단면을 관찰해 봅시다.
④ 과정 ③에서 투명한 빨대로 뚫은 부분을 피해 지층 모형을 플라스틱 칼로 자르고 단면을 관찰해 봅시다.
⑤ 지층 모형과 실제 지층의 공통점과 차이점을 이야기해 봅시다.

- **관찰 내용 및 결과를 정리해요**

➲ 지층 모형을 만들 때 사용한 여러 가지 재료가 층을 이룹니다.
➲ 지층 모형 안의 층이 쌓인 순서는 어느 단면이나 같습니다.
➲ 아래에 있는 층일수록 먼저 만들어진 것입니다.

교과서 속 핵심 개념

- **지층이 만들어져 발견되는 과정** 도움② 도움③

퇴적물이 평평하게 쌓임. ➡ 새로 이동해 온 퇴적물이 쌓이면서 아래쪽에 쌓여 있던 퇴적물이 오랜 시간에 걸쳐 단단한 암석층이 됨. ➡ 앞의 과정이 반복되면서 계속해서 새로운 층이 만들어짐. ➡ 여러 개의 층으로 이루어진 지층이 땅 위로 올라온 뒤 깎여서 보임.

- **지층이 만들어진 순서** 아래에 있는 층이 위에 있는 층보다 먼저 만들어짐.

정답과 해설 2쪽

도움 ① 지층의 두께

지층의 두께는 현미경으로 관찰할 수 있을 정도로 아주 얇은 경우에서부터 수십 미터의 두께를 갖는 경우 등 다양합니다. 하나의 층이 쌓이는 동안 쌓이는 물질의 종류, 크기 등이 달라지면서 층을 만들기 때문에 층마다 구분을 할 수 있습니다.

도움 ② 다양하게 쌓이는 지층

보통 지층은 평평한 층으로 형성됩니다. 그러나 가끔은 퇴적물이 평평하게 쌓이지 않고 경사지게 쌓이기도 합니다. 그리고 하나의 층에는 보통 비슷한 퇴적물이 모여 층을 이루지만, 가끔은 서로 다른 크기의 퇴적물이 쌓이는 층이 생기기도 합니다.

▲ 경사지게 쌓인 지층

▲ 여러 크기의 퇴적물이 쌓인 지층

도움 ③ 지층이 만들어지는 데 걸리는 시간

지층 모형을 만들 때는 층을 바로 쌓을 수 있습니다. 그러나 실제 지층이 만들어지는 데까지는 오랜 시간이 걸리며, 1만 년 안에 퇴적물이 쌓여 지층이 되는 것을 보는 것도 어렵습니다.

스스로 확인해요

- **지층이 만들어지는 과정을 설명할 수 있어요.**
  도움말 퇴적물이 쌓이고 굳어지면서 층이 만들어지는 과정을 설명합니다.
- **지층 모형의 단면을 보고 쌓인 순서를 바르게 말했어요.**
  도움말 지층 모형을 만들었을 때 재료를 올린 순서를 확인합니다.

교과서 개념 확인 문제

1 다음 (　　) 안에 들어갈 알맞은 말에 ○표시를 해 봅시다.

(1) 지층은 (위 , 아래)에 있는 층부터 먼저 쌓였습니다.
(2) 지층이 만들어지는 데까지는 (짧은 , 긴) 시간이 걸립니다.

2 다음 지층의 모습을 보고, 먼저 만들어진 층부터 순서대로 기호를 나열해 봅시다.

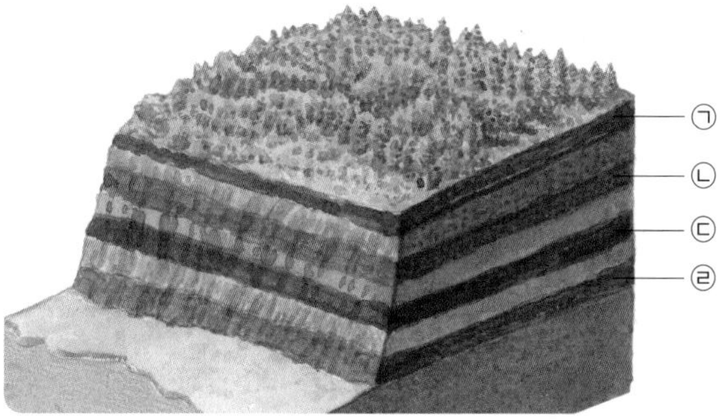

(　　) – (　　) – (　　) – (　　)

3 다음은 실제 지층과 지층 모형의 차이점에 대한 설명입니다. 실제 지층에 해당되는 내용은 '지층', 지층 모형에 해당되는 내용은 '모형'이라고 써 봅시다.

(1) 매우 단단합니다. (　　　)
(2) 단단하지 않습니다. (　　　)
(3) 만드는 시간이 오래 걸리지 않습니다. (　　　)
(4) 만들어지기까지 오랜 시간이 걸립니다. (　　　)

실험 관찰

관찰 의사소통

실험 관찰 16~17쪽

2 지층을 만들어 보아요

탐구 활동 지층 모형 만들기

탐구 활동 도움말

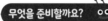

이 탐구 활동은 지층 모형을 만들어가면서 지층이 만들어지는 순서를 확인하고, 지층이 만들어지는 과정을 설명하는 활동입니다.

「실험 관찰」 꾸러미 77쪽 붙임딱지를 붙여요.

플라스틱 칼을 조심해서 다뤄요.

보충해설

식빵 안에 서로 다른 재료를 순서대로 넣는 것은 여러 가지 층을 표현하기 위한 것입니다. 재료의 양이나 순서를 조절하며 재료를 넣습니다.

무엇을 준비할까요?

준비물에 ◯ 표시를 하면서 확인해 봅시다.

1 잼을 바른 식빵 위에 치즈, 햄, 코코아 가루를 순서대로 올린 다음, 식빵으로 덮습니다.

2 그 위에 잼을 바르고 과정 1을 반복합니다.

도움말

식빵 안에 넣은 재료의 양이 많아 층이 잘 구분되는 경우에는 과정 1을 반복할 필요는 없습니다.

3 지층 모형을 투명한 빨대로 뚫어서 빨대 안에 보이는 단면을 관찰해 봅시다.

빨대 안에 여러 개의 층이 보이는 것은 지층 모형을 만들 때 사용한 [재료] 이/가 여러 가지이기 때문입니다.

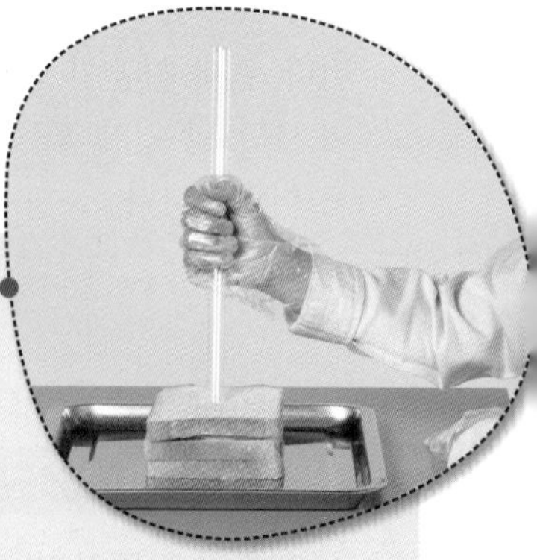

도움말

지층 모형을 빨대로 뚫을 때 빨대의 한쪽 끝을 엄지손가락으로 막고 누르면 좀 더 쉽게 구멍을 뚫을 수 있습니다.

4 과정 3에서 투명한 빨대로 뚫은 부분을 피해 지층 모형을 플라스틱 칼로 자르고 단면을 관찰해 봅시다.

과정 3과 과정 4를 통해 지층 모형이 쌓인 순서는 어느 부분의 단면을 관찰하여도 서로 (☑ 같음을, ☐ 다름을) 알 수 있습니다.

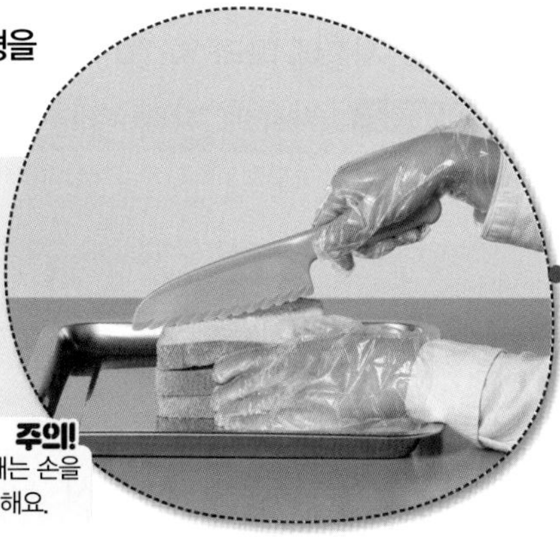

주의! 지층 모형을 자를 때는 손을 다치지 않도록 조심해요.

도움말 지층 모형을 자를 때는 플라스틱 칼을 톱질하듯이 사용합니다.

5 지층 모형과 실제 지층의 공통점과 차이점을 이야기해 봅시다.

예시 답안

구분	지층 모형	실제 지층
공통점	• 모두 줄무늬가 보입니다. • 아래에 있는 층이 먼저 만들어진 것입니다.	
차이점	• 단단하지 않습니다. • 만드는 시간이 오래 걸리지 않습니다.	• 매우 단단합니다. • 만들어지기까지 오랜 시간이 걸립니다.

단단한 정도, 만들어지는 데 걸린 시간 등의 차이점을 비교해요.

보충해설 눈으로 관찰한 내용을 중심으로 차이점을 찾아봅니다.

이렇게 ○○ 정리해요

지층이 만들어진 순서를 이야기해 봅시다.

지층에서 위에 있는 층과 아래에 있는 층 중 먼저 만들어진 층은 [아래]에 있는 층입니다.

보충해설 지층 모형을 만들 때 어떤 재료가 먼저 사용되었는지 생각하면서 지층이 쌓이는 순서를 생각해 봅니다.

3 지층을 이루고 있는 암석을 확인해요

과학 32~33쪽

➲ 이암, 사암, 역암

퇴적암은 퇴적물 알갱이의 크기에 따라 분류할 수 있어요.

이암은 알갱이의 크기가 매우 작은 것이 굳어진 암석이에요.
진흙

사암은 주로 모래가 굳어진 암석이에요.
모래

역암은 주로 자갈과 모래 등이 굳어진 암석이에요.
자갈

궁금해요

지층에 따라 알갱이의 크기가 다르게 보이는 지층을 비교해 봅시다.

질문 지층에 따라 알갱이의 크기가 다른 까닭은 무엇일까요?

예시 답안 지층에 따라 다른 종류의 퇴적물이 쌓여 만들어졌기 때문입니다.

탐구 활동 퇴적암 분류하기

자세한 해설은 28~29쪽에 있어요.

- **무엇을 준비할까요?**

퇴적암 표본 6개, 접시 3개, 번호 붙임딱지, 사인펜, 돋보기

- **과정을 알아볼까요?**

① 퇴적암에 번호 붙임딱지를 붙이고, 접시 3개에 (가)~(다)를 씁니다.

② 퇴적암 6개 중에서 모래보다 큰 자갈이 보이는 암석 2개를 찾아 (가) 접시에 담습니다.

③-1 남은 퇴적암 4개 중 손으로 만졌을 때 까슬까슬한 느낌이 드는 암석 2개를 찾아 (나) 접시에 담습니다.

③-2 남은 퇴적암 2개를 손으로 만졌을 때의 느낌을 확인하고, (다) 접시에 담습니다.

④ (가)~(다)의 접시에 담긴 퇴적암을 이루고 있는 알갱이의 종류를 쓰고, 이암, 사암, 역암 중 어느 것에 해당하는지 이야기해 봅시다.

- **관찰 내용 및 결과를 정리해요**

➲ 퇴적암은 알갱이의 크기에 따라 이암, 사암, 역암으로 분류할 수 있습니다.

➲ 이암을 만져 보면 매우 부드럽고, 사암을 만져 보면 약간 까슬까슬하며, 역암을 만져 보면 부드럽기도 하고 까슬까슬하기도 합니다.

교과서 속 핵심 개념

- **퇴적암** 자갈, 모래, 진흙 등과 같은 퇴적물이 단단하게 굳어서 만들어진 암석 도움①
- **퇴적암의 종류** 도움② 도움③
  - 이암: 진흙과 같이 알갱이의 크기가 매우 작은 것이 굳어서 만들어진 암석
  - 사암: 주로 모래가 굳어서 만들어진 암석
  - 역암: 주로 자갈과 모래 등이 굳어서 만들어진 암석

도움 1 퇴적암의 줄무늬

지층은 퇴적암으로 이루어져 있습니다. 퇴적암으로 이루어진 지층에서 알갱이의 크기나 색깔 등의 차이로 줄무늬가 나타납니다. 하지만 줄무늬가 보인다고 모두 퇴적암은 아닙니다. 퇴적암이 아닌 암석에서도 줄무늬가 보이는 경우가 있습니다.

▲ 줄무늬가 있지만 퇴적암이 아닌 암석

도움 2 퇴적암의 분류

퇴적암은 암석을 이루는 알갱이의 크기에 따라 분류할 수 있습니다. 2 mm 이상의 굵은 알갱이가 보이면 역암, 눈으로 알갱이가 보일 정도면 사암, 눈으로 알갱이의 크기를 구분하기 어려우면 이암으로 분류합니다.

도움 3 이암보다 작은 알갱이로 이루어진 암석

이암을 이루는 진흙보다 더 작은 크기의 알갱이로 이루어진 셰일이라는 암석이 있습니다. 셰일은 얇은 줄무늬가 보이거나 암석에 충격을 주었을 때 방향성을 가지고 쪼개지는 것이 특징입니다.

스스로 확인해요

- **이암, 사암, 역암의 특징을 설명할 수 있어요.**
  도움말 이암, 사암, 역암의 특징을 알갱이의 크기, 손으로 만졌을 때의 느낌 등으로 나누어 설명합니다.
- **퇴적암을 관찰하여 알갱이의 크기에 따라 바르게 분류했어요.**
  도움말 알갱이의 크기에 따라 역암, 사암, 이암으로 분류합니다.

정답과 해설 2쪽

교과서 개념 확인 문제

1 다음 빈칸에 들어갈 알맞은 퇴적암을 써 봅시다.

- (㉠)은 알갱이의 크기가 매우 작습니다.
- (㉡)은 모래 알갱이(중간) 정도입니다.
- (㉢)은 크고 작은 알갱이가 섞여 있습니다.

㉠ (   ) ㉡ (   ) ㉢ (   )

2 다음 암석과 각 암석을 손으로 만졌을 때의 느낌을 선으로 연결해 봅시다.

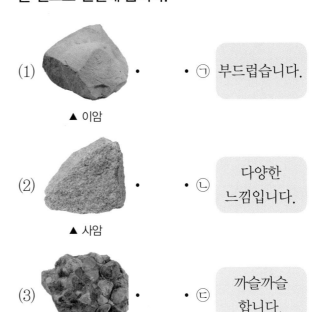

(1)  •

▲ 이암

(2)  •

▲ 사암

(3)  •

▲ 역암

• ㉠ 부드럽습니다.

• ㉡ 다양한 느낌입니다.

• ㉢ 까슬까슬합니다.

3 다음 빈칸에 들어갈 알맞은 말을 보기에서 골라 써 봅시다.

(㉠)은/는 퇴적물이 단단하게 굳어져서 만들어진 암석입니다. 이것은 퇴적물 알갱이의 (㉡)에 따라 이암, 사암, 역암으로 분류됩니다.

보기

퇴적암, 지층, 색깔, 크기, 시간

㉠ (   ) ㉡ (   )

실험 관찰

관찰 분류

실험 관찰 18~19쪽

3 지층을 이루고 있는 암석을 확인해요

탐구 활동 퇴적암 분류하기

탐구 활동 도움말

이 탐구 활동은 여러 가지 퇴적암을 관찰하여 특징을 알아보고, 알갱이의 크기에 따라 퇴적암을 분류해 보는 활동입니다.

「실험 관찰」 꾸러미 77쪽 붙임딱지를 붙여요.

퇴적암 관찰이 끝나면 손을 깨끗이 씻어요.

보충해설

자갈, 모래, 진흙을 구분하기 어려우면 좁쌀과 같은 작은 크기의 기준 물체를 준비합니다. 좁쌀보다 크면 자갈, 눈에 보이지 않으면 진흙입니다.

무엇을 준비할까요?

준비물에 ◯ 표시를 하면서 확인해 봅시다.

퇴적암 표본 6개

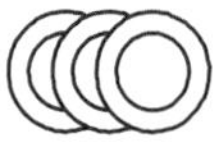

접시 3개

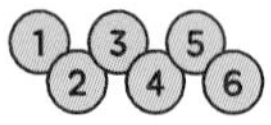

번호 붙임딱지

사인펜

돋보기

1 퇴적암에 번호 붙임딱지를 붙이고, 접시 3개에 (가)~(다)를 씁니다.

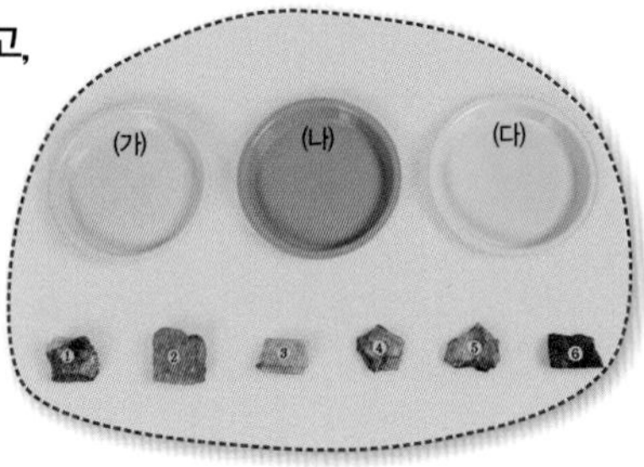

좁쌀(●)보다 큰 알갱이가 보이는 퇴적암을 찾아보세요.

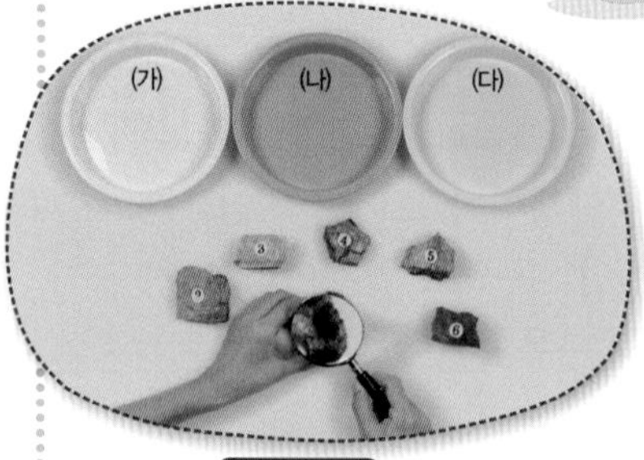

2 퇴적암 6개 중에서 모래보다 큰 자갈이 보이는 암석 2개를 찾아 (가) 접시에 담습니다.

- (가) 접시에 담긴 퇴적암의 특징을 더 관찰해 봅시다.

예시 답안

구분	퇴적암 번호	알갱이의 크기	손으로 만졌을 때의 느낌	기타
(가) 접시	❶	크고 작은 것이 섞여 있습니다.	다양합니다.	색깔은 갈색입니다.
	❹	크고 작은 것이 섞여 있습니다.	부드럽기도 하고 거칠기도 합니다.	색깔이 다양합니다.

보충해설

역암의 경우 자갈 부분을 만지면 부드러운 느낌이 들고 자갈과 자갈 사이를 만지면 까슬까슬한 느낌이 들 수도 있습니다.

3-1 남은 퇴적암 4개 중 손으로 만졌을 때 까슬까슬한 느낌이 드는 암석 2개를 찾아 (나) 접시에 담습니다.

- (나) 접시에 담긴 퇴적암의 특징을 더 관찰해 봅시다.

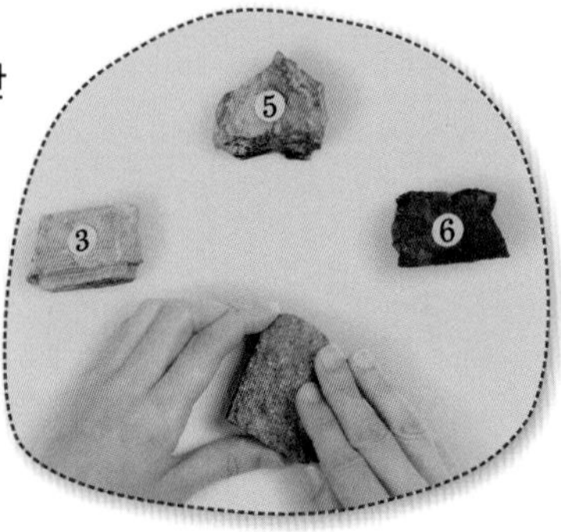

예시 답안

구분	퇴적암 번호	알갱이의 크기	손으로 만졌을 때의 느낌	기타
(나) 접시	❷	모래 알갱이 정도입니다.	까슬까슬합니다.	색깔은 연한 노란색입니다.
	❺	모래 알갱이 정도입니다.	약간 거칩니다.	색깔은 회색과 갈색이 섞여 있습니다.

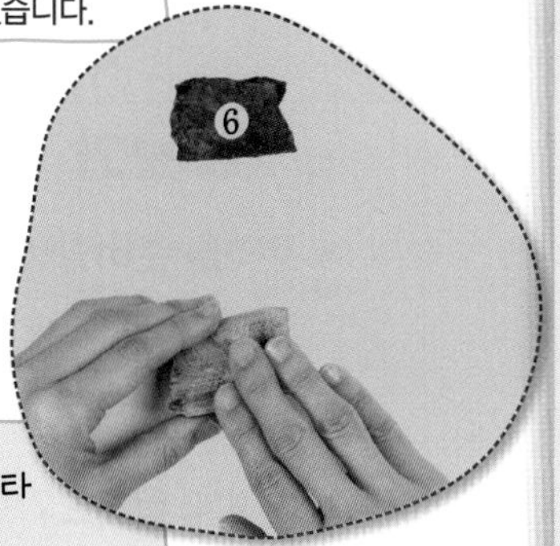

3-2 **남은 퇴적암 2개를 손으로 만졌을 때의 느낌을 확인하고, (다) 접시에 담습니다.**

- (다) 접시에 담긴 퇴적암의 특징을 더 관찰해 봅시다.

예시 답안

구분	퇴적암 번호	알갱이의 크기	손으로 만졌을 때의 느낌	기타
(다) 접시	❸	매우 작습니다.	부드럽고 매끄럽습니다.	색깔은 노란색입니다.
	❻	매우 작습니다.	부드럽습니다.	색깔은 갈색입니다.

4 **(가)~(다)의 접시에 담긴 퇴적암을 이루고 있는 알갱이의 종류를 쓰고, 이암, 사암, 역암 중 어느 것에 해당하는지 이야기해 봅시다.**

예시 답안

구분	(가) 접시	(나) 접시	(다) 접시
	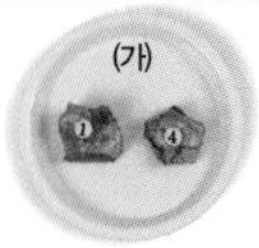	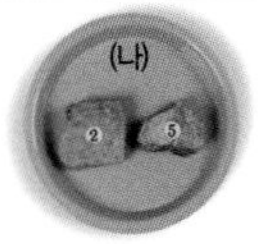	
알갱이 종류	자갈, 모래	모래	진흙
퇴적암 종류	역암	사암	이암

이암은 진흙과 같은 작은 알갱이, 사암은 주로 모래, 역암은 주로 자갈과 모래로 되어 있어요.

이렇게 ○○ 정리해요

퇴적암을 분류하는 기준을 설명해 봅시다.

퇴적암은 [알갱이]의 크기에 따라 이암, 사암, 역암으로 분류할 수 있습니다.

보충해설

분류는 공통적인 것을 기준으로 하여 같은 것끼리 묶거나 다른 것으로 구분하는 것을 말합니다.

4 모래성도 단단한 암석이 될 수 있을까요?

과학 34~35쪽

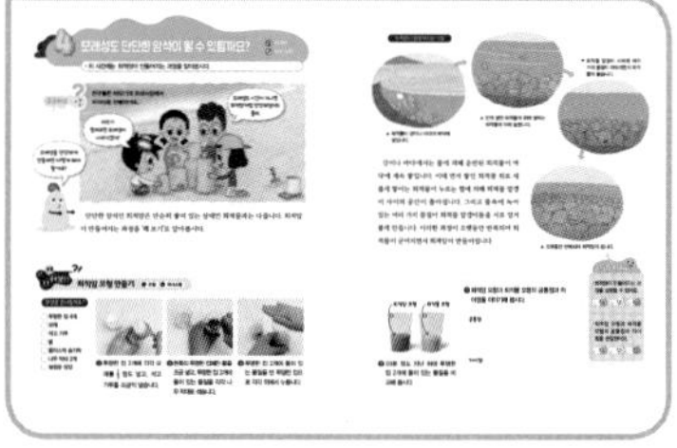

➔ 퇴적암이 만들어지는 과정

퇴적물이 강이나 바다의 바닥에 쌓여요.
먼저 쌓인 퇴적물이 위에 쌓이는 퇴적물에 의해 눌려요.
퇴적물 알갱이 사이에 여러 가지 물질이 채워지면서 퇴적물이 붙어요.
오랫동안 반복되어 퇴적암이 되어요.

궁금해요

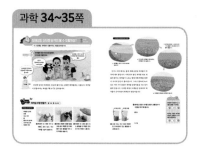

모래성을 만들었던 경험을 떠올리면서 모래성을 퇴적암처럼 단단하게 만들 수 있는 방법을 생각해 봅시다.

질문 모래성을 단단하게 만들려면 어떻게 해야 할까요?

예시 답안
- 모래성을 만들 때 모래에 물을 섞어서 만듭니다.
- 모래성을 만든 뒤 그 위에 풀이나 접착제를 뿌립니다.

해 보기 퇴적암 모형 만들기 도움①

● 무엇을 준비할까요?

투명한 컵 4개, 모래, 석고 가루, 물, 플라스틱 숟가락, 나무 막대 2개, 실험용 장갑

● 어떻게 할까요?

① 투명한 컵 2개에 각각 모래를 $\frac{1}{3}$ 정도 넣고, 석고 가루를 조금씩 넣습니다.

② 한쪽의 투명한 컵에만 물을 조금 넣고, 투명한 컵 2개에 들어 있는 물질을 각각 나무 막대로 섞습니다.

③ 투명한 컵 2개에 들어 있는 물질을 빈 투명한 컵으로 각각 위에서 누릅니다. 도움②

➔ 투명한 컵으로 누르면 알갱이 사이의 공간이 좁아지게 됩니다.

④ 10분 정도 지난 뒤에 투명한 컵 2개에 들어 있는 물질을 비교해 봅시다.

⑤ 퇴적암 모형과 퇴적물 모형의 공통점과 차이점을 이야기해 봅시다.

➔

공통점	• 모래가 보입니다. • 대부분 모래로 이루어져 있습니다.
차이점	• 퇴적암 모형은 단단하지만, 퇴적물 모형은 단단하지 않습니다. • 퇴적암 모형은 손가락으로 누르면 들어가지 않지만, 퇴적물 모형은 손가락으로 누르면 들어갑니다.

교과서 속 핵심 개념

● 퇴적암이 만들어지는 과정

물에 의하여 자갈, 모래, 진흙 등이 운반되어 강이나 바다의 바닥에 쌓임. ➡ 먼저 쌓인 퇴적물은 그 위에 쌓이는 퇴적물이 누르는 힘에 의해 알갱이 사이의 공간이 좁아짐. ➡ 물속에 녹아 있는 여러 가지 물질에 의해 퇴적물 알갱이들이 서로 엉겨 붙음. ➡ 이러한 과정이 반복되어 퇴적물이 굳어지면서 퇴적암이 만들어짐.

도움 ① 퇴적암 강정 만들기

(1) **준비물**: 냄비, 물엿, 설탕, 식용유, 휴대용 가스레인지, 튀밥, 견과류, 나무 주걱, 강정 틀(사각 플라스틱 통 등), 칼, 물

(2) **과정**

❶ 냄비에 물엿 140 g, 설탕 60 g, 식용유 40 g을 넣고, 중불로 가열하여 끓을 때까지 젓지 말고 기다립니다.

❷ 끓으면 튀밥과 견과류를 넣고 나무 주걱으로 젓습니다.

❸ 젓다가 서로 뭉치고 끈기가 생기면 불을 끕니다.

❹ 강정 틀에 옮겨 담고, 나무 주걱에 물을 약간 묻혀 누릅니다.

❺ 식으면 강정 틀에서 분리하여 칼로 썰어 줍니다.

▲ 퇴적암 강정

도움 ② 퇴적암이 만들어질 때 필요한 과정

퇴적물이 쌓여 다져지기만 한다고 퇴적암이 되는 것은 아닙니다. 물속의 물질 중에는 퇴적물 알갱이 사이를 채워 주고, 알갱이들을 서로 단단하게 붙게 해 주는 물질이 있어야 합니다. 이러한 물질은 눈에 보이지 않기 때문에 없다고 생각할 수 있습니다.

퇴적암 모형 만들기 활동을 하면서 물을 넣지 않고 눌렀을 때와 물을 넣고 눌렀을 때의 차이를 관찰해 봅시다. 퇴적암이 되기 위해서는 서로 단단하게 붙게 해 주는 물질도 필요하다는 것을 알 수 있습니다.

스스로 확인해요

- **퇴적암이 만들어지는 과정을 설명할 수 있어요.**

  도움말 퇴적물이 쌓여 눌려지고, 알갱이들이 엉겨 붙어 퇴적암이 되는 과정을 설명합니다.

- **퇴적암 모형과 퇴적물 모형의 공통점과 차이점을 관찰했어요.**

  도움말 각 모형을 이루는 물질이 같다는 것과 단단하기의 차이점을 관찰합니다.

정답과 해설 2쪽

교과서 개념 확인 문제

1 **퇴적암 모형 만들기 과정과 퇴적암이 만들어지는 과정에서 서로 관련 있는 것끼리 선으로 연결해 봅시다.**

	퇴적암 모형 만들기 과정			퇴적암이 만들어지는 과정
(1)	모래, 석고 가루	•	• ㉠	퇴적암
(2)	물	•	• ㉡	퇴적물
(3)	퇴적암 모형	•	• ㉢	물속에 녹아 있는 여러 가지 물질

2 **다음을 읽고 퇴적암 모형과 퇴적물 모형의 공통점에 해당하는 것에 ○표시를 해 봅시다.**

㉠ 단단합니다.	㉡ 모래가 보입니다.
( )	( )
㉢ 손가락으로 누르면 쉽게 들어갑니다.	㉣ 대부분 모래로 이루어져 있습니다.
( )	( )

3 **다음은 퇴적암이 만들어지는 과정을 순서에 관계없이 나타낸 것입니다. 순서에 맞게 기호를 나열해 봅시다.**

㉠ 먼저 쌓인 퇴적물이 위에 쌓이는 퇴적물에 의해 눌립니다.
㉡ 퇴적물 알갱이 사이에 여러 가지 물질이 채워지면서 퇴적물이 엉겨 붙습니다.
㉢ 오랫동안 과정이 반복되어 퇴적암이 됩니다.
㉣ 퇴적물이 강이나 바다의 바닥에 쌓입니다.

( ) → ( ) → ( ) → ( )

5 옛날에 살았던 생물을 만나 볼까요?

과학 36~37쪽

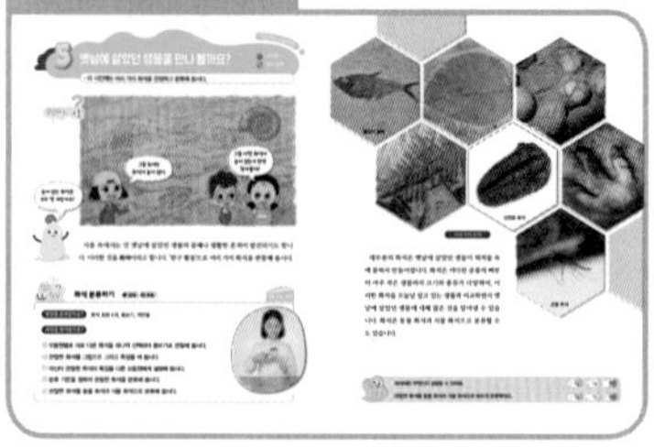

궁금해요

지층 그림에 숨어 있는 화석을 찾아봅시다.

그림 속에는 화석이 숨어 있어.
그럼 어떤 화석이 숨어 있는지 한번 찾아볼까?

질문 숨어 있는 화석은 모두 몇 개일까요?

예시 답안 물고기 화석, 공룡 발자국 화석, 암모나이트 화석으로 총 3개입니다.

➲ 여러 가지 화석

크기가 큰 생물의 화석만 발견될까?
아냐, 곤충과 같은 작은 화석도 있어!

히히, 공룡 발자국 화석처럼 이제 내 발자국도 화석이 되겠지?
너는 먼 옛날에 살았던 생물이 아니잖아. 안타깝지만 너의 발자국은 화석이 될 수 없어!

탐구 활동 화석 분류하기

자세한 해설은 34~35쪽에 있어요.

● **무엇을 준비할까요?**

화석 표본 6개, 돋보기, 색연필

● **과정을 알아볼까요?**

1. 모둠원별로 서로 다른 화석을 하나씩 선택하여 돋보기로 관찰해 봅시다.
2. 관찰한 화석을 그림으로 그리고 특징을 써 봅시다.
3. 자신이 관찰한 화석의 특징을 다른 모둠원에게 설명해 봅시다.
4. 분류 기준을 정하여 관찰한 화석을 분류해 봅시다.
5. 관찰한 화석을 동물 화석과 식물 화석으로 분류해 봅시다.

● **관찰 내용 및 결과를 정리해요**

➲ 동물 화석에는 삼엽충 화석, 물고기 화석, 상어 이빨 화석, 조개 화석 등이 있습니다.

➲ 식물 화석에는 나뭇잎 화석, 고사리 화석 등이 있습니다.

교과서 속 핵심 개념

● **화석** 옛날에 살았던 생물의 몸체나 생활한 흔적이 남아 있는 것 도움①

● **화석의 분류** 화석 속 생물을 오늘날에 살고 있는 생물과 비교하여 분류할 수 있음. 도움②
- 동물 화석: 삼엽충 화석, 물고기 화석, 공룡알 화석, 공룡 발자국 화석, 상어 이빨 화석, 조개 화석 등
- 식물 화석: 나뭇잎 화석, 고사리 화석 등

▲ 삼엽충 화석

▲ 물고기 화석

▲ 공룡알 화석

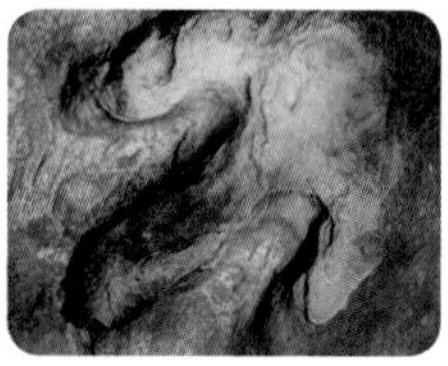
▲ 공룡 발자국 화석

▲ 나뭇잎 화석

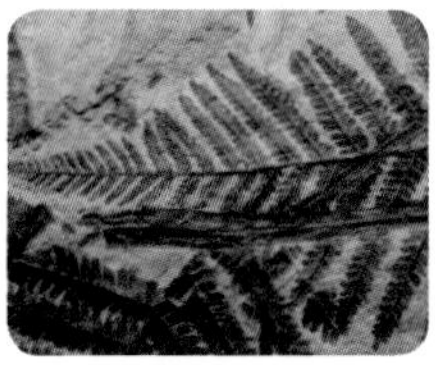
▲ 고사리 화석

도움 ① 돌이 아닌 화석

대부분의 화석은 지층에서 발견되기 때문에 암석으로 된 화석이 많이 발견됩니다. 그러나 모든 화석이 돌로 된 것은 아닙니다. 얼음 속에서 언 상태로 발견되는 매머드, 곤충이 들어가서 굳어진 호박 화석 등과 같이 돌이 아닌 화석도 있습니다.

▲ 언 채로 발견된 매머드 화석

도움 ② 곤충 화석

곤충이 나무의 수액에 빠져 시간이 지나면서 수액이 굳어 (가)와 같은 화석이 되기도 합니다. 소나무와 같은 나무에서 나오는 투명한 황색을 띠는 끈적끈적한 액체(송진)가 오랜 시간이 지나 굳어 단단하게 된 것을 호박이라고 합니다. 이러한 호박 속에 곤충이 들어 있는 (나)와 같은 화석이 되기도 합니다.

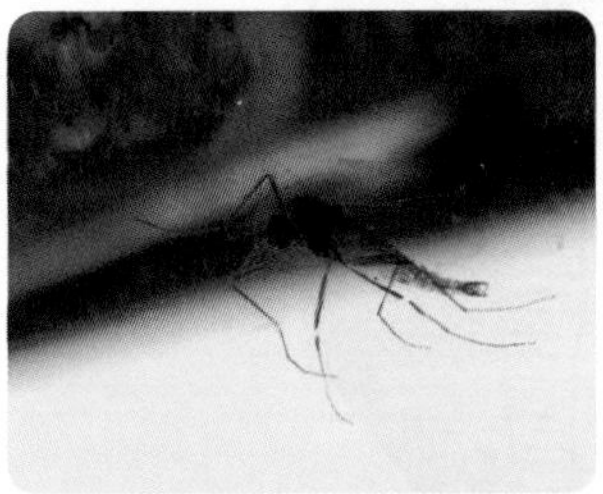

(가) 곤충 화석

(나) 호박 속의 곤충 화석

스스로 확인해요

- **화석이란 무엇인지 설명할 수 있어요.**

  도움말 화석은 옛날에 살았던 생물의 몸체나 흔적이 남아 있는 것임을 설명합니다.

- **관찰한 화석을 동물 화석과 식물 화석으로 바르게 분류했어요.**

  도움말 화석 속 생물이 오늘날 살고 있는 어떤 생물과 비슷한지 관찰하여 분류합니다.

교과서 개념 확인 문제

1 **화석이 아닌 것을 골라 기호를 써 봅시다.**

㉠

▲ 암석에 남아 있는 물고기 모습

㉡

▲ 모래에 남아 있는 사람 발자국

㉢

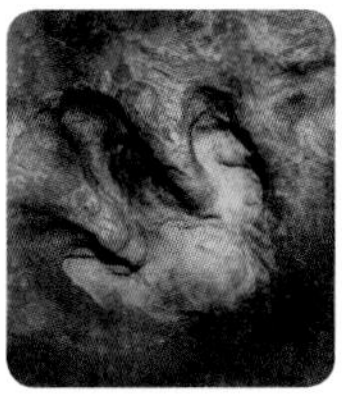

▲ 지층에 남아 있는 공룡 발자국

(   )

2 **다음 화석 중 동물 화석이면 '동물', 식물 화석이면 '식물'이라고 써 봅시다.**

㉠

▲ 공룡알 화석

(   )

㉡

▲ 고사리 화석

(   )

㉢

▲ 삼엽충 화석

(   )

3 **다음은 화석에 대한 설명입니다. 옳은 것은 ○표시를, 옳지 않은 것은 ×표시를 해 봅시다.**

(1) 화석은 크기와 종류가 매우 다양합니다. (   )

(2) 공룡 발자국과 같은 생물이 생활한 흔적도 화석입니다. (   )

(3) 생물의 일부분만 발견된 것은 모든 부분이 발견된 것이 아니기 때문에 화석이 아닙니다. (   )

실험 관찰

관찰 분류

실험 관찰 20~21쪽

5 옛날에 살았던 생물을 만나 볼까요?

탐구 활동 화석 분류하기

탐구 활동 도움말

이 탐구 활동은 여러 가지 화석을 관찰하여 특징을 알아보고, 분류 기준에 따라 화석을 분류해 보는 활동입니다.

도움말

관찰한 화석을 그림으로 그릴 때는 전체적인 모양을 대략적으로 구분할 수 있을 정도로만 그리면 됩니다. 특징을 기록할 때는 전체적인 색깔과 모양을 중심으로 씁니다.

보충해설

[여러 가지 화석의 특징]

- 고사리 화석: 고사리의 줄기와 잎이 잘 보입니다.
- 물고기 화석: 지금 살고 있는 물고기의 모습과 비슷합니다.
- 공룡알 화석: 달걀처럼 둥그렇고 매끄러운 모양입니다.
- 새 발자국 화석: 지금 살고 있는 새의 발자국 모습과 비슷합니다.
- 상어 이빨 화석: 날카로운 상어 이빨과 비슷합니다.
- 나뭇잎 화석: 오늘날의 나뭇잎과 비슷하고, 잎맥이 잘 보입니다.

『실험 관찰』 꾸러미 77쪽 붙임딱지를 붙여요.

화석 관찰이 끝나면 손을 깨끗이 씻어요.

무엇을 준비할까요?

준비물에 ◯ 표시를 하면서 확인해 봅시다.

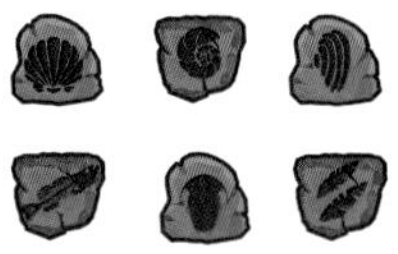

화석 표본 6개

돋보기 색연필

1 모둠원별로 서로 다른 화석을 하나씩 선택하여 돋보기로 관찰해 봅시다.

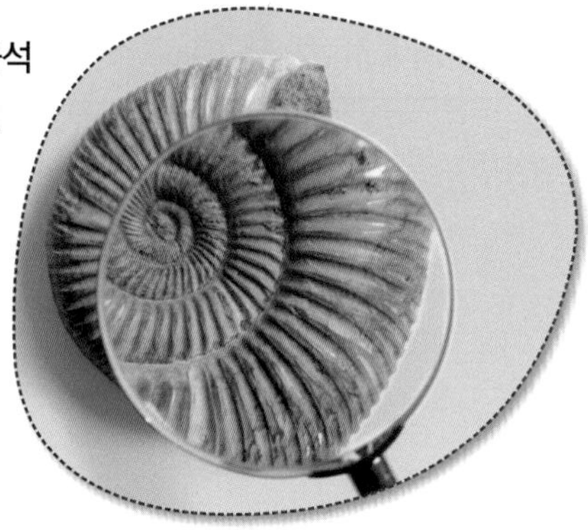

2 관찰한 화석을 그림으로 그리고 특징을 써 봅시다.

예시 답안 삼엽충 화석

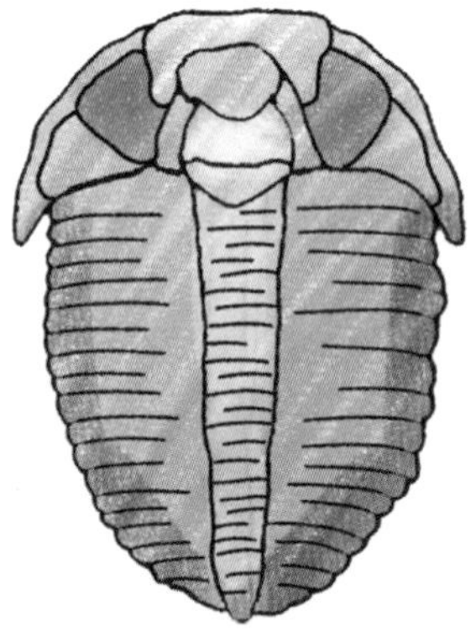

마디가 많은 벌레처럼 보입니다.

3 자신이 관찰한 화석의 특징을 다른 모둠원에게 설명해 봅시다.

내가 관찰한 화석은

예시 답안 삼엽충 화석입니다. 전체적으로 검은색으로 보이고, 작은 벌레나 나뭇잎과 비슷하게 보입니다.

4 분류 기준을 정하여 관찰한 화석을 분류해 봅시다.

예시 답안

그렇다.	분류 기준	그렇지 않다.
삼엽충 화석, 물고기 화석, 상어 이빨 화석, 조개 화석 등	물속에서 살았던 생물의 화석인가?	나뭇잎 화석, 고사리 화석 등

예 생물의 몸체가 다 보이는 화석과 일부분만 보이는 화석으로 분류할 수 있어.
예 생물의 몸체 화석과 생물이 생활한 흔적 화석으로 분류할 수 있어.

5 관찰한 화석을 동물 화석과 식물 화석으로 분류해 봅시다.

예시 답안

동물 화석	식물 화석
삼엽충 화석, 물고기 화석, 상어 이빨 화석, 조개 화석 등	나뭇잎 화석, 고사리 화석 등

보충해설

오늘날에 살고 있는 생물과 비교하여 동물 화석과 식물 화석으로 분류할 수 있습니다.

이렇게 ○○ 정리해요

화석이란 무엇인지 설명해 봅시다.

먼 옛날에 살았던 생물의 몸체나 생활한 흔적이 남아 있는 것을 [화석](이)라고 합니다.

6 화석을 만들어 보아요

과학 38~41쪽

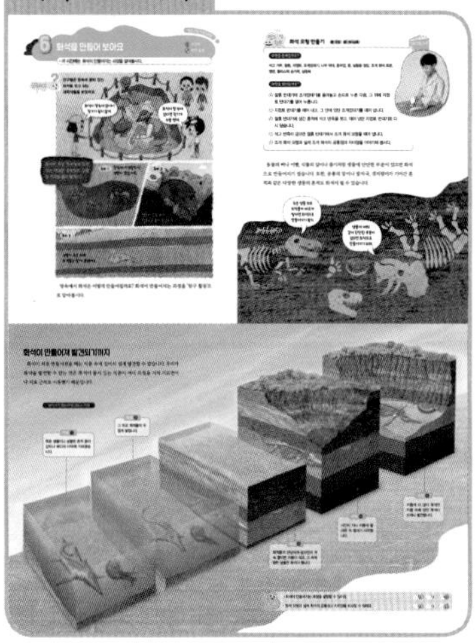

➲ 화석이 만들어져 발견되는 과정

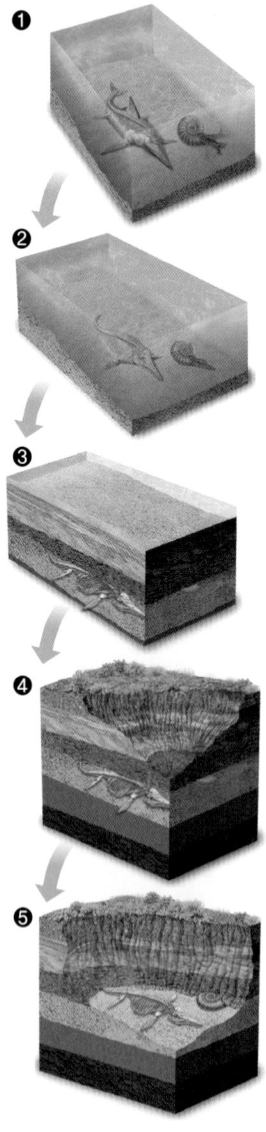

궁금해요

화석이 만들어지는 과정을 상상하면서 화석이 주로 땅속에서 발견되는 까닭을 생각해 봅시다.

질문 화석이 주로 땅속에서 발견되는 까닭은 무엇일지 알맞은 추리를 골라 볼까요?

예시 답안 추리 3: 생물이 죽은 뒤에 퇴적물과 함께 묻혔어요.

탐구 활동 화석 모형 만들기 도움①

자세한 해설은 38~39쪽에 있어요.

- 무엇을 준비할까요?

석고 가루, 찰흙, 지점토, 조개껍데기, 나무 막대, 종이컵, 물, 실험용 장갑, 조개 화석 표본, 쟁반, 플라스틱 숟가락, 실험복

- 과정을 알아볼까요?

① 찰흙 반대기에 조개껍데기를 올려놓고 손으로 누른 다음, 그 위에 지점토 반대기를 덮어 누릅니다.
② 지점토 반대기를 떼어 내고, 그 안에 있던 조개껍데기를 떼어 냅니다.
③ 찰흙 반대기에 생긴 흔적에 석고 반죽을 붓고, 떼어 냈던 지점토 반대기로 다시 덮습니다.
④ 석고 반죽이 굳으면 찰흙 반대기에서 조개 화석 모형을 떼어 냅니다.
⑤ 조개 화석 모형과 실제 조개 화석의 공통점과 차이점을 이야기해 봅시다.

- 관찰 내용 및 결과를 정리해요

➲ 조개 화석 모형은 조개의 모양과 같으며, 줄무늬가 있습니다. 도움②
➲ 조개 화석 모형은 무늬가 선명하지 않고, 실제 화석보다 단단하지 않습니다.

교과서 속 핵심 개념

- 화석이 잘 만들어지기 위한 조건
  - 생물의 몸체 위에 퇴적물이 빠르게 쌓여야 함.
  - 동물의 뼈, 이빨, 껍데기, 식물의 잎과 줄기 등과 같이 생물의 몸체에 단단한 부분이 있으면 만들어지기 쉬움.
- 화석이 만들어져 발견되는 과정 도움③

❶ 죽은 생물이 강이나 바다로 운반되어 퇴적물과 함께 쌓임. → ❷ 강이나 바다 밑에 퇴적물과 함께 쌓인 생물의 몸체 위에 새로운 퇴적물이 쌓임. → ❸ 쌓인 퇴적물이 지층으로 만들어지는 과정에서 그 속에 묻힌 생물은 화석이 됨. → ❹ 시간이 지나 지층이 올라온 뒤 깎이기 시작함. → ❺ 지층이 침식 작용을 받아 더 많이 깎이게 되면 지층 속에 있던 화석이 드러나 발견됨.

도움 1 공룡 화석 모형 만들기

(1) **준비물:** 알지네이트 반죽, 사각 그릇, 공룡 장난감, 석고 반죽

(2) **과정**

❶ 사각 그릇에 알지네이트 반죽을 넣습니다.

❷ 알지네이트 반죽에 공룡 장난감을 놓고 손으로 누릅니다.

❸ 반죽이 굳으면 공룡 장난감을 떼어 냅니다.

❹ 알지네이트에 생긴 공룡 장난감 자국이 모두 덮이도록 석고 반죽을 붓습니다.

❺ 반죽이 굳으면 알지네이트를 석고에서 떼어 냅니다.

도움 2 화석 모형 만들기와 실제 화석이 만들어지는 과정의 비교

화석 모형	실제 화석
찰흙 반대기와 지점토 반대기	지층
조개껍데기	옛날에 살았던 생물
찰흙 반대기에 찍힌 조개껍데기의 모양과 석고 반죽으로 만든 조개 모형	화석

도움 3 생물의 흔적이 남은 화석

벌레와 같은 동물이 만든 굴이나 구멍도 화석이 될 수 있습니다. 또한 동물의 배 속에 남은 음식물이 화석이 되기도 합니다. 이러한 화석을 흔적 화석이라고 부릅니다. 우리는 흔적 화석을 통해 옛날 생물이 어떻게 살고, 무엇을 먹었는지 등을 알 수 있습니다.

스스로 확인해요

- **화석이 만들어지는 과정을 설명할 수 있어요.**
  도움말 화석 모형을 만드는 과정과 연관 지어 설명합니다.
- **화석 모형과 실제 화석의 공통점과 차이점을 비교할 수 있어요.**
  도움말 화석 모형과 실제 화석의 모양, 무늬, 색깔, 만드는 데 걸리는 시간 등을 비교하여 공통점과 차이점을 설명합니다.

정답과 해설 2쪽

교과서 개념 확인 문제

1 **화석이 지층에서 주로 발견되는 까닭이 무엇인지 옳게 말한 사람의 이름을 써 봅시다.**

- **현수:** 옛날에는 땅속에서 살았던 생물이 많았기 때문이야.
- **수연:** 생물들이 땅을 파서 안에다 숨겨 놓았기 때문이야.
- **성수:** 생물이 죽은 뒤에 퇴적물과 함께 묻혔기 때문이야.

(　　　　　　　　)

2 **다음은 화석이 만들어져 발견되는 과정을 순서에 관계없이 나타낸 것입니다. 순서에 맞게 기호를 나열해 봅시다.**

㉠ 죽은 생물이 강이나 바다로 운반되어 퇴적물과 함께 쌓입니다.
㉡ 지층이 침식 작용을 받으면 지층 속에 있던 화석이 드러나 발견됩니다.
㉢ 지층이 위로 올라옵니다.
㉣ 강이나 바다 밑에 퇴적물과 함께 쌓인 생물의 몸체 위에 새로운 퇴적물이 쌓입니다.
㉤ 쌓인 퇴적물이 지층으로 만들어지는 과정에서 그 속에 묻힌 생물이 화석이 됩니다.

㉠ – (　　) – (　　) – (　　) – (　　)

3 **다음은 화석이 잘 만들어지기 위한 조건입니다. (　　) 안에 들어갈 알맞은 말에 ○표시를 해 봅시다.**

- 생물의 몸체 위에 ㉠ (퇴적물 , 퇴적암)이 빠르게 쌓여야 합니다.
- 동물의 뼈, 이빨, 껍데기, 식물의 잎과 줄기 등과 같이 생물의 몸체에 ㉡ (단단한 , 단단하지 않은) 부분이 있으면 만들어지기 쉽습니다.

실험 관찰

관찰 의사소통

실험 관찰 22~23쪽

6 화석을 만들어 보아요

탐구 활동 화석 모형 만들기

탐구 활동 도움말

이 탐구 활동은 화석이 만들어지는 과정을 알아보고, 화석 모형과 실제 화석을 비교하는 활동입니다.

「실험 관찰」 꾸러미 77쪽 붙임딱지를 붙여요.

석고 가루가 날리지 않도록 조심해요.

무엇을 준비할까요?

준비물에 ◯ 표시를 하면서 확인해 봅시다.

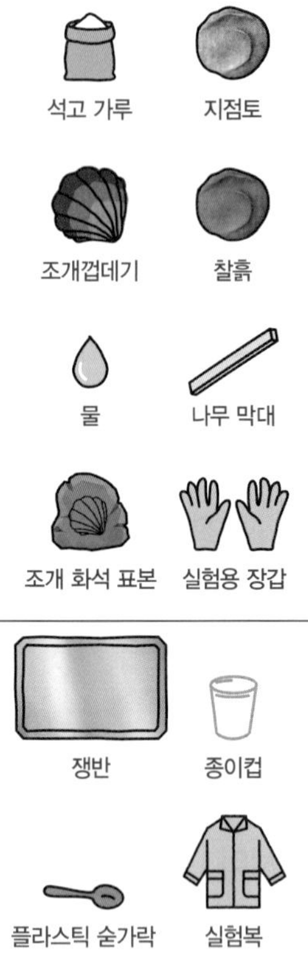

1 찰흙 반대기에 조개껍데기를 올려놓고 손으로 누른 다음, 그 위에 지점토 반대기를 덮어 누릅니다.

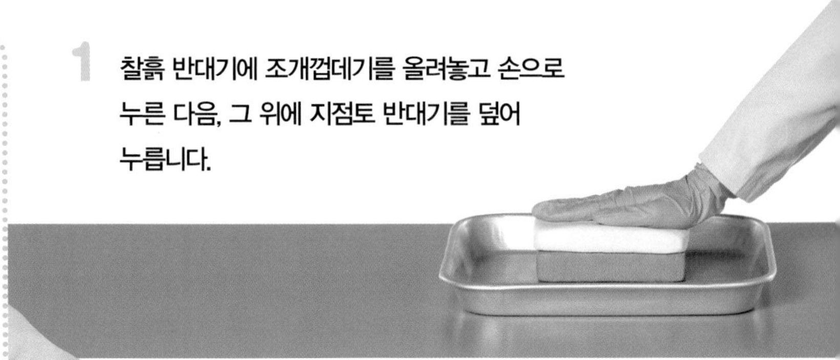

도움말

조개껍데기에 미리 식용유와 같은 기름을 발라 두면 조개껍데기를 비교적 쉽게 떼어 낼 수 있습니다.

2 지점토 반대기를 떼어 내고, 그 안에 있던 조개껍데기를 떼어 냅니다.

보충해설

떼어 냈던 지점토 반대기를 다시 덮는 것은 화석 모형의 위쪽 모습을 얻기 위한 것입니다. 석고 반죽을 붓는 양은 조개껍데기를 떼어 낸 자국에 해당하는 정도만 붓습니다.

3 찰흙 반대기에 생긴 흔적에 석고 반죽을 붓고, 떼어 냈던 지점토 반대기로 다시 덮습니다.

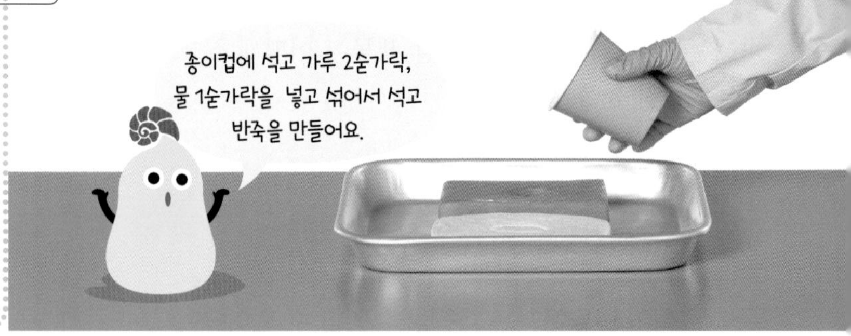

종이컵에 석고 가루 2숟가락,
물 1숟가락을 넣고 섞어서 석고
반죽을 만들어요.

4 석고 반죽이 굳으면 찰흙 반대기에서 조개 화석 모형을 떼어 냅니다.

- 조개 화석 모형과 실제 조개 화석을 비교하여 관찰해 봅시다.

▲ 조개 화석 모형

▲ 실제 조개 화석

도움말

석고 반죽이 완전히 굳어 단단해질 때까지는 보통 10분~20분 정도가 걸립니다.

5 조개 화석 모형과 실제 조개 화석의 공통점과 차이점을 이야기해 봅시다.

예시 답안

구분	조개 화석 모형	실제 조개 화석
공통점	• 조개의 모양과 같습니다. • 줄무늬가 보입니다.	
차이점	• 무늬가 선명하지 않습니다. • 실제 화석보다 단단하지 않습니다. • 만드는 데 걸리는 시간이 짧습니다.	• 무늬가 선명합니다. • 화석 모형보다 단단합니다. • 만들어지는 데 오랜 시간이 걸립니다.

이렇게 ○○ 정리해요

화석이 만들어지는 과정을 설명해 봅시다.

강이나 바다 밑에서 죽은 생물 위에 퇴적물이 계속해서 쌓이면 단단한 [지층] 이/가 만들어지고, 그 속에 묻힌 생물이 [화석] 이/가 됩니다.

7 지구의 과거 환경이 궁금해요

과학 42~43쪽

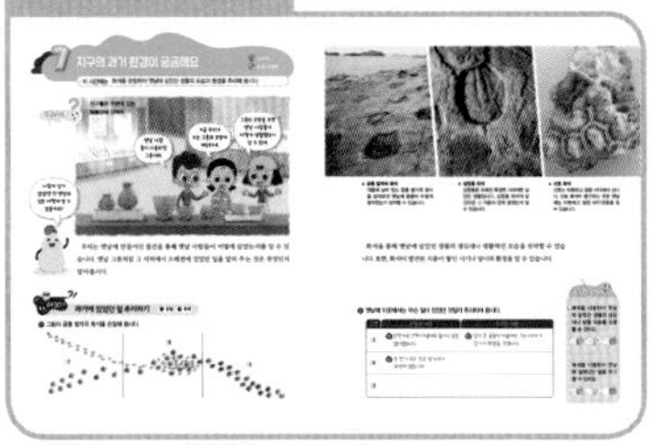

➲ 화석을 통해 알 수 있는 것

공룡 발자국 화석으로 공룡이 어떻게 움직였는지 알 수 있네.

삼엽충 화석이 발견되면 이 지층이 쌓인 시기를 알 수 있어.

산호 화석이 발견된 곳은 옛날에 따뜻하고 얕은 바다였겠군!

궁금해요

박물관에 전시되어 있는 옛날 사람들이 사용하던 그릇을 통해 옛날 사람들의 생활을 알 수 있습니다. 그러면 사람이 살지 않았던 먼 옛날의 일을 알 수 있는 방법은 무엇일지 생각해 봅시다.

질문 사람이 살지 않았던 먼 옛날의 일은 어떻게 알 수 있을까요?

예시 답안 화석을 이용하여 사람이 살지 않았던 먼 옛날에 일어났던 일을 짐작합니다.

해 보기 과거에 있었던 일 추리하기

- 어떻게 할까요?

❶ 그림의 공룡 발자국 화석을 관찰해 봅시다.

1
2
3

❷ 옛날에 이곳에서는 무슨 일이 있었던 것일지 추리하여 봅시다.

➲

구분	관찰한 내용	추리한 내용
1	예 큰 발자국 간격이 처음에는 좁다가 점점 넓어졌습니다.	예 발이 큰 공룡이 처음에는 걸어가다가 갑자기 뛰었을 것입니다.
2	예 큰 발자국과 작은 발자국이 뒤섞여 있습니다.	발이 큰 공룡과 발이 작은 공룡이 몸싸움을 벌였을 것입니다.
3	작은 발자국이 사라졌습니다.	발이 큰 공룡이 발이 작은 공룡을 입에 물고 갔을 것입니다.

교과서 속 핵심 개념

- **화석을 통해 알 수 있는 것** 옛날에 살았던 생물의 생김새나 생활하던 모습, 지층이 쌓인 시기, 당시의 환경 등
  - 공룡 발자국 화석: 지층에 남아 있는 공룡 발자국 화석을 살펴보면 옛날에 공룡이 어떻게 움직였는지 짐작할 수 있음.
  - 삼엽충 화석: 삼엽충은 오래 전 특정한 시대에만 살았던 생물이므로 삼엽충 화석이 발견되면 그 지층이 언제 쌓였는지 알 수 있음. 도움①
  - 산호 화석: 산호는 따뜻하고 얕은 바다에서 살고 있으므로 산호 화석이 발견되는 곳은 옛날에는 따뜻하고 얕은 바다였음을 알 수 있음. 도움②

도움 ① 표준 화석

생물 중에는 살아 있는 기간이 짧고 넓은 지역에 걸쳐 살았던 생물이 있습니다. 이처럼 특정 시대에만 살았던 생물의 화석을 표준 화석이라고 합니다. 표준 화석은 화석이 발견된 지층이 만들어진 시대를 밝히는 데 기준이 됩니다. 대표적인 표준 화석으로는 삼엽충 화석, 암모나이트 화석, 공룡 화석, 매머드 화석 등이 있습니다.

▲ 매머드 화석

도움 ② 시상 화석

화석 중에는 특정한 환경에서만 사는 생물의 화석도 있습니다. 이러한 생물의 화석은 그 당시 생물이 살았던 기후, 위치 등과 같은 자연환경을 알려 줍니다. 이와 같은 화석을 시상 화석이라고 합니다. 대표적인 시상 화석으로는 산호 화석, 고사리 화석 등이 있습니다. 고사리는 따뜻하고 습기가 많은 곳에서 자라므로, 어떤 지층에서 고사리 화석이 발견되었다면 그곳은 옛날에 따뜻하고 습기가 많은 곳이었음을 짐작할 수 있습니다.

▲ 고사리 화석

스스로 확인해요

- **화석을 이용하여 옛날에 살았던 생물의 생김새나 생활 모습을 설명할 수 있어요.**
  도움말 몇 가지 화석을 예로 들면서 화석을 통해 옛날에 살았던 생물의 생김새나 생활 모습을 짐작할 수 있음을 설명합니다.
- **화석을 이용하여 옛날에 일어났던 일을 추리할 수 있어요.**
  도움말 공룡 발자국 화석 그림으로 추리한 활동이나 다양한 화석을 떠올리면서 화석이 발견된 지역의 과거 환경을 추리할 수 있다는 것을 설명합니다.

정답과 해설 2쪽

교과서 개념 확인 문제

1 설아는 어떤 지층에서 발견된 화석을 보고 옛날에 이곳이 따뜻하고 얕은 바다였음을 짐작할 수 있었습니다. 설아가 본 화석을 보기 에서 골라 써 봅시다.

보기
공룡 화석　　산호 화석　　삼엽충 화석

(　　　　　　)

2 공룡 발자국 화석을 관찰한 내용과 그것으로부터 추리한 내용을 선으로 연결해 봅시다.

	관찰한 내용		추리한 내용
(1)	큰 발자국 간격이 처음에는 좁다가 점점 넓어졌습니다.	• • ㉠	발이 큰 공룡이 처음에는 걸어가다가 갑자기 뛰었을 것입니다.
(2)	큰 발자국과 작은 발자국이 뒤섞여 있습니다.	• • ㉡	발이 큰 공룡이 발이 작은 공룡을 입에 물고 갔을 것입니다.
(3)	작은 발자국이 사라졌습니다.	• • ㉢	발이 큰 공룡과 발이 작은 공룡이 몸싸움을 벌였을 것입니다.

3 화석을 통해 알 수 있는 것을 보기 에서 모두 골라 기호를 써 봅시다.

보기
㉠ 생물이 생활하던 모습
㉡ 옛날에 살았던 생물의 생김새
㉢ 생물이 생활하던 당시의 환경
㉣ 화석이 발견된 지층이 만들어진 시기

(　　　　　　)

과학과 역사
과학 더하기

과학 44~45쪽

공룡 화석지를 찾아서

우리나라의 여러 지역에서는 공룡 발자국 화석과 공룡 알 화석이 많이 발견되고 있어요. 특히 남해안 일대는 공룡 발자국 화석이 많이 발견되는 지역이에요. 어느 지역에서 어떤 종류의 공룡 화석이 발견되고 있는지 알아볼까요?

화석지는 옛날에 살았던 생물의 몸체나 생활 흔적이 그대로 보존되어 있는 곳이에요.

과학 더하기 도움말

과학 더하기의 내용은 우리나라에 있는 여러 공룡 화석지에 대한 정보를 알려 주고 있습니다. 우리나라에서 공룡과 관련된 화석은 발견되는 수가 많고 종류가 다양해서 세계적으로 유명합니다. 위에 소개된 화석지는 현재 세계 문화유산에 등재하려는 노력을 기울이고 있는 화석지입니다.

과학 더하기 해설

- **해남 우항리 공룡 화석지(천연기념물 제394호)**

1998년 10월에 공룡 발자국 화석, 익룡 발자국 화석, 새 발자국 화석이 한 장소에서 발견된 유일한 화석지입니다.

- **보성 비봉리 공룡알 화석지(천연기념물 제418호)**

바닷가 암벽에 대부분 알둥지를 형성하고 있습니다. 둥지 하나에 최소 6개~30여 개의 공룡알이 있고, 알의 지름은 평균 9 cm~15 cm이며, 모양은 다양합니다.

해남 우항리 공룡 화석지
공룡 발자국 화석과 공룡 뼈 화석, 새 발자국 화석, 익룡 발자국 화석을 볼 수 있습니다.
화순 서유리 공룡 발자국 화석지
공룡 발자국 화석 이외에도 식물 화석이나 생물이 생활한 흔적도 볼 수 있습니다.
스마트 기기 등을 이용하여 이 외에도 공룡 화석지가 어디에 더 있을지 찾아보세요.
보성 비봉리 공룡알 화석지
여러 개의 공룡알 화석이 알둥지를 이루고 있으며, 그중에는 지름이 1.5 m 정도인 알둥지도 있습니다.
여수 낭도리 공룡 발자국 화석지
다양한 종류의 공룡 발자국 화석을 볼 수 있으며, 공룡 발자국 화석이 연속으로 약 84 m에 걸쳐 나타나는 곳도 있습니다.
고성 덕명리 공룡 화석지
우리나라에서 최초로 공룡 발자국 화석이 발견된 곳으로, 다양한 공룡 발자국 화석과 새 발자국 화석을 볼 수 있습니다.

질문

- **스마트 기기 등을 이용하여 이 외에도 공룡 화석지가 어디에 더 있을지 찾아보세요.**

▶ 화성 고정리 공룡알 화석지, 의성 제오리 공룡 발자국 화석지, 군산 산북동 공룡과 익룡 발자국 화석지 등이 있습니다.

• 화순 서유리 공룡 발자국 화석지(천연기념물 제487호)

2007년 11월에 육식 공룡 발자국 화석이 많이 발견되었으며, 최소 5마리 이상의 활동 흔적이 발견되었습니다. 이 외에도 초식 공룡의 발자국 화석, 규화목, 식물 화석, 다른 종류의 생물이 생활한 흔적이 발견되었습니다.

• 여수 낭도리 공룡 발자국 화석지

다양한 종류의 공룡 발자국 화석과 공룡이 걸었던 흔적인 길이 84 m의 보행렬 화석이 발견되었습니다. 그리고 함께 발견되는 다양한 동물이 생활한 흔적은 당시 이곳의 퇴적 환경을 알려 주는 귀중한 자료가 됩니다.

• 고성 덕명리 공룡 화석지

화석의 개수나 다양성에 있어서 세계적으로 손꼽히는 곳이며, 새 발자국 화석지로는 세계 최대입니다. 이곳은 퇴적 구조와 생물이 생활한 흔적이 다양하게 나타나는 지역이어서 당시 공룡의 생활 모습, 바다와 육지의 분포, 퇴적 환경, 자연환경 등을 알 수 있는 중요한 화석지입니다.

단원 매듭 짓기

그림으로 정리하기

과학 46~47쪽

해당 칸에 「과학」 부록 123쪽 붙임딱지를 붙이세요.

붙임딱지로 빈칸을 채우며 배운 내용을 정리해 봅시다.

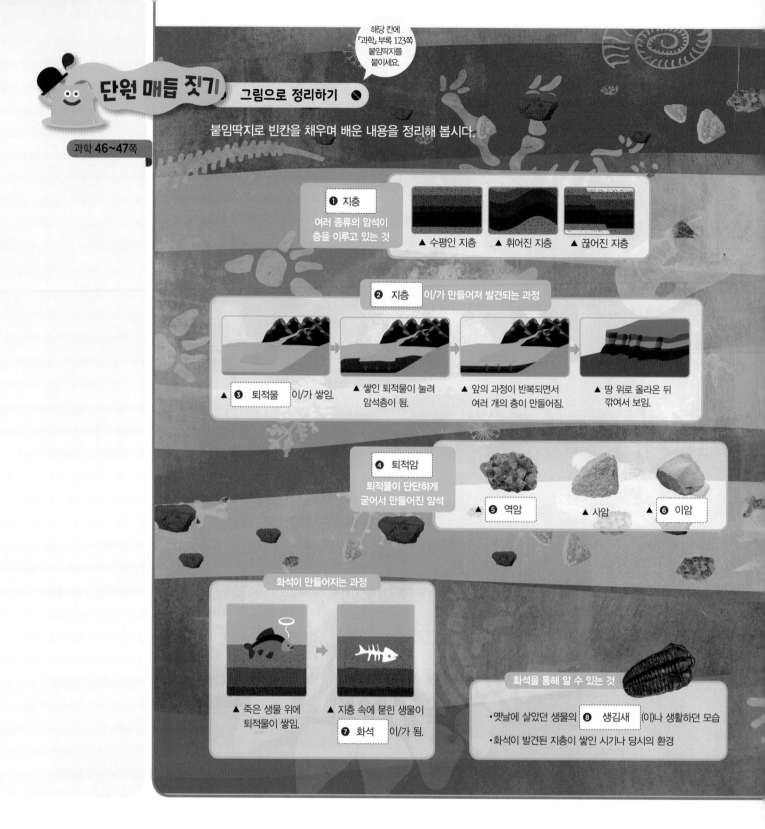

❶ 지층
여러 종류의 암석이 층을 이루고 있는 것

▲ 수평인 지층 ▲ 휘어진 지층 ▲ 끊어진 지층

❷ 지층 이/가 만들어져 발견되는 과정

▲ ❸ 퇴적물 이/가 쌓임. ▲ 쌓인 퇴적물이 눌려 암석층이 됨. ▲ 앞의 과정이 반복되면서 여러 개의 층이 만들어짐. ▲ 땅 위로 올라온 뒤 깎여서 보임.

❹ 퇴적암
퇴적물이 단단하게 굳어서 만들어진 암석

▲ ❺ 역암 ▲ 사암 ▲ ❻ 이암

화석이 만들어지는 과정

▲ 죽은 생물 위에 퇴적물이 쌓임. ▲ 지층 속에 묻힌 생물이 ❼ 화석 이/가 됨.

화석을 통해 알 수 있는 것

- 옛날에 살았던 생물의 ❽ 생김새 (이)나 생활하던 모습
- 화석이 발견된 지층이 쌓인 시기나 당시의 환경

그림으로 정리하기 해설

❶ 여러 종류의 암석이 층을 이루고 있는 것을 지층이라고 합니다. 지층의 모양은 수평인 지층, 휘어진 지층, 끊어진 지층 등 다양합니다.

❷, ❸ 지층이 만들어져 발견되는 과정은 다음과 같습니다. 자갈, 모래, 진흙 등으로 이루어진 퇴적물이 강이나 바다의 바닥에 평평하게 쌓입니다. ➡ 새로 이동해 온 퇴적물이 계속 쌓이면서 아래쪽에 쌓여 있던 퇴적물이 오랜 시간에 걸쳐 단단한 암석층이 됩니다. ➡ 앞의 과정이 반복되면서 계속 새로운 층이 만들어집니다. ➡ 여러 개의 층으로 이루어진 지층이 땅 위로 올라온 뒤 깎여서 보이게 됩니다.

❹, ❺, ❻ 퇴적물이 단단하게 굳어서 만들어진 암석을 퇴적암이라고 하며, 퇴적암은 알갱이의 크기에 따라 역암, 사암, 이암으로 구분됩니다.

❼ 화석이 만들어져 발견되는 과정은 다음과 같습니다. 죽은 생물이 강이나 바다의 바닥에 가라앉습니다. ➡ 그 위로 퇴적물이 두껍게 쌓입니다. ➡ 퇴적물이 단단하게 굳으면서 계속 쌓이면 지층이 되고, 그 속에 묻힌

문제로 확인하기

1 퇴적암을 주로 이루고 있는 퇴적물을 찾아 선으로 연결해 봅시다.

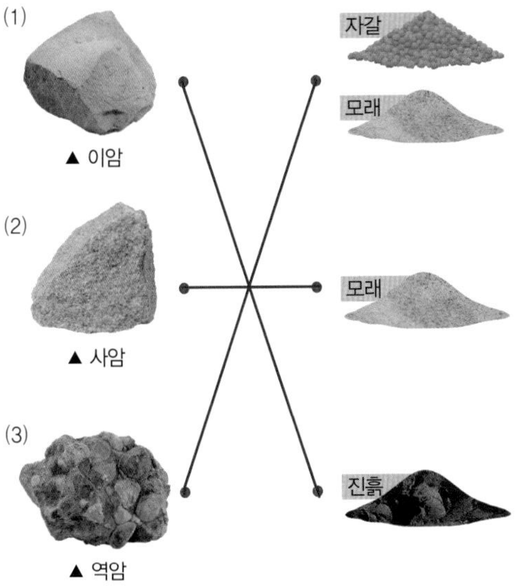

(1)
▲ 이암
(2)
▲ 사암
(3)
▲ 역암
자갈
모래
모래
진흙

2 화석의 특징을 옳게 설명한 사람은 ○ 표시를, 옳지 않게 설명한 사람은 ✕ 표시를 해 봅시다.

화석을 통해 옛날에 살았던 생물의 생김새를 짐작할 수 있어.
삼엽충은 화석이지만 공룡 발자국은 화석이 아니야.
○
✕

과학 글쓰기

3 지층이 만들어져 발견되는 과정을 설명한 그림입니다. 빈칸에 들어갈 알맞은 말을 써 봅시다.

어느 날 나는 물에 휩쓸려 이동하다가 평평하게 쌓이게 되었어.
다른 친구들이 내 몸 위로 이동해 오면서 오랜 시간에 걸쳐 단단한 암석층이 되었어.
예시 답안
앞의 과정이 반복되면서 계속해서 새로운 층이 만들어졌어.
여러 개의 층으로 이루어진 나는 땅 위로 올라오면서 보이게 되었어.

도전! 창의 융합

화석 이름 짓기

화석 사진을 관찰하여 이 생물의 이름을 짓고, 살아 있을 때의 모습은 어떠했을지 그림으로 그려 봅시다.

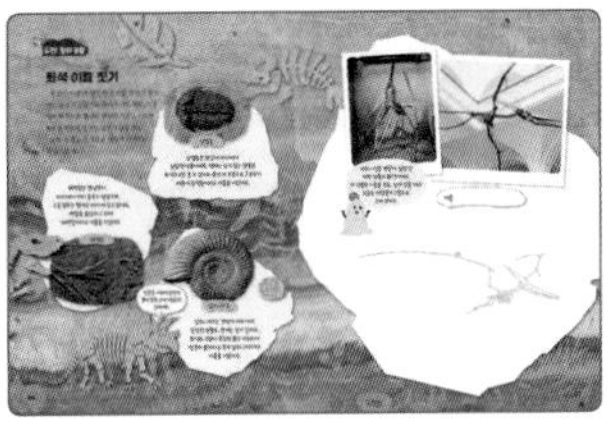

『실험 관찰』 24쪽

생물은 화석이 됩니다. ➡ 시간이 지나 지층이 올라와 깎여 화석이 드러나 보입니다.

❽ 화석을 통해 옛날에 살았던 생물의 생김새나 생활 모습, 지층이 쌓인 시기나 당시의 환경을 알 수 있습니다.

문제로 확인하기 해설

❶ 퇴적암과 퇴적암을 이루고 있는 퇴적물을 서로 연결하는 문제입니다.
이암은 진흙과 같이 작은 알갱이로 되어 있고, 사암은 주로 모래로, 역암은 주로 자갈과 모래로 되어 있습니다.

❷ 화석의 특징과 화석이 될 수 있는 조건을 확인하는 문제입니다.
화석을 통해 옛날에 살았던 생물의 생김새, 생활 모습, 당시의 환경, 지층이 쌓인 시기 등을 짐작할 수 있습니다. 공룡 발자국도 옛날에 살았던 생물의 흔적이 땅속에 묻혀서 만들어진 화석입니다.

과학 글쓰기 해설

퇴적물이 계속 쌓이고 눌리면서 단단한 암석층이 되고, 이 과정이 반복되면서 지층이 만들어집니다.

실험 관찰

실험 관찰 24~25쪽

도전! 창의 융합

도전! 창의 융합 도움말

이 활동에서는 화석으로 발견된 생물의 이름이 어떻게 지어졌는지 알아봅니다. 그리고 옛날에 살았던 어떤 생물의 화석 사진을 보면서 생물이 살아 있을 때의 모습을 그려 보고, 이름을 지어 봅니다.

화석 이름 짓기

생물의 이름은 생김새나 생활 방식과 같은 여러 가지 특징을 이용하여 짓기도 해요. 지층에서 화석으로 발견된 생물의 이름도 이러한 특징을 이용하여 짓는 경우가 많답니다.

화석 속 생물의 이름은 어떻게 지어졌는지 알아볼까요?

삼엽충

삼엽충은 옛날에 바다에서 살았던 생물이에요. 현재는 살지 않는 생물로 화석으로만 볼 수 있지요. 몸이 세 부분으로 구분되기 때문에 삼엽충이라고 이름을 지었어요.

해백합은 옛날부터 바다에서 여러 종류가 살았으며, 그중 일부는 현재도 바다에 살고 있어요. 백합을 닮았다고 하여 해백합이라고 이름을 지었어요.

해백합

'암몬'은 머리에 숫양의 뿔이 달린 고대 이집트의 신이에요.

암모나이트

암모나이트는 옛날에 바다에서 살았던 생물로, 현재는 살지 않아요. 화석의 모양이 숫양의 뿔과 비슷하여 '암몬의 뿔'이라는 뜻의 암모나이트라고 이름을 지었어요.

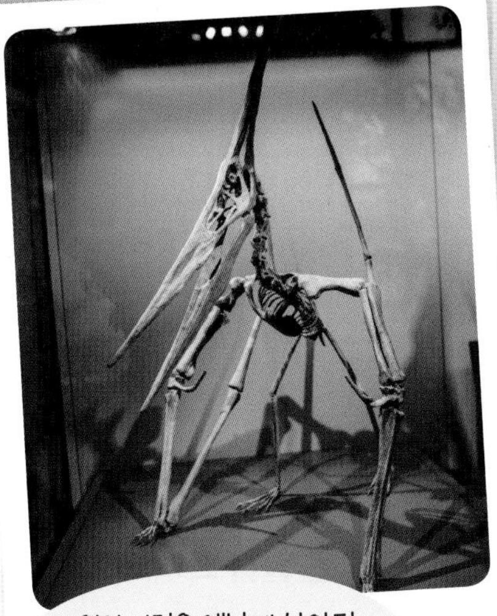

위의 사진은 옛날에 살았던
어떤 생물의 화석이에요.
이 생물의 이름을 짓고, 살아 있을 때의
모습은 어땠을지 그림으로
그려 보아요.

이름: 날개 달린 공룡

예시 답안

보충해설

제시된 사진은 과거에 살았던 생물인 프테라노돈(Pteranodon)의 화석입니다. 화석이 발견되면서 그 모습이 알려진 생물이지만, 여기서는 화석 사진을 통해 살아 있었을 당시의 모습을 추측해 봅니다.

도움말

살아 있었을 당시의 모습을 상상하면서 다양하고 창의적인 이름을 지어 보고, 그림을 그려 봅니다.

교과서 평가 문제

1 다음은 지층의 모습과 이 지층에 대한 설명입니다. (   ) 안에 들어갈 알맞은 말에 ○표시를 하시오.

이 지층은 (수평인 , 휘어진 , 끊어진) 모양입니다.

2 지층 모형 만들기 활동에서 투명한 빨대 안에 보이는 단면이 아래층부터 식빵 → 치즈 → 햄 → 코코아 가루 → 토마토 순으로 쌓여 있었습니다. 지층 모형에서 가장 먼저 쌓은 재료는 어느 것입니까? (   )

① 햄 ② 치즈
③ 식빵 ④ 토마토
⑤ 코코아 가루

중요

3 지층 모형과 실제 지층의 공통점을 2가지 고르시오. (,   )

① 단단합니다.
② 줄무늬가 보입니다.
③ 금방 만들어집니다.
④ 칼로 쉽게 잘립니다.
⑤ 아래에 있는 층부터 먼저 만들어졌습니다.

중요

4 다음은 여러 가지 퇴적암 중 하나를 관찰한 내용입니다. 관찰한 퇴적암의 종류를 쓰시오.

- 표면의 느낌이 부드럽습니다.
- 알갱이가 작아서 잘 보이지 않습니다.
- 노란 것도 있고 갈색인 것도 있습니다.

(   )

5 다음은 퇴적암이 만들어지는 과정입니다. 빈칸에 공통으로 들어갈 알맞은 말을 쓰시오.

(   )이/가 강이나 바다에 쌓입니다.
↓
먼저 쌓인 (   )이/가 위에 쌓이는 (   )에 의해 눌립니다.
↓
(   ) 알갱이 사이에 여러 가지 물질이 채워지면서 (   )이/가 서로 붙습니다.
↓
오랫동안 반복되어 퇴적암이 됩니다.

(   )

6 다음 (가), (나)는 여러 가지 화석을 어떤 기준으로 분류한 것입니다. 이 분류 기준이 될 수 있는 것은 어느 것입니까? (   )

(가) 물고기 화석, 공룡알 화석, 삼엽충 화석, 공룡 발자국 화석, 곤충 화석
(나) 나뭇잎 화석, 고사리 화석

① 동물 화석과 식물 화석
② 오래된 화석과 최근 화석
③ 바다 생물 화석과 육지 생물 화석
④ 크기가 큰 화석과 크기가 작은 화석
⑤ 생물 몸체 화석과 생활 흔적이 남은 화석

7 다음 중 화석이 아닌 것은 어느 것입니까? (   )

① 곤충이 들어 있는 호박
② 지층에 남아 있는 새 발자국
③ 암석에 남아 있는 공룡의 이빨
④ 얼어 있는 상태로 발견된 매머드
⑤ 모래 위에 남아 있는 사람 발자국

8 다음 조개 화석 모형과 실제 조개 화석의 차이점을 옳게 말한 친구는 누구입니까? (   )

▲ 조개 화석 모형

▲ 실제 조개 화석

① 재민: 실제 조개 화석만 줄무늬가 있어.
② 형식: 실제 조개 화석은 조개 없이 만들어져.
③ 수지: 실제 조개 화석은 누구나 쉽게 만들 수 있어.
④ 지효: 조개 화석 모형보다 실제 조개 화석이 더 단단해.
⑤ 준희: 조개 화석 모형은 실제 조개 화석보다 만들어지는 데 더 오래 걸려.

중요

9 화석을 통해 알 수 있는 사실이 아닌 것은 어느 것입니까? (   )

① 생물의 생김새
② 지층이 쌓인 시기
③ 생물이 생활하던 모습
④ 생물이 살았던 당시의 환경
⑤ 옛날에 살았던 생물이 태어난 날

서술형 문제

10 다음은 지층에 대한 친구들의 대화입니다. 물음에 답하시오.

이 지층은 어떻게 만들어졌을까?
갈퀴 같은 날카로운 것으로 긁고 지나간 것이 아닐까?
비에 의해 암석이 깎이면서 만들어진 것이 아닐까?
어제 먹은 케이크처럼 한 층씩 쌓여서 만들어진 것이 아닐까?

민성 수진 지영 창민

(1) 민성이의 질문에 가장 옳게 추측한 친구는 누구인지 쓰시오.
(   )

(2) (1)의 답과 같이 생각한 까닭을 지층이 만들어지는 과정과 비교하여 쓰시오.

서술형 문제

11 다음은 공룡 발자국 화석의 모습입니다. 물음에 답하시오.

(1) 공룡이 오른쪽과 왼쪽 중 어느 쪽으로 이동한 것인지 추리하여 쓰시오.
(   )

(2) 그림의 **2** 에서 큰 발자국과 작은 발자국이 뒤섞여 있는 것을 통해 추리할 수 있는 내용을 쓰시오.

(3) 그림의 **3** 에서 작은 발자국이 사라진 것을 통해 추리할 수 있는 내용을 쓰시오.

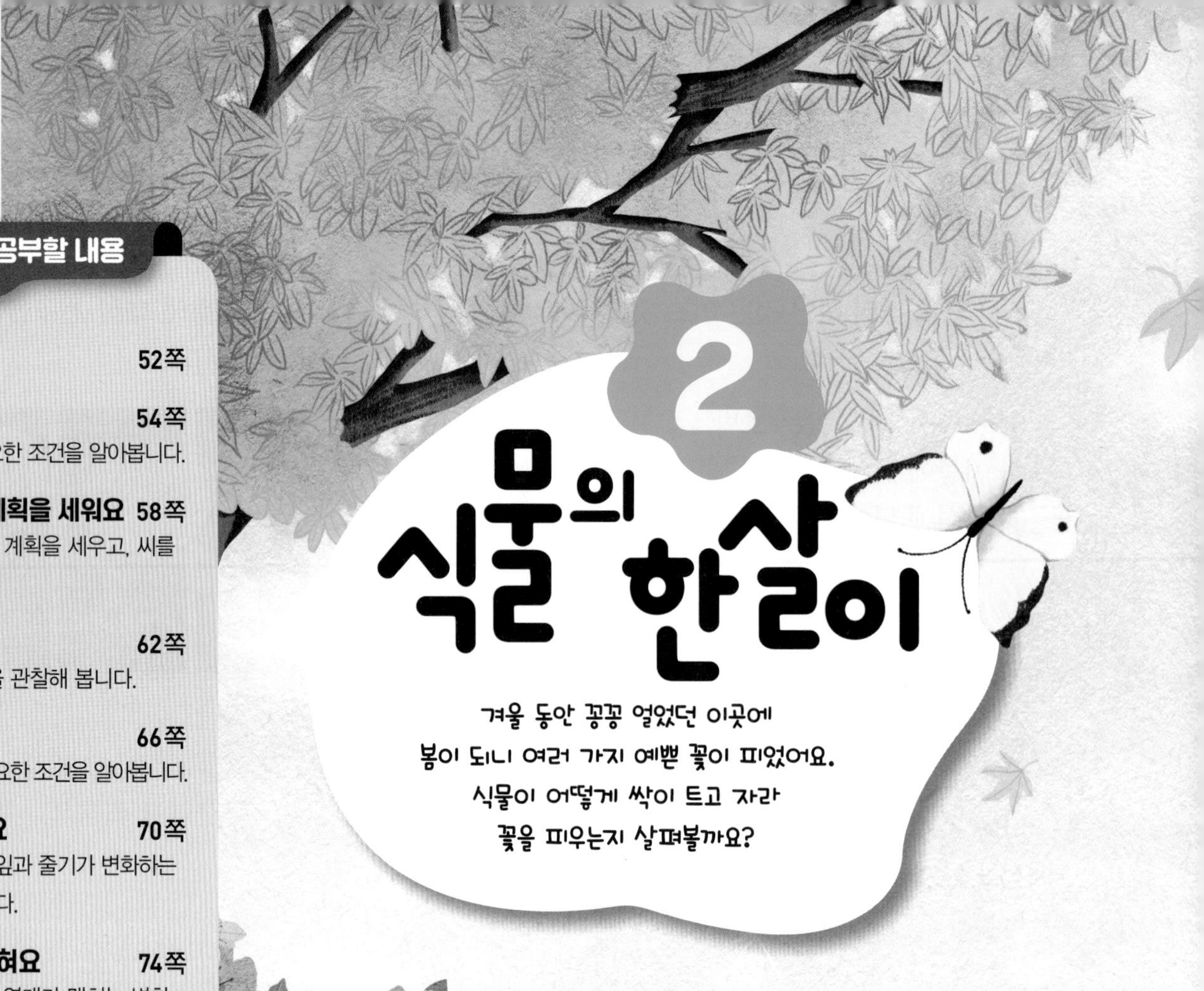

2 식물의 한살이

겨울 동안 꽁꽁 얼었던 이곳에
봄이 되니 여러 가지 예쁜 꽃이 피었어요.
식물이 어떻게 싹이 트고 자라
꽃을 피우는지 살펴볼까요?

이 단원에서 공부할 내용

단원 그림 도움말

단원 그림은 5월에 우리 주변에서 볼 수 있는 식물의 모습입니다. 우리 주변에는 철쭉, 노랑붓꽃, 제비꽃, 괭이밥, 단풍나무, 애기똥풀, 봉선화, 서양민들레 등 여러 가지 식물이 있습니다. 그림 속 다양한 식물을 살펴보고, 이번 단원에서는 무엇을 공부할지 생각해 봅시다.

여러 가지 식물의 한살이 과정을 알아 봅시다.
씨가 싹 트거나 자라는 데 필요한 조건을 알아 봅시다.
강낭콩의 한살이 관찰 계획을 세우고 강낭콩을 기르면서 한살이를 관찰해 봅시다.
알아 볼까요?
이 꽃이 진 자리에는 무엇이 생길까요?
놀라운 이야기
쌀알만큼 작은 씨가 싹이 터서 아파트 30층 높이만큼 자랄 수도 있어요.

좀 더 설명할게요

세계에서 가장 키가 큰 나무는 미국 캘리포니아주에 있는 레드우드입니다. 레드우드의 씨는 올리브 크기 정도의 솔방울에 40개~50개가 들어 있을 정도로 아주 작지만, 싹이 튼 뒤 높이가 111.6 m, 지름은 2.5 m~4.5 m가 될 정도로 크게 자랄 수 있습니다.

질문과 답

이 꽃이 진 자리에는 무엇이 생길까요?

이 꽃은 애기똥풀이고, 이 꽃이 진 자리에는 열매가 생깁니다.

과학 놀이터

과학 50~51쪽

어떤 모습일까요?

로빈슨 크루소는 모험을 좋아하는 사람이에요.
새로운 세계를 찾아 배를 타고 떠나던 중 큰 폭풍우를 만났어요.
배는 부서지고, 혼자 살아남아 도착한 곳은 무인도였어요.
주변을 둘러보니 모래사장에 여러 가지 물건이 흩어져 있네요.

과학 놀이터 도움말

여러 가지 씨를 관찰하고, 씨가 싹 트고 자라 꽃이 핀 모습을 사다리 타기를 하며 알아봅시다.

이렇게 해요

유의점

- 상자를 흔들어 소리를 들어 보고 상자 속에 들어 있는 씨를 손으로 만져 본 것과 눈으로 관찰한 것의 공통점과 차이점을 생각해 봅시다.
- 같은 종류의 식물도 씨의 모양, 크기, 색깔이 다를 수 있습니다.

활동 도움말

① 준비한 씨를 각 상자에 한 종류씩 넣습니다.

도움말 상자에 씨를 넣기 전 각 씨의 생김새를 관찰합니다. 씨를 상자에 넣고 어떤 상자에 무슨 씨가 들어 있는지 기억하지 못하게 상자를 섞어 줍니다.

이렇게 해요

무엇을 준비할까요?

작은 상자 5개, 여러 가지 씨(감, 무궁화, 호박, 완두, 나팔꽃 등), 붙임쪽지

① 준비한 씨를 각 상자에 한 종류씩 넣습니다.

씨를 담은 상자를 섞어 주세요.

② 상자를 흔들어 소리를 들어 보고, 상자에 손을 넣어 씨를 만져 봅시다.

붙임쪽지에 씨의 촉감이나 생김새 등을 써서 붙여 보세요.

③ 붙임쪽지의 글을 읽고, 각 상자에 들어 있는 씨의 생김새를 추리해 봅시다.

④ 상자를 열어 각 씨의 생김새를 확인해 봅시다.

⑤ 사다리 타기를 하면서 각 씨가 싹 터서 자라 꽃이 핀 모습을 알아봅시다.

놀이를 통해 씨에 대하여 알게 된 점을 이야기해 보아요.

② 상자를 흔들어 소리를 들어 보고, 상자에 손을 넣어 씨를 만져 봅시다.

도움말 각각의 상자를 흔들어 보고, 상자 속의 씨를 만져 본 느낌을 붙임쪽지에 써서 붙입니다.

④ 상자를 열어 각 씨의 생김새를 확인해 봅시다.

감 씨	진한 갈색, 반달 모양이나 물방울 모양, 납작함.
무궁화 씨	진한 갈색, 납작한 원 모양, 주변에 털이 있음.
호박씨	연한 노란색, 한쪽 끝은 둥글고 반대쪽은 뾰족함.
완두	연두색, 동그랗고 매끈함.
나팔꽃 씨	검은색, 한쪽은 둥글고 반대쪽은 각이 져 있음.

질문

- 놀이를 통해 씨에 대하여 알게 된 점을 이야기해 보아요.

  나의 답 씨는 색깔, 생김새, 크기가 다양합니다.

1 싹이 트려면

과학 52~53쪽

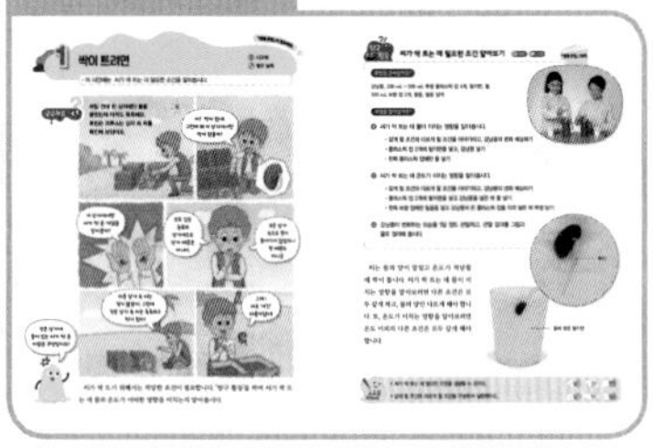

➡ 씨가 싹 트는 데 물이 미치는 영향 알아보기

강낭콩이 싹 트는 데 물이 미치는 영향을 알아보기 위해서는 실험을 어떻게 해야 할까?
2개의 강낭콩 중 1개에만 물을 주고 나머지 조건은 같게 하여 비교하면 돼.

➡ 씨가 싹 트는 데 온도가 미치는 영향 알아보기

강낭콩이 싹 트는 데 온도가 미치는 영향을 알아보기 위해서는 실험을 어떻게 해야 할까?
2개의 강낭콩을 각각 다른 온도에 두고 비교하면 돼. 하지만 온도를 제외한 다른 조건은 모두 같게 해야 해.

궁금해요

씨가 싹 트는 데 물이 어떠한 영향을 미치는지 생각해 봅시다.

질문 젖은 상자에 들어 있는 씨가 싹 튼 까닭은 무엇일까요?

예시 답안
- 상자가 젖어 있어 상자에 들어 있는 씨도 젖었기 때문입니다.
- 씨는 물에 젖어 있으면 싹이 트기 때문입니다.

탐구 활동 씨가 싹 트는 데 필요한 조건 알아보기

자세한 해설은 56~57쪽에 있어요.

- **무엇을 준비할까요?**

강낭콩, 200 mL~300 mL 투명 플라스틱 컵 4개, 탈지면, 물, 500 mL 보랭 컵 2개, 얼음, 얼음 집게

- **과정을 알아볼까요?** 도움 ①

① 씨가 싹 트는 데 물이 미치는 영향을 알아봅시다.

- 같게 할 조건과 다르게 할 조건을 이야기하고, 강낭콩의 변화 예상하기
- 플라스틱 컵 2개에 탈지면을 넣고, 강낭콩 넣기
- 한쪽 플라스틱 컵에만 물 넣기

② 씨가 싹 트는 데 온도가 미치는 영향을 알아봅시다.

- 같게 할 조건과 다르게 할 조건을 이야기하고, 강낭콩의 변화 예상하기
- 플라스틱 컵 2개에 탈지면을 넣고, 강낭콩을 넣은 뒤 물 넣기
- 한쪽 보랭 컵에만 얼음을 넣고 강낭콩이 든 플라스틱 컵을 각각 넣은 뒤 뚜껑 닫기

③ 강낭콩이 변화하는 모습을 5일 정도 관찰하고, 관찰 결과를 그림과 글로 정리해 봅시다. 도움 ②

- **관찰 내용 및 결과를 정리해요**

➡ 물을 준 강낭콩만 싹이 트는 것으로 보아 씨가 싹 트는 데는 물이 필요합니다.

➡ 얼음을 넣지 않은 보랭 컵 속의 강낭콩만 싹 트는 것으로 보아 물이 있어도 온도가 적당해야 싹이 틉니다.

교과서 속 핵심 개념

- **강낭콩이 싹 트는 데 필요한 조건 정리**

구분	물이 미치는 영향		온도가 미치는 영향	
	물을 주지 않은 것	물을 준 것	보랭 컵에 얼음을 넣지 않은 것	보랭 컵에 얼음을 넣은 것
관찰 결과	싹이 트지 않음.	싹이 틈.	싹이 틈.	싹이 트지 않음.
싹 트는 데 필요한 조건	알맞은 양의 물과 적당한 온도가 필요함.			

정답과 해설 3쪽

도움 1 씨가 싹 트는 모습 관찰할 때

- 플라스틱 컵은 투명해야 강낭콩의 뿌리가 나오는 모습을 볼 수 있습니다.
- 플라스틱 컵 대신 지퍼 백이나 페트리 접시를 사용할 수 있습니다. 페트리 접시를 사용할 경우 물이 빨리 마르므로 물을 적신 키친타월을 덮어 두면 좋습니다.
- 강낭콩을 하루 정도 미리 불려 실험하면 좀 더 빠르게 결과를 관찰할 수 있습니다.
- 탈지면 대신 키친타월을 사용할 수 있습니다.

도움 2 강낭콩이 싹 트는 데 필요한 조건 실험

물이 미치는 영향 실험		온도가 미치는 영향 실험	
물을 주지 않은 것	물을 준 것	보랭 컵에 얼음을 넣지 않은 것	보랭 컵에 얼음을 넣은 것
	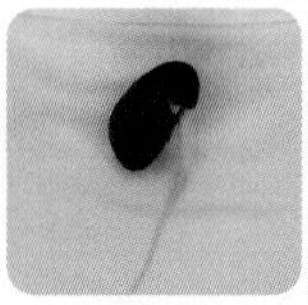	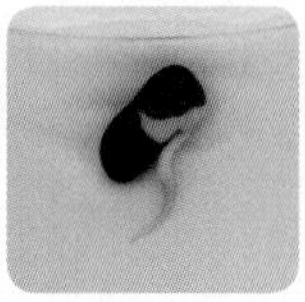	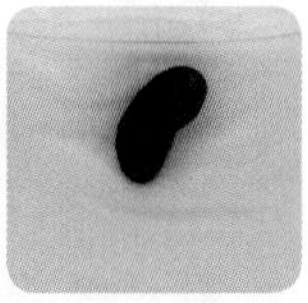
• 물 이외의 다른 조건은 모두 같게 해 주어야 합니다. • 온도 조건은 20 ℃~30 ℃일 때 가장 싹이 잘 트므로 온도가 20 ℃ 이상인지 확인합니다.		• 온도 이외의 다른 조건은 모두 같게 해 주어야 합니다. • 보랭 컵 대신 뚜껑이 있는 스타이로폼 상자에 얼음이나 얼린 얼음 팩을 넣어 실험할 수 있습니다.	

스스로 확인해요

- **씨가 싹 트는 데 필요한 조건을 설명할 수 있어요.**
  도움말 씨가 싹 트는 데 알맞은 양의 물과 적당한 온도가 필요하다는 것을 설명합니다.
- **같게 할 조건과 다르게 할 조건을 구분하여 실험했어요.**
  도움말 씨가 싹 트는 데 물과 온도가 미치는 영향을 알아보는 실험을 할 때 같게 할 조건과 다르게 할 조건을 명확하게 구분하여 설명합니다.

교과서 개념 확인 문제

1~2 씨가 싹 트는 데 물과 온도가 미치는 영향을 알아보려고 합니다. 물음에 답해 봅시다.

보기
씨의 종류, 온도, 공기, 물, 빛, 탈지면

1 씨가 싹 트는 데 물이 미치는 영향을 알아보기 위한 실험을 할 때, 같게 할 조건과 다르게 할 조건을 보기 에서 찾아 각각 써 봅시다.

㉠ 같게 할 조건: (　　　　　　　　)
㉡ 다르게 할 조건: (　　　　　　　　)

2 씨가 싹 트는 데 온도가 미치는 영향을 알아보기 위한 실험을 할 때, 같게 할 조건과 다르게 할 조건을 보기 에서 찾아 각각 써 봅시다.

㉠ 같게 할 조건: (　　　　　　　　)
㉡ 다르게 할 조건: (　　　　　　　　)

3 다음은 씨가 싹 트는 데 필요한 조건을 알아보는 실험의 관찰 결과입니다. 빈칸에 들어갈 알맞은 말을 각각 써 봅시다.

구분	물이 미치는 영향		온도가 미치는 영향	
	물을 주지 않은 것	물을 준 것	얼음을 넣지 않은 것	얼음을 넣은 것
그림	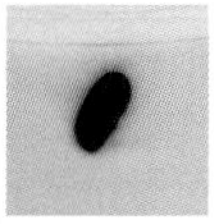	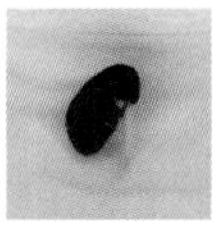	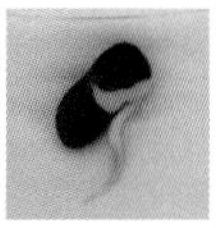	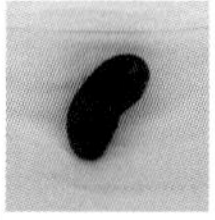
관찰 결과	싹이 (㉠　)	싹이 (㉡　)	싹이 (㉢　)	싹이 (㉣　)
싹이 트는 데 필요한 조건	알맞은 양의 (㉤　　)와/과 적당한 (㉥　　)이/가 필요함.			

실험 관찰

예상 관찰 실험 관찰 28~29쪽

1 싹이 트려면

탐구 활동 씨가 싹 트는 데 필요한 조건 알아보기

탐구 활동 도움말

이 탐구 활동은 물 조건과 온도 조건을 다르게 하였을 때 각각 어떤 조건에서 씨가 싹 트는지 알아보고, 씨가 싹 트는 조건을 정리해 보는 활동입니다.

「실험 관찰」 꾸러미 77쪽 붙임딱지를 붙여요.

강낭콩을 소중히 다뤄요.

무엇을 준비할까요?

준비물에 ○ 표시를 하면서 확인해 봅시다.

강낭콩

200 mL~300 mL 투명 플라스틱 컵 4개

탈지면

500 mL 보랭 컵 2개

물

얼음

얼음 집게

1 씨가 싹 트는 데 물이 미치는 영향을 알아봅시다.

❶ 같게 할 조건과 다르게 할 조건을 이야기하고, 강낭콩이 어떻게 될지 예상해 봅시다.

예시 답안

	같게 할 조건	다르게 할 조건
조건	씨의 종류, 온도, 공기, 빛 탈지면, 플라스틱 컵 등	물
예상	물을 주지 않은 강낭콩은 싹이 트지 않고, 물을 준 강낭콩은 싹이 틀 것입니다.	

❷ 플라스틱 컵 2개에 탈지면을 넣고, 강낭콩을 넣습니다.

❸ 한쪽 플라스틱 컵에만 탈지면이 흠뻑 젖도록 물을 넣습니다.

▲ 물을 넣지 않음. ▲ 물을 넣음.

도움말

강낭콩 크기의 1배 정도 깊이에 강낭콩을 넣고, 공기가 통할 수 있도록 강낭콩 윗부분의 탈지면을 플라스틱 컵과 띄워 둡니다.

도움말

- 탈지면 전체가 물에 젖도록 물을 충분히 넣되 강낭콩이 물에 완전히 잠기지 않도록 합니다.
- 20 ℃~30 ℃일 때 결과가 잘 나타나므로 실온에 두고 관찰합니다.

2 씨가 싹 트는 데 온도가 미치는 영향을 알아봅시다.

❶ 같게 할 조건과 다르게 할 조건을 이야기하고, 강낭콩이 어떻게 될지 예상해 봅시다.

예시 답안

	같게 할 조건	다르게 할 조건
조건	씨의 종류, 물, 공기, 빛 탈지면, 플라스틱 컵 등	온도
예상	얼음을 넣지 않은 보랭 컵 속의 강낭콩은 싹이 트고, 얼음을 넣은 보랭 컵 속의 강낭콩은 싹이 트지 않을 것입니다.	

보충해설

과정 **1**은 씨가 싹 트는 데 물이 미치는 영향을 알아보기 위한 활동이고, 과정 **2**는 씨가 싹 트는 데 온도가 미치는 영향을 알아보기 위한 활동입니다.

❷ 플라스틱 컵 2개에 탈지면을 넣고 강낭콩을 넣은 뒤, 탈지면이 흠뻑 젖도록 물을 넣습니다.

▲ 얼음을 넣지 않음.

▲ 얼음을 넣음.

❸ 한쪽 보랭 컵에만 얼음을 넣고, 강낭콩이 든 플라스틱 컵을 각각 넣은 뒤, 뚜껑을 닫습니다.

얼음이 모두 녹기 전에 새로 넣어 주세요.

물을 넣은 플라스틱 컵 속의 탈지면이 마르지 않도록 물을 줘야 해요.

도움말

플라스틱 컵의 탈지면이 마르지 않도록 1일~2일에 한 번씩 확인하고, 마르기 전에 물을 넣어 줍니다.

3 강낭콩이 변화하는 모습을 5일 정도 관찰하고, 관찰 결과를 그림과 글로 정리해 봅시다.

예시 답안

구분	물이 미치는 영향		온도가 미치는 영향	
	물을 주지 않은 것	물을 준 것	얼음을 넣지 않은 것	얼음을 넣은 것
그림	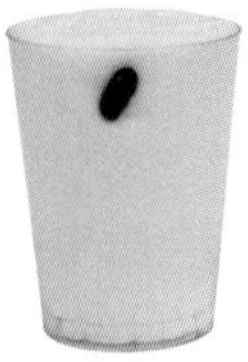	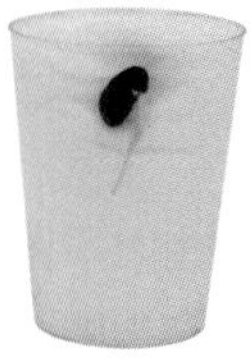	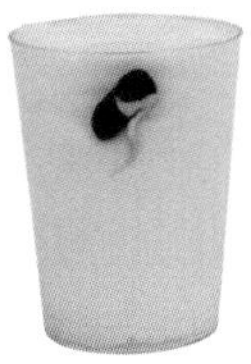	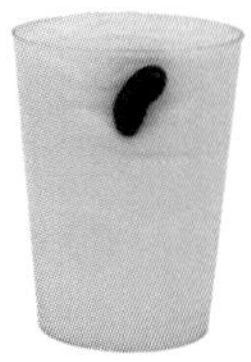
결과	싹이 트지 않았습니다.	싹이 텄습니다.	싹이 텄습니다.	싹이 트지 않았습니다.

보충해설

- 물을 준 강낭콩만 싹이 트는 것으로부터 씨가 싹 트는 데는 물이 필요하다는 것을 알 수 있습니다.
- 얼음을 넣지 않은 보랭 컵 속의 강낭콩만 싹이 트는 것으로부터 물이 있어도 온도가 적당해야 싹이 튼다는 것을 알 수 있습니다.

이렇게 OO 정리해요

씨가 싹 트는 조건을 정리해 봅시다.

씨가 싹 트는 데는 알맞은 양의 [물] 와/과 적당한 [온도] 이/가 필요합니다.

2 식물의 한살이 관찰 계획을 세워요

과학 54~55쪽

궁금해요

씨를 심은 해에 열매를 얻을 수 있는 식물에는 어떤 것이 있는지 생각해 봅시다.

질문 로빈슨 크루소는 어떤 식물을 선택해야 할까요?

예시 답안 강낭콩, 완두, 토마토, 옥수수처럼 씨를 심어서 열매를 맺기까지의 기간이 짧은 것을 선택해야 합니다.

탐구 활동 식물의 한살이 관찰 계획 세우고, 씨 심기

자세한 해설은 60~61쪽에 있어요.

- **무엇을 준비할까요?**

씨(강낭콩), 화분, 망, 흙, 꽃삽, 물뿌리개, 팻말, 유성 펜

- **과정을 알아볼까요?**

1 식물의 한살이를 관찰하기 위한 계획을 세워 봅시다.

- 한살이를 관찰할 식물 정하기 도움 1
- 씨를 언제, 어디에, 어떻게 심을지 이야기하기
- 식물을 기르면서 무엇을, 어떻게 관찰할지 이야기하기

2 계획한 대로 씨를 심어 봅시다. 도움 2

화분 바닥에 있는 구멍 막기 ➡ 화분의 $\frac{4}{5}$ 정도 흙 넣기 ➡ 씨 심고, 흙으로 덮기 ➡ 흙이 충분히 젖도록 물 주기 ➡ 햇빛이 잘 드는 곳에 두기

- **관찰 내용 및 결과를 정리해요**

➡ 식물의 한살이를 관찰하기에는 한살이 기간이 짧은 식물이 좋습니다. 그리고 잎, 줄기, 꽃, 열매 등을 관찰하기 쉬운 식물이 좋습니다.

➡ 한살이 관찰 계획을 세울 때는 관찰할 식물, 식물을 선택한 까닭, 관찰 방법 등을 구체적으로 기록합니다.

교과서 속 핵심 개념

- **식물의 한살이** 식물의 씨가 싹 트고 자라 꽃이 피고 열매를 맺어 다시 씨를 만드는 과정
- **식물의 한살이를 관찰하기 좋은 식물의 특징**
  - 한살이 기간이 짧은 식물
  - 잎, 줄기, 꽃, 열매 등을 관찰하기 쉬운 식물

  예 강낭콩, 옥수수, 나팔꽃, 완두 등
- **관찰 계획서에 써야 할 내용** 관찰할 사람, 관찰할 식물, 씨를 심을 곳, 관찰 방법, 관찰 내용 등

➡ 식물의 한살이

➡ 한살이가 긴 식물과 짧은 식물

옥수수는 식물의 한살이 과정이 짧은 식물이에요. 이러한 식물에는 강낭콩, 나팔꽃, 완두 등이 있어요.

사과나무는 식물의 한살이가 긴 시간에 걸쳐 일어나는 식물이에요. 이러한 식물에는 배나무, 감나무 등이 있어요.

도움 1 식물의 한살이를 관찰하기에 좋은 식물의 예

식물 이름	씨를 심는 시기	열매를 맺는 시기
강낭콩	4월 ~ 5월	6월 ~ 8월
봉선화	4월 ~ 5월	7월 ~ 9월
나팔꽃	4월 ~ 5월	6월 ~ 9월
완두	4월 ~ 5월	7월 ~ 9월
옥수수	4월 ~ 6월	7월 ~ 10월
해바라기	4월	7월 ~ 9월

- 식물의 한살이 기간은 심는 시기와 환경에 따라 차이가 있을 수 있습니다.

도움 2 싹이 잘 트게 하는 방법

- 하루 전이나 적어도 12시간 전에 씨를 물에 불린 뒤 심으면 싹이 빨리 틉니다.
- 싹이 트는 데 적합한 온도를 알아둡니다.
- 씨를 너무 깊게 심으면 싹이 흙 위로 나오기 어렵고, 너무 얕게 심으면 씨가 마르거나 동물의 먹이가 될 수 있으므로 씨 크기의 2배~3배 정도 깊이에 심습니다.
- 물은 화분의 구멍으로 물이 조금 새어 나올 만큼 줍니다.
- 겉에 있는 흙이 마르면 물을 줍니다. 너무 자주 물을 주면 식물이 썩을 수 있습니다.

스스로 확인해요

- **식물의 한살이 관찰에 적합한 식물의 이름과 그 까닭을 말할 수 있어요.**
  도움말 강낭콩, 나팔꽃, 옥수수, 완두 등의 이름을 말하고, 한살이 기간이 짧으며 잎, 줄기, 꽃, 열매 등을 관찰하기 쉽다는 내용을 말해야 합니다.
- **식물의 한살이를 관찰하기 위해 관찰 계획을 세웠어요.**
  도움말 관찰할 식물, 식물을 선택한 까닭, 관찰 방법 등의 계획을 구체적으로 세워야 합니다.

정답과 해설 3쪽

교과서 개념 확인 문제

1 다음은 무엇에 대한 설명인지 써 봅시다.

> 식물의 씨가 싹 트고 자라 꽃이 피고 열매를 맺어 다시 씨를 만드는 과정입니다.

( )

2 다음 빈칸에 들어갈 알맞은 말을 써 봅시다.

> 식물의 한살이를 관찰하기에 좋은 식물의 특징은 한살이 기간이 (㉠), 잎, 줄기, 꽃, 열매 등을 관찰하기 (㉡) 합니다.

㉠ ( ) ㉡ ( )

3 다음은 씨를 심는 과정을 순서에 관계없이 나타낸 것입니다. 순서에 맞게 기호를 나열해 봅시다.

㉠

화분 바닥에 있는 구멍을 망으로 막습니다.

㉡

팻말을 꽂은 다음, 햇빛이 잘 드는 곳에 둡니다.

㉢

흙을 화분의 $\frac{4}{5}$ 정도 넣습니다.

㉣

씨를 심고, 흙으로 씨를 덮습니다.

㉤

물뿌리개를 이용하여 흙이 충분히 젖도록 물을 줍니다.

( ) – ( ) – ( ) – ( ) – ( )

의사소통 · 예상

실험 관찰 30~31쪽

2 식물의 한살이 관찰 계획을 세워요

탐구 활동 식물의 한살이 관찰 계획 세우고, 씨 심기

탐구 활동 도움말

이 탐구 활동은 모둠끼리 의논하여 식물의 한살이를 관찰할 계획을 세우고, 계획한 대로 씨를 심는 활동입니다.

보충해설

씨를 심고 식물에 물을 주는 역할, 관찰 주기, 식물을 관찰하는 방법 등을 구체적으로 정합니다.

도움말

강낭콩, 옥수수, 나팔꽃, 완두, 방울토마토 등 한살이 기간이 짧은 식물을 선택합니다.

『실험 관찰』 꾸러미 77쪽 붙임딱지를 붙여요.

흙을 만진 뒤 손을 깨끗이 씻어요.

무엇을 준비할까요?

준비물에 ◯ 표시를 하면서 확인해 봅시다.

1 식물의 한살이를 관찰하기 위한 계획을 세워 봅시다.

예시 답안

관찰 계획서

관찰할 식물	강낭콩
식물을 선택한 까닭	• 한살이 기간이 짧습니다. • 잎, 줄기, 열매, 꽃 등을 관찰하기 쉽습니다. • 씨를 구하기 쉽고, 기르기 쉽습니다. 등
씨를 심을 날짜	20 년 월 일
씨를 심을 곳	화분

관찰하는 방법	무엇을 관찰하면 좋을까요? 싹 트는 모습, 잎과 줄기의 길이, 잎의 개수와 너비, 꽃과 열매의 개수, 모양 등의 변화를 관찰합니다.
	얼마나 자주 관찰할까요? 매일
	어떻게 기록하면 좋을까요? • 잎 길이를 재고, 개수를 세어 기록합니다. • 줄기 길이를 재어 기록합니다. • 꽃이 피는 모습을 사진을 찍어 기록합니다. • 열매의 개수를 세어 기록합니다. • 열매가 변하는 모습을 그림을 그려 기록합니다.

2 계획한 대로 씨를 심어 봅시다.

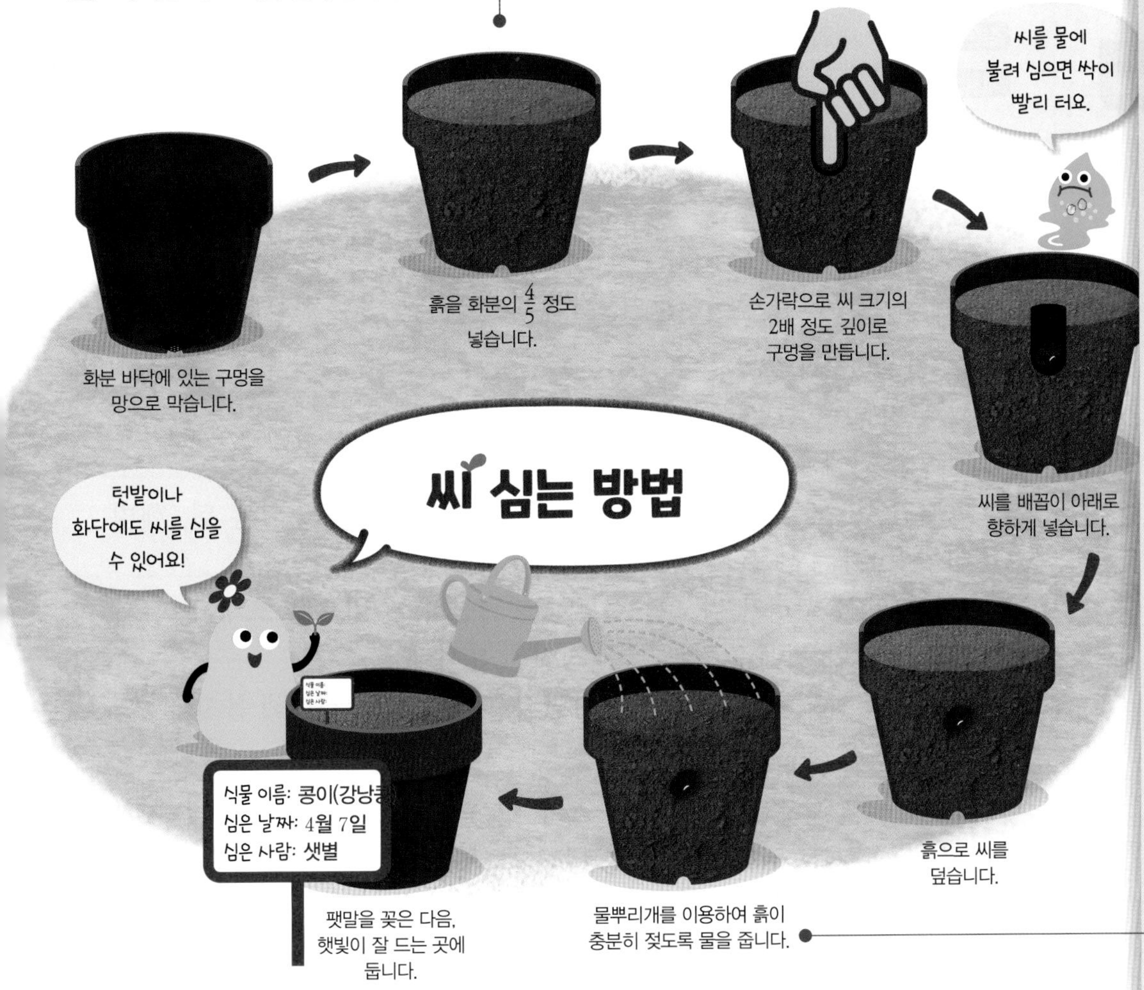
화분 바닥에 있는 구멍을 망으로 막습니다.
흙을 화분의 $\frac{4}{5}$ 정도 넣습니다.
손가락으로 씨 크기의 2배 정도 깊이로 구멍을 만듭니다.
씨를 물에 불려 심으면 싹이 빨리 터요.
씨를 배꼽이 아래로 향하게 넣습니다.
흙으로 씨를 덮습니다.
물뿌리개를 이용하여 흙이 충분히 젖도록 물을 줍니다.
팻말을 꽂은 다음, 햇빛이 잘 드는 곳에 둡니다.
식물 이름: 콩이(강낭콩)
심은 날짜: 4월 7일
심은 사람: 샛별
씨 심는 방법
텃밭이나 화단에도 씨를 심을 수 있어요!

도움말

흙을 화분에 가득 차게 넣으면 물을 줄 때 물과 함께 흙이 넘치므로 공간을 남기는 것이 좋습니다. 흙을 적게 넣으면 물을 준 뒤 흙이 다져지면서 가라앉아 흙의 양이 부족할 수 있습니다.

도움말

물은 화분의 구멍으로 물이 조금 새어 나올 만큼 줍니다. 이때 화분에 다음 물을 언제, 얼마나 줄 것인지 친구들과 얘기를 나누는 것이 좋습니다. 일반적으로 겉흙이 마르면 물을 충분히 줍니다. 물을 너무 자주 주면 식물이 썩을 수 있습니다.

이렇게 ○○ 정리해요

관찰 계획서를 발표하고, 고치거나 추가할 부분을 이야기해 봅시다.

예시 답안 관찰은 매일 같은 시간에 하는 것이 좋습니다.

3 싹 싹 싹이 났어요

과학 56~57쪽

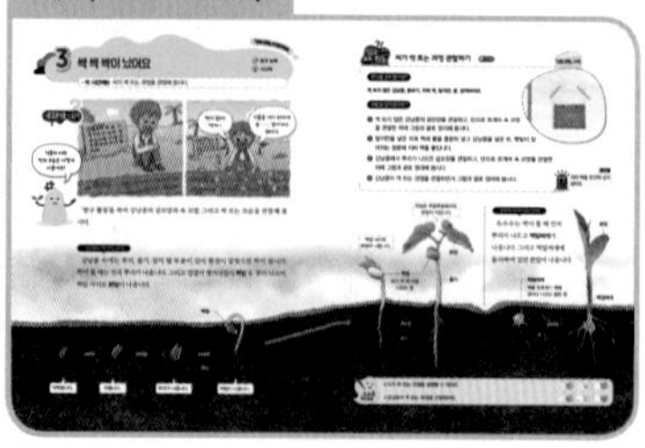

궁금해요

강낭콩을 심은 뒤 땅 위로 싹이 나오기까지 땅속에서 어떤 일이 일어났을지 생각해 봅시다.

질문 식물의 씨와 싹의 모습은 어떻게 다를까요?

예시 답안 씨는 작고 껍질에 싸여 있지만, 싹은 줄기와 잎이 있습니다.

탐구 활동 | 씨가 싹 트는 과정 관찰하기

자세한 해설은 64~65쪽에 있어요.

- **무엇을 준비할까요?**

싹 트지 않은 강낭콩, 돋보기, 지퍼 백, 탈지면, 물, 접착테이프

- **과정을 알아볼까요?**

1. 싹 트지 않은 강낭콩의 겉모양을 관찰하고, 반으로 쪼개어 속 모양을 관찰한 뒤에 그림과 글로 정리해 봅니다. 도움①
2. 탈지면을 넣은 지퍼 백에 물을 충분히 넣고 강낭콩을 넣은 뒤, 햇빛이 잘 비치는 창문에 지퍼 백을 붙입니다.
3. 강낭콩에서 뿌리가 나오면 겉모양을 관찰하고, 반으로 쪼개어 속 모양을 관찰한 뒤에 그림과 글로 정리해 봅시다.
4. 강낭콩이 싹 트는 과정을 관찰하면서 그림과 글로 정리해 봅시다. 도움②

- **관찰 내용 및 결과를 정리해요**

➡ 싹 트지 않은 강낭콩의 겉모양은 길쭉하고 둥글며 딱딱하고 껍질은 검붉은색을 띱니다. 속 모양은 전체적으로 매우 연한 노란색이며, 어린뿌리와 어린잎이 있습니다.

➡ 뿌리가 나온 강낭콩의 겉모양은 뿌리가 나오지 않았을 때보다 크기가 커지고 덜 딱딱해졌으며, 껍질이 팽팽하게 펴졌습니다. 속 모양은 어린잎이 조금 커졌고 펴졌습니다.

➡ 뿌리가 강낭콩 밖으로 나오면 뿌리가 길게 자라면서 작은 뿌리가 많아지고, 껍질이 벗겨지면서 떡잎이 나오며, 떡잎 사이로 본잎이 나옵니다.

➡ 씨와 싹의 비교

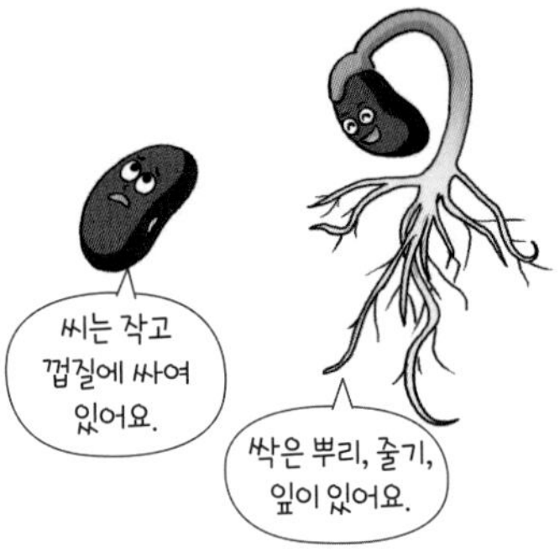
씨는 작고 껍질에 싸여 있어요.
싹은 뿌리, 줄기, 잎이 있어요.

➡ 떡잎과 본잎

본잎은 떡잎 다음으로 나오는 잎이에요. 본잎은 떨어지지 않고 자라서 식물의 영양분을 만드는 역할을 해요.
떡잎은 씨가 싹 터서 가장 먼저 나오는 잎이에요. 시간이 지나면 시들어 떨어져요.

➡ 옥수수가 싹 트는 과정

옥수수는 싹이 틀 때 먼저 뿌리가 나오고 떡잎싸개가 나와요. 떡잎싸개가 땅을 뚫고 나오면 그 사이에서 본잎이 나와요.

교과서 속 핵심 개념

- **강낭콩이 싹 트는 과정**

씨가 부품. ➡ 뿌리가 나옴. ➡ 껍질이 벗겨지면서 떡잎이 두 장 나옴. ➡ 떡잎 사이로 본잎이 나옴. ➡ 떡잎은 시들고 본잎은 커짐.

- **옥수수가 싹 트는 과정**

씨가 부품. ➡ 뿌리가 나옴. ➡ 떡잎싸개가 나옴. ➡ 떡잎싸개 사이로 본잎이 나옴.

정답과 해설 3쪽

교과서 개념 확인 문제

도움 ① 씨의 속 모양

씨 속에는 자라서 잎, 줄기, 뿌리가 될 부분과 씨가 싹 트는 동안 필요한 영양분을 저장하고 있는 부분이 있습니다.

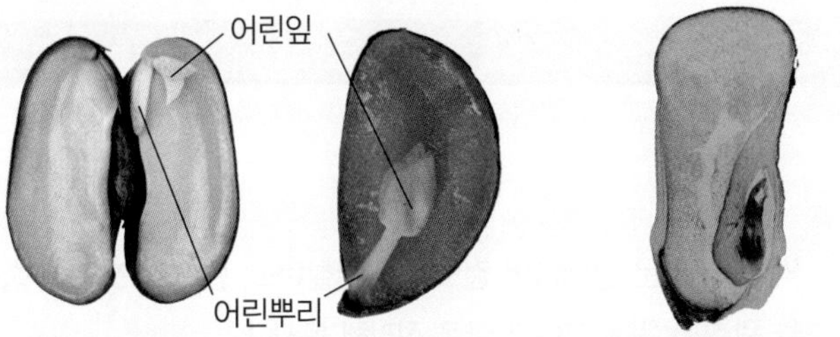

▲ 강낭콩 ▲ 감 씨 ▲ 옥수수 씨

도움 ② 강낭콩의 떡잎이 나오는 과정

강낭콩이 싹 틀 때 어린뿌리가 먼저 아래로 자랍니다. 어린뿌리가 점차 자라고 어린뿌리의 윗부분이 길어지며 갈고리처럼 굽어집니다. 갈고리 모양의 굽어진 부분으로 흙을 뚫고 나오므로 끝부분이 상하지 않습니다. 흙 밖으로 나온 갈고리 부분이 점차 커지고 굽었던 부분이 펴지면서 떡잎이 열립니다. 떡잎이 열린 부분에서 본잎이 자라기 시작합니다.

▲ 강낭콩의 떡잎과 본잎이 나오는 과정

스스로 확인해요

- **씨가 싹 트는 과정을 설명할 수 있어요.**
  도움말 강낭콩이 싹 트는 과정을 순서대로 설명합니다.
- **강낭콩이 싹 트는 과정을 관찰했어요.**
  도움말 강낭콩이 싹 터서 자라는 과정을 단계별 특징이 잘 드러나도록 기록합니다.

1 다음은 강낭콩이 싹 트는 과정을 순서에 관계없이 나타낸 것입니다. 순서에 맞게 기호를 나열해 봅시다.

㉠ 뿌리가 나옵니다.
㉡ 강낭콩이 부풉니다.
㉢ 떡잎이 나옵니다.
㉣ 본잎이 나옵니다.

( ) − ( ) − ( ) − ( )

2 다음은 무엇에 대한 설명인지 써 봅시다.

씨가 싹 틀 때 가장 먼저 나오는 잎입니다. 시간이 지나면 쭈글쭈글해지고, 시들어 떨어집니다.

( )

3 다음은 옥수수가 싹 트는 과정을 순서에 관계없이 나타낸 것입니다. 순서에 맞게 기호를 나열해 봅시다.

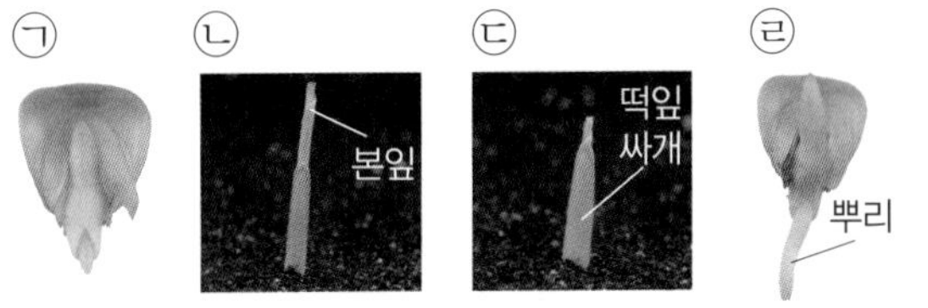

( ) − ( ) − ( ) − ( )

🔍 관찰

실험 관찰 32~33쪽

3 싹 싹 싹이 났어요

탐구 활동 씨가 싹 트는 과정 관찰하기

탐구 활동 도움말

이 탐구 활동은 싹 트지 않은 강낭콩과 뿌리가 나온 강낭콩의 겉모양과 속 모양을 관찰한 뒤, 강낭콩이 싹 트는 과정을 직접 관찰하면서 그림과 글로 정리해 보는 활동입니다.

「실험 관찰」 꾸러미 77쪽 붙임딱지를 붙여요.

강낭콩으로 장난치지 않아요.

무엇을 준비할까요?

준비물에 ◯ 표시를 하면서 확인해 봅시다.

3시간 정도 물에 불리면 쉽게 반으로 쪼개져요.

싹 트지 않은 강낭콩

돋보기

지퍼 백

탈지면

물

접착테이프

1 싹 트지 않은 강낭콩의 겉모양을 관찰하고, 반으로 쪼개어 속 모양을 관찰한 뒤에 그림과 글로 정리해 봅시다.

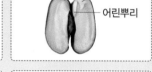

겉모양

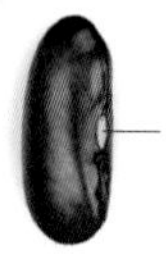

속 모양

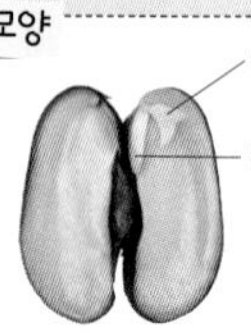

예시 답안

겉모양	속 모양
• 길쭉하고 둥급니다. • 검붉은색을 띱니다. • 딱딱합니다. • 가운데의 흰색 부분이 배꼽처럼 살짝 들어가 있습니다.	• 전체적으로 연한 노란색입니다. • 어린뿌리와 어린잎이 위쪽에 있습니다. • 어린뿌리와 어린잎의 색깔은 연한 노란색입니다.

탈지면이 완전히 젖도록 물을 충분히 넣어요.

2 탈지면을 넣은 지퍼 백에 물을 충분히 넣고 강낭콩을 넣은 뒤, 햇빛이 잘 비치는 창문에 지퍼 백을 붙입니다.

보충해설

지퍼 백에 강낭콩을 심으면 떡잎이 나오기 전까지의 변화를 관찰할 수 있습니다.

도움말

- 지퍼 백을 들었을 때 바닥에 물이 살짝 고일 만큼 물을 넣습니다.
- 지퍼 백의 겉에 유성 펜으로 강낭콩을 넣은 날짜와 이름을 써 놓습니다.

3 강낭콩에서 뿌리가 나오면 겉모양을 관찰하고, 반으로 쪼개어 속 모양을 관찰한 뒤에 그림과 글로 정리해 봅시다.

겉모양

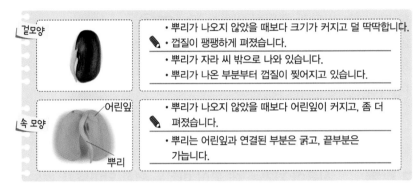

- 뿌리가 나오지 않았을 때보다 크기가 커지고 덜 딱딱합니다.
- 껍질이 팽팽하게 펴졌습니다.
- 뿌리가 자라 씨 밖으로 나와 있습니다.
- 뿌리가 나온 부분부터 껍질이 찢어지고 있습니다.

속 모양

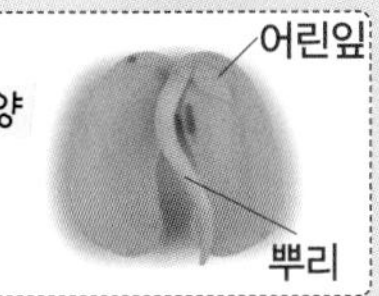

- 뿌리가 나오지 않았을 때보다 어린잎이 커지고, 좀 더 펴졌습니다.
- 뿌리는 어린잎과 연결된 부분은 굵고, 끝부분은 가늡니다.

주의!
생명을 소중히 여기는 마음을 가지고 강낭콩을 다뤄요.

4 강낭콩이 싹 트는 과정을 관찰하면서 그림과 글로 정리해 봅시다.

예시 답안

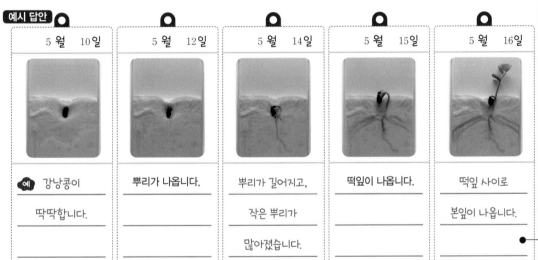

5 월 10 일	5 월 12 일	5 월 14 일	5 월 15 일	5 월 16 일
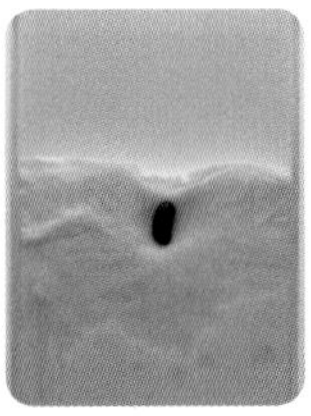	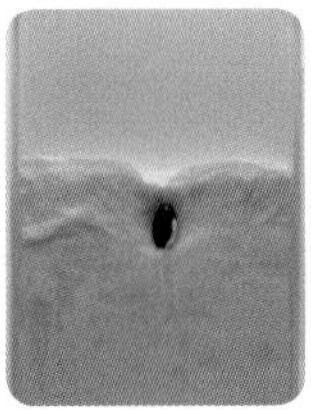	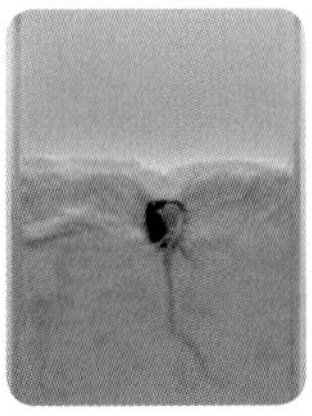	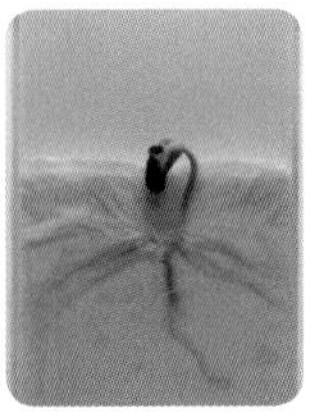	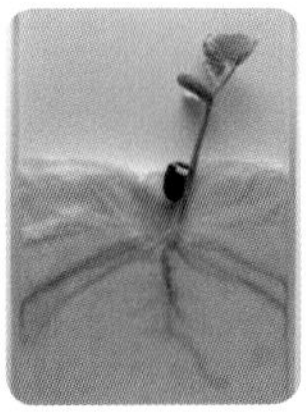
예 강낭콩이 딱딱합니다.	뿌리가 나옵니다.	뿌리가 길어지고, 작은 뿌리가 많아졌습니다.	떡잎이 나옵니다.	떡잎 사이로 본잎이 나옵니다.

보충해설
본잎이 나온 강낭콩을 화분이나 화단에 옮겨 심어서 강낭콩이 자라는 모습을 계속 관찰해 봅시다.

이렇게 정리해요

강낭콩이 싹 트는 과정을 이야기해 봅시다.

강낭콩이 부풀어 오른 뒤 먼저 [뿌리] 이/가 나옵니다. 껍질이 벗겨지면서 [떡잎] 이/가 나오고, 그 사이로 [본잎] 이/가 나옵니다.

4 식물이 잘 자라려면

과학 58~59쪽

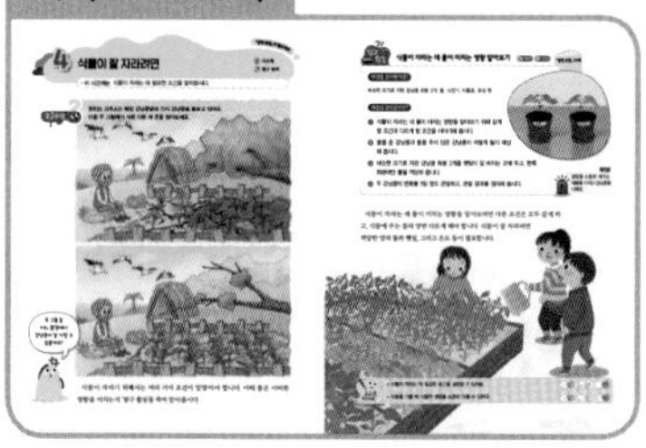

➲ 식물이 잘 자라는 데 필요한 조건

➲ 식물이 잘 자라게 하기 위해서는

겉의 흙이 마르면 화분 받침으로 물이 새어 나올 만큼 물을 주어요.
적절한 온도를 유지해요. 대부분의 식물은 20 ℃~25 ℃에서 잘 자라요.

궁금해요

두 그림에서 다른 세 곳을 찾아보고, 식물이 잘 자랄 수 있는 조건을 생각해 봅시다.

예시 답안 서로 다른 세 곳: 잎이 우거진 나무와 가지만 있는 나무, 메마른 땅과 촉촉한 땅, 그늘진 땅과 햇빛이 비치는 땅 도움①

질문 두 그림 중 어느 환경에서 강낭콩이 잘 자랄 수 있을까요?

예시 답안 햇빛이 잘 비치고 땅이 촉촉한 아래쪽 그림의 환경에서 강낭콩이 잘 자랄 것입니다.

탐구 활동 식물이 자라는 데 물이 미치는 영향 알아보기

자세한 해설은 68~69쪽에 있어요.

• 무엇을 준비할까요?

비슷한 크기로 자란 강낭콩 화분 2개, 물, 사진기, 이름표, 유성 펜

• 과정을 알아볼까요?

1. 식물이 자라는 데 물이 미치는 영향을 알아보기 위해 같게 할 조건과 다르게 할 조건을 이야기해 봅시다.
2. 물을 준 강낭콩과 물을 주지 않은 강낭콩이 어떻게 될지 예상해 봅시다.
3. 비슷한 크기로 자란 강낭콩 화분 2개를 햇빛이 잘 비치는 곳에 두고, 한쪽 화분에만 물을 적당히 줍니다.
4. 두 강낭콩의 변화를 5일 정도 관찰하고, 관찰 결과를 정리해 봅시다.

• 관찰 내용 및 결과를 정리해요

➲ 물을 준 화분의 강낭콩은 줄기와 잎의 길이가 길어지고, 잎의 개수도 많아지며, 잘 자랍니다.

➲ 물을 주지 않은 화분의 강낭콩은 거의 자라지 않고 잎이 시듭니다.

➲ 관찰 결과로부터 식물이 자라는 데 물이 필요하다는 것을 알 수 있습니다.

교과서 속 핵심 개념

• 식물이 자라는 데 물이 미치는 영향 알아보기
- 같게 할 조건: 식물의 종류와 크기, 화분의 크기, 온도, 빛, 흙 등 물을 제외한 조건
- 다르게 할 조건: 물
- 예상: 물을 적당히 준 화분의 강낭콩은 잘 자랄 것임.
- 결과: 물을 적당히 준 화분의 강낭콩만 잘 자람.

• 식물이 자라는 데 필요한 조건 물, 빛, 온도 도움②

도움 ① 두 그림에서 다른 세 곳을 찾아보아요.

도움 ② 식물이 자라는 데 빛이 미치는 영향 알아보기

(1) 준비물: 비슷한 크기로 자란 강낭콩 화분 2개, 물, 사진기, 빛 차단 장치

(2) 과정

❶ 식물이 자라는 데 빛이 미치는 영향을 알아보기 위해 같게 할 조건과 다르게 할 조건을 이야기해 봅시다.

❷ 빛을 받은 강낭콩과 빛을 받지 않은 강낭콩이 어떻게 될지 예상해 봅시다.

❸ 강낭콩 화분 하나는 빛을 받게 하고, 다른 하나는 빛 차단 장치를 설치하여 빛을 받지 않게 합니다. 그 외의 온도와 물의 양 등은 모두 같게 합니다.

빛 차단 장치

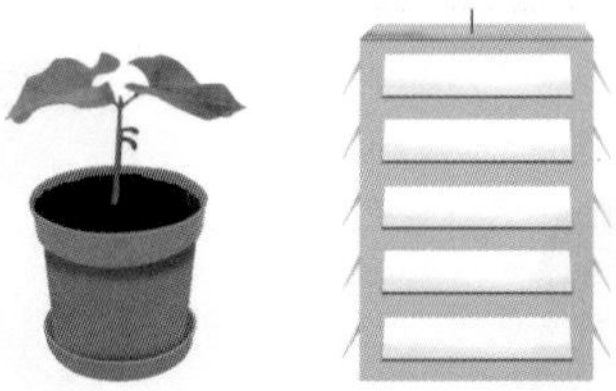

▲ 빛을 받은 강낭콩 ▲ 빛을 받지 않은 강낭콩

❹ 두 강낭콩의 변화를 일주일 정도 관찰합니다.

스스로 확인해요

- **식물이 자라는 데 필요한 조건을 설명할 수 있어요.**
  도움말 적당한 양의 물과 햇빛, 그리고 알맞은 온도를 모두 포함하여 설명할 수 있어야 합니다.
- **식물을 기를 때 생명을 소중히 다룰 수 있어요.**
  도움말 물을 주지 않은 화분에는 실험이 끝난 뒤 물을 충분히 주어 식물이 죽지 않도록 합니다.

교과서 개념 확인 문제

1~2 식물이 자라는 데 물이 미치는 영향을 알아보려고 합니다. 물음에 답해 봅시다.

보기

식물의 종류와 크기, 온도, 공기, 물, 빛, 흙

1 식물이 자라는 데 물이 미치는 영향을 알아보기 위한 실험을 할 때, 같게 할 조건과 다르게 할 조건을 보기 에서 골라 각각 써 봅시다.

같게 할 조건	다르게 할 조건
㉠	㉡

2 식물이 잘 자라는 데 필요한 조건을 보기 에서 골라 모두 써 봅시다.

( )

3 다음 그림과 같이 화분 2개를 햇빛이 잘 비치는 곳에 두고 ㉠ 화분에만 물을 주었더니, ㉠ 화분의 식물은 잘 자랐지만 ㉡ 화분의 식물은 시들었습니다. 이 실험을 통해 알게 된 것이 무엇인지 빈칸에 알맞은 말을 써 봅시다.

㉠ ㉡

식물이 잘 자라려면 ( )이/가 필요합니다.

( )

예상 관찰

실험 관찰 34~35쪽

4 식물이 잘 자라려면

탐구 활동 도움말

이 탐구 활동은 식물이 자라는 데 물이 미치는 영향을 알아보기 위한 실험을 계획하고 결과를 예상한 다음, 계획에 따라 실험을 수행하여 관찰 결과를 분석하는 활동입니다.

탐구 활동 식물이 자라는 데 물이 미치는 영향 알아보기

『실험 관찰』 꾸러미 77쪽 붙임딱지를 붙여요.

생명을 소중히 여기는 마음을 가져요

무엇을 준비할까요?

준비물에 ○ 표시를 하면서 확인해 봅시다.

비슷한 크기로 자란 강낭콩 화분 2개

물

사진기

이름표

유성 펜

1 식물이 자라는 데 물이 미치는 영향을 알아보기 위해 같게 할 조건과 다르게 할 조건을 이야기해 봅시다.

예시 답안

같게 할 조건	다르게 할 조건
식물의 종류와 크기, 화분의 크기, 빛, 흙의 종류, 온도, 영양분, 실험 전 마지막에 물을 준 시기와 준 물의 양 등	물

보충해설

강낭콩이 어떻게 변화할지에 대해 구체적으로 표현합니다.

2 물을 준 강낭콩과 물을 주지 않은 강낭콩이 어떻게 될지 예상해 봅시다.

예시 답안

- 물을 준 강낭콩은 잘 자랄 것입니다.
- 물을 준 강낭콩은 키가 클 것입니다.
- 물을 준 강낭콩은 잎의 개수가 많아질 것입니다.
- 물을 주지 않은 강낭콩은 잘 자라지 못하고 시들 것입니다.
- 물을 주지 않은 강낭콩은 죽을 것입니다.

3 비슷한 크기로 자란 강낭콩 화분 2개를 햇빛이 잘 비치는 곳에 두고, 한쪽 화분에만 물을 적당히 줍니다.

화분 받침으로 물이 새어 나올 만큼 물을 줘요. 겉의 흙이 마르면 다시 물을 줘요.

▲ 물을 줌.　　▲ 물을 주지 않음.

주의!
활동이 모두 끝나면 물을 충분히 주어 식물이 죽지 않도록 해요.

보충해설
물을 조금씩 자주 주면 뿌리가 썩거나 뿌리까지 물이 닿지 않아 말라 죽을 수 있으므로 한 번 줄 때 충분히 줍니다.

4 두 강낭콩의 변화를 5일 정도 관찰하고, 관찰 결과를 정리해 봅시다.

예시 답안

관찰 날짜	물을 준 강낭콩		물을 주지 않은 강낭콩	
	5 월 20 일	5 월 26 일	5 월 20 일	5 월 26 일
관찰 내용	본잎 2장 사이로 새잎이 자라고 있습니다.	• 잎의 개수가 많아졌습니다. • 줄기의 길이가 길어졌습니다.	본잎 2장 사이로 새잎이 자라고 있습니다.	• 거의 자라지 못했습니다. • 잎과 줄기가 시들었습니다.
그림 또는 사진				

보충해설
실험 시작 바로 전에 물을 주면 흙 속에 물이 충분히 남아 있어 물을 주지 않은 강낭콩도 어느 정도 자랄 수 있습니다. 따라서 마지막으로 물을 준 뒤 겉흙이 마른 상태에서 실험을 시작합니다.

이렇게 ○○ 정리해요

식물이 자라는 데 필요한 조건을 정리해 봅시다.

식물이 잘 자라려면 적당한 양의 [물] 이/가 필요합니다.

과학 60~61쪽

➲ 어떻게 측정하는 것이 좋을까?

탐구 단원에서
배웠던 탐구의 기능 중
'측정'을 떠올려
보세요.

➲ 강낭콩이 자라는 모습

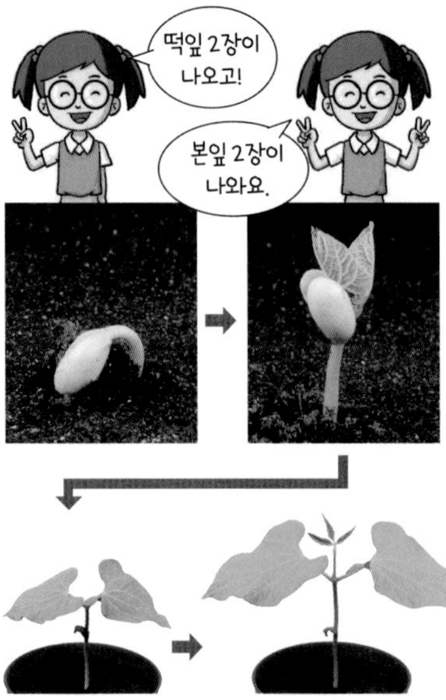
떡잎 2장이
나오고!
본잎 2장이
나와요.

본잎이 자란 뒤
본잎 사이에서 줄기가
자라며 새잎이 3장씩
나와요.

궁금해요

로빈슨 크루소는 콩이들이 자라는 과정을 측정하여 기록하려고 합니다. 자가 없는 상황에서 자란 정도를 확인할 수 있는 방법을 생각해 봅시다.

질문 콩이들이 자라는 모습을 기록해 두려면 어떤 방법이 있을까요?

예시 답안
- 하나의 콩이를 선택하고, 그 콩이가 자라는 동안 잎의 개수를 셉니다.
- 매일 콩이의 길이만큼 나뭇가지를 잘라 날짜별로 나열해 둡니다.
- 긴 나뭇가지를 콩이 옆에 세워 두고, 줄기 끝부분의 위치를 나뭇가지에 숯으로 표시합니다.

탐구 활동 잎과 줄기가 자라는 정도 측정하기

자세한 해설은 72~73쪽에 있어요.

- **무엇을 준비할까요?**

잘 자라고 있는 강낭콩, 자, 줄자, 띠 골판지, 사진기, 이절지, 풀

- **과정을 알아볼까요?**

1. 강낭콩의 잎과 줄기가 자란 정도를 어떻게 측정할지 이야기해 봅시다.
2. 강낭콩의 잎과 줄기가 자란 정도를 측정해 봅시다. 도움① 도움②
3. 측정한 결과를 정리해 봅시다.
4. 띠 골판지를 이용하여 과정 ③에서 정리한 결과를 나타내 봅시다.

- **관찰 내용 및 결과를 정리해요**

➲ 강낭콩이 자라면서 잎의 개수가 많아졌고, 잎은 일정 크기까지 커졌습니다. 줄기는 길어졌고, 두께도 굵어졌습니다. 도움③

➲ 식물은 자라면서 모습이 변한다는 것을 알 수 있습니다.

잠깐 퀴즈!

➲ 강낭콩이 자라면서 처음 나오는 본잎과 다음부터 나오는 본잎의 다른 점을 찾아보세요.

예시 답안 처음에는 본잎이 2장 나오지만, 다음부터는 3장씩 나옵니다.

교과서 속 핵심 개념

- **강낭콩의 잎과 줄기의 변화 측정 방법** 잎의 개수 세기, 잎의 길이와 너비 재기, 줄기의 길이와 굵기 재기 등
- **강낭콩의 잎과 줄기가 자라는 모습**
  - 잎: 개수가 많아지며, 길이가 길어지고, 너비가 넓어짐.
  - 줄기: 길이가 길어지고, 굵기가 굵어짐.

정답과 해설 3쪽

교과서 개념 확인 문제

도움 1 잎의 길이 측정

잎의 길이를 측정할 때는 어느 부분을 어떻게 측정할지에 대해 기준을 정해야 합니다. 예를 들면 작은 잎을 선택하여 잎몸의 길이만 측정할 수 있습니다. 어떻게 측정할지 기준이 정해지면 기준에 따라서 같은 방법으로 잎의 길이를 측정합니다.

▲ 잎의 길이 측정

도움 2 줄기의 길이 측정

땅에서부터 새잎의 잎자루 시작 위치까지 길이를 잽니다. 줄자는 끈 형태로 된 것으로 준비합니다. 철로 된 줄자는 측정자 부분에 손을 다칠 수 있고, 강낭콩에 상처를 줄 수 있으므로 주의해야 합니다.

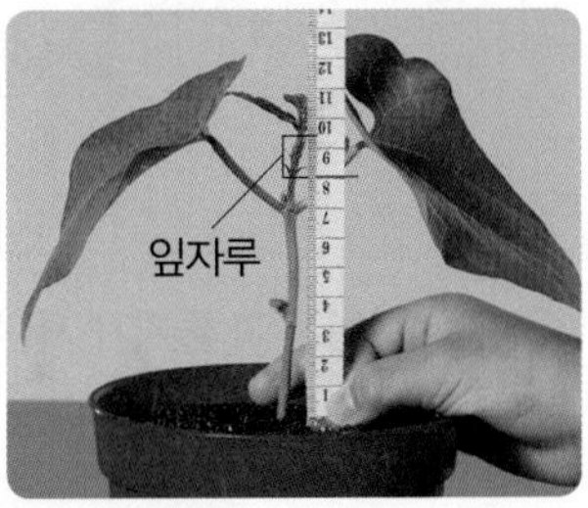

▲ 줄기의 길이 측정

도움 3 디지털 캘리퍼스

줄기의 일정 위치를 표시한 다음, 디지털 캘리퍼스의 바깥쪽 측정면으로 줄기의 두께를 잽니다. 캘리퍼스를 사용할 때는 안쪽 측정면의 뾰족한 부분에 찔리지 않도록 조심해야 합니다.

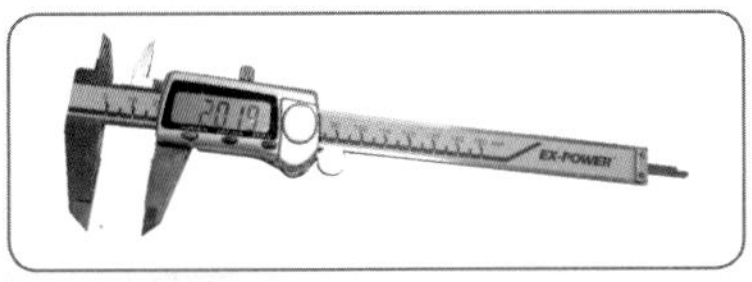
▲ 디지털 캘리퍼스

스스로 확인해요

- **강낭콩이 자라는 동안 잎과 줄기의 변화를 설명할 수 있어요.**
  도움말 잎과 줄기가 자라는 모습을 직접 측정한 결과를 바탕으로 구체적으로 설명합니다.
- **강낭콩의 잎과 줄기가 자라는 모습을 꾸준히 관찰하며 기록했어요.**
  도움말 측정 간격, 측정 시간대, 측정 방법이 일정했는지, 꾸준히 관찰하여 기록했는지 확인합니다.

1 식물이 자란 정도를 확인할 수 있는 것을 다음 보기 에서 모두 골라 기호를 써 봅시다.

보기

㉠ 잎의 개수	㉡ 줄기의 길이
㉢ 잎의 색깔	㉣ 줄기의 굵기
㉤ 잎의 길이	㉥ 떡잎의 크기

( )

2 다음은 강낭콩의 잎이 나오는 과정을 순서에 관계없이 나타낸 것입니다. 순서에 맞게 기호를 나열해 봅시다.

㉠ 줄기 끝에 새로운 잎자루가 자라면서 3장으로 갈라진 본잎이 나옵니다.
㉡ 떡잎 사이에 본잎이 2장 나옵니다.
㉢ 떡잎이 2장 나옵니다.

( ) – ( ) – ( )

3 다음 중 식물의 잎과 줄기가 자라는 모습을 관찰하는 방법으로 옳지 않은 것은 어느 것입니까? ( )

① 잎의 개수를 셉니다.
② 떡잎의 개수를 셉니다.
③ 자로 잎의 길이를 잽니다.
④ 줄자로 줄기의 길이를 잽니다.
⑤ 줄기에 끈을 둘러 표시한 뒤 끈의 길이를 재어 줄기의 둘레를 잽니다.

실험 관찰

관찰 측정

실험 관찰 36~37쪽

5 쑥쑥, 식물이 잘 자라요

탐구 활동 잎과 줄기가 자라는 정도 측정하기

탐구 활동 도움말

이 탐구 활동은 강낭콩의 잎과 줄기가 자라는 모습을 관찰하고 자라는 정도를 측정하여, 강낭콩이 자라면서 나타나는 변화를 과학적으로 정리해 보는 활동입니다.

보충해설

- 잎의 너비를 잴 때는 모눈종이에 잎을 대고 둘레를 따라 그린 뒤 모눈종이의 칸을 셉니다. 또한, 둘레를 따라 잘라서 붙여 두면 크기의 변화를 한눈에 볼 수 있습니다.
- 강낭콩은 자라면서 계속 작은 잎이 만들어지고 커집니다. 잎이 너무 작으면 개수를 세는 것이 어려우므로 일정 크기 이상되는 잎의 개수만 세도록 기준을 정합니다. 예를 들면, 길이가 1 cm 이상인 잎만 개수를 세는 것으로 정할 수 있습니다.

도움말

잎의 길이를 자로 잴 때 사진을 찍어 두는 것도 좋습니다.

보충해설

줄기 끝에서 잎자루가 갈라지는 부분의 눈금을 읽습니다. 줄기에 일정한 간격으로 선을 그어 간격의 변화를 측정할 수도 있습니다.

「실험 관찰」 꾸러미 77쪽 붙임딱지를 붙여요.

잎과 줄기가 다치지 않도록 조심해요.

무엇을 준비할까요?

준비물에 ○ 표시를 하면서 확인해 봅시다.

잘 자라고 있는 강낭콩

선택한 잎에 표시해 두세요.

자

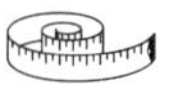
줄자

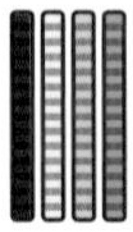
띠 골판지

사진기

이절지

풀

1 강낭콩의 잎과 줄기가 자란 정도를 어떻게 측정할지 이야기해 봅시다.

예시 답안

- 잎: 잎의 개수를 셉니다. 잎의 길이를 잽니다. 잎의 너비를 잽니다.
- 줄기: 줄자로 줄기의 길이를 잽니다. 새로 난 가지의 개수를 셉니다. 줄기의 두께를 잽니다.

2 강낭콩의 잎과 줄기가 자란 정도를 측정해 봅시다.

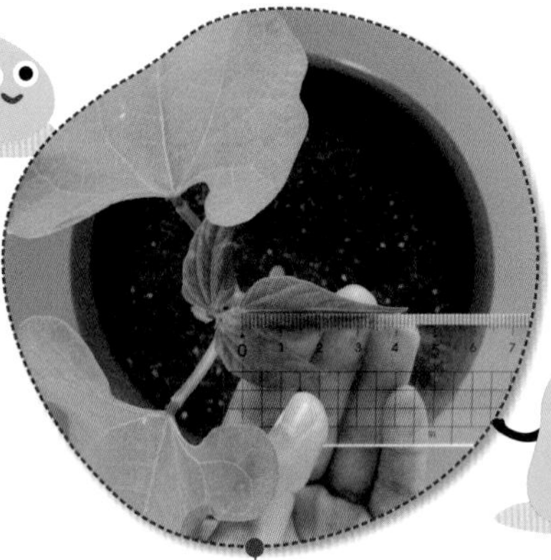

❶ 잎의 개수를 셉니다.

❷ 잎의 길이를 잽니다.

잎의 길이를 어떻게 측정할지 기준을 정해요. 매번 같은 방법으로 측정해야 해요.

❸ 줄기의 길이를 잽니다.

흙에서부터 줄기의 끝부분까지의 길이를 줄자로 재요.

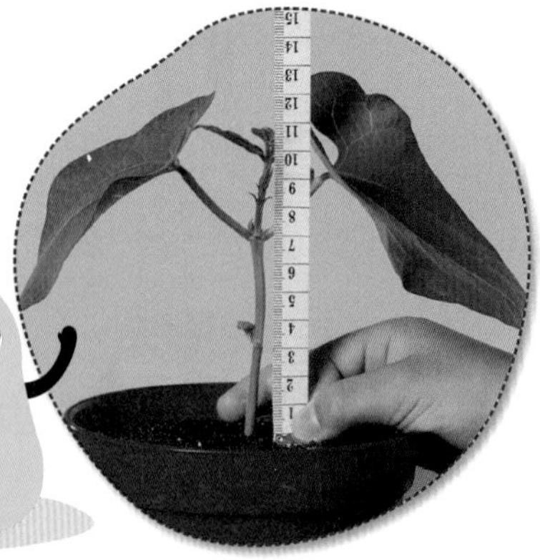

3 측정한 결과를 정리해 봅시다.

예시 답안

측정한 날짜	잎의 개수(개)	잎의 길이(cm)	줄기의 길이(cm)	줄기의 두께(cm)
5 월 25 일	2	0.9	8.3	0.5
5 월 27 일	5	2	10.5	0.5
5 월 29 일	8	3.2	14.2	0.6
5 월 31 일	11	5	20.5	0.6
6 월 2 일	14	8	27.7	0.7

식물이 자라는 정도를 알 수 있는 항목을 더 정해 보세요.

보충해설

줄기의 두께를 잴 때는 줄기에 끈을 둘러 표시한 뒤 자로 끈의 길이를 재면 둘레 길이의 변화로 두께의 변화를 알 수 있습니다. 또는 캘리퍼스를 이용하여 잴 수 있습니다.

4 띠 골판지를 이용하여 과정 3에서 정리한 결과를 나타내 봅시다.

보충해설

측정한 날짜별로 측정한 길이만큼 띠 골판지를 잘라 붙이면 강낭콩의 생장에 따른 변화 정도를 한눈에 볼 수 있습니다.

이렇게 ○○ 정리해요

강낭콩이 자라면서 나타나는 변화를 정리해 봅시다.

강낭콩은 자라면서 잎의 개수는 [많아] 지고, 길이는 [길어] 집니다. 줄기의 길이는 [길어] 지고, 두께는 [굵어] 집니다.

6 꽃이 피고, 열매가 맺혀요

과학 62~63쪽

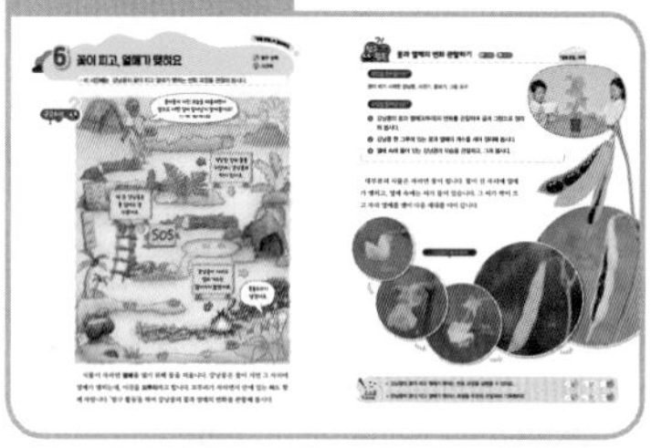

➲ 강낭콩의 꽃과 열매

➲ 열매 속 씨의 역할

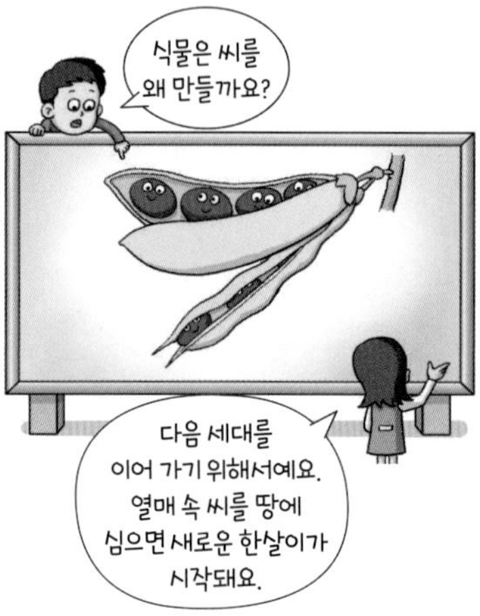

식물은 씨를 왜 만들까요?
다음 세대를 이어 가기 위해서예요. 열매 속 씨를 땅에 심으면 새로운 한살이가 시작돼요.

궁금해요

문제를 풀면서 콩이들이 자란 과정을 되짚어 보고, 꽃봉오리가 생긴 이후에 어떤 일이 일어날지 생각해 봅시다. 도움①

질문 적당한 양의 물을 주었더니 강낭콩의 싹이 텄어요.

예시 답안 예. 씨는 적당한 양의 물과 알맞은 온도에서 싹이 틉니다.

질문 싹 튼 강낭콩은 물 없이도 잘 자랐어요.

예시 답안 아니요. 강낭콩은 물이 없으면 시들고, 말라 죽을 수 있습니다. 강낭콩이 잘 자라려면 적당한 양의 물과 햇빛, 알맞은 온도가 필요합니다.

질문 강낭콩이 자라도 잎의 개수는 많아지지 않았어요.

예시 답안 아니요. 강낭콩은 자라면서 잎의 개수가 많아졌고 잎의 크기가 커졌습니다.

탐구 활동 꽃과 열매의 변화 관찰하기

자세한 해설은 76~77쪽에 있어요.

- **무엇을 준비할까요?**

꽃이 피기 시작한 강낭콩, 사진기, 돋보기, 그림 도구

- **과정을 알아볼까요?**

1. 강낭콩의 꽃과 열매(꼬투리)의 변화를 관찰하며 글과 그림으로 정리해 봅시다.
2. 강낭콩 한 그루에 있는 꽃과 열매의 개수를 세어 정리해 봅시다.
3. 열매 속에 들어 있는 강낭콩의 모습을 관찰하고, 그려 봅시다.

- **관찰 내용 및 결과를 정리해요**

➲ 꽃이 핀 자리에 열매가 맺히고, 열매 속에는 씨가 들어 있습니다.

➲ 열매 안에 강낭콩이 일렬로 들어 있습니다.

➲ 열매 속 강낭콩의 생김새는 처음 심었던 강낭콩과 비슷합니다.

교과서 속 핵심 개념

- **식물의 꽃과 열매**
  - 식물은 어느 정도 자라면 꽃이 피고, 꽃이 지면 그 자리에 열매를 맺음.
  - 열매 속에는 씨가 들어 있음.
  - 씨가 싹이 트고 자라 열매를 맺어 다음 세대를 이어 감.
- **식물이 씨를 만드는 까닭** 다음 세대를 이어 가기 위해서임.

도움 1 콩이들이 자란 모습을 떠올리면서 앞으로 어떤 일이 일어날지 알아봅시다.

스스로 확인해요

- **강낭콩의 꽃이 피고 열매가 맺히는 변화 과정을 설명할 수 있어요.**
  도움말 꽃이 피고 꽃이 지면서 열매가 생기며, 열매 속에 씨가 들어 있다는 것을 설명합니다.
- **강낭콩의 꽃이 피고 열매가 맺히는 과정을 꾸준히 관찰하며 기록했어요.**
  도움말 꽃의 색깔, 변화 과정, 열매의 모양, 크기 변화 등을 구체적으로 기록합니다.

정답과 해설 3쪽

교과서 개념 확인 문제

1 **다음은 식물의 꽃과 열매의 변화를 관찰하는 방법에 대한 설명입니다. 옳은 것은 ○표시를, 옳지 않은 것은 ×표시를 해 봅시다.**

(1) 꽃과 열매의 변화를 일정한 시간 간격을 두고 관찰합니다. ( )

(2) 꽃의 크기를 정확하게 재기 위해 꽃을 따서 자로 길이를 잽니다. ( )

(3) 꽃과 열매의 변화를 사진으로 찍어서 기록합니다. ( )

2 **다음은 강낭콩의 꽃과 열매의 변화 모습을 순서에 관계없이 나타낸 것입니다. 순서에 맞게 기호를 나열해 봅시다.**

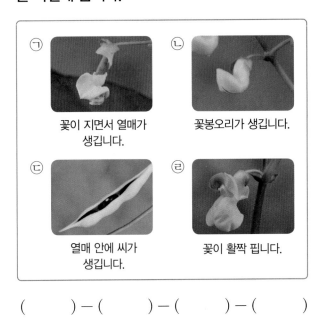

㉠ 
꽃이 지면서 열매가 생깁니다.

㉡ 
꽃봉오리가 생깁니다.

㉢ 
열매 안에 씨가 생깁니다.

㉣ 
꽃이 활짝 핍니다.

( ) − ( ) − ( ) − ( )

3 **다음 빈칸에 들어갈 알맞은 말을 써 봅시다.**

강낭콩은 꽃이 지면 그 자리에 열매가 맺히는데, 이를 ( )(이)라고 합니다.

( )

실험 관찰

관찰 · 측정

실험 관찰 38~39쪽

6 꽃이 피고, 열매가 맺혀요

탐구 활동 꽃과 열매의 변화 관찰하기

탐구 활동 도움말

이 탐구 활동은 강낭콩의 꽃이 피는 과정과 꽃이 지면서 열매가 맺히는 과정 및 열매가 익는 과정을 관찰하고, 관찰한 내용을 과학적으로 정리해 보는 활동입니다.

보충해설

강낭콩은 씨를 심은 뒤 40일~50일이 지나면 꽃이 피기 시작합니다.

보충해설

꽃봉오리가 생겨 열매가 맺히기까지의 과정을 타임 랩스 애니메이션으로 촬영하여 영상으로 제작해 보는 것도 좋습니다.

「실험 관찰」 꾸러미 77쪽 붙임딱지를 붙여요.

꽃과 열매를 소중히 다뤄요.

무엇을 준비할까요?

준비물에 ○ 표시를 하면서 확인해 봅시다.

- 꽃이 피기 시작한 강낭콩
- 사진기
- 돋보기
- 그림 도구

1 강낭콩의 꽃과 열매(꼬투리)의 변화를 관찰하며 글과 그림으로 정리해 봅시다. **예시 답안**

주의! 관찰할 때 꽃과 열매가 떨어지지 않도록 조심해요.

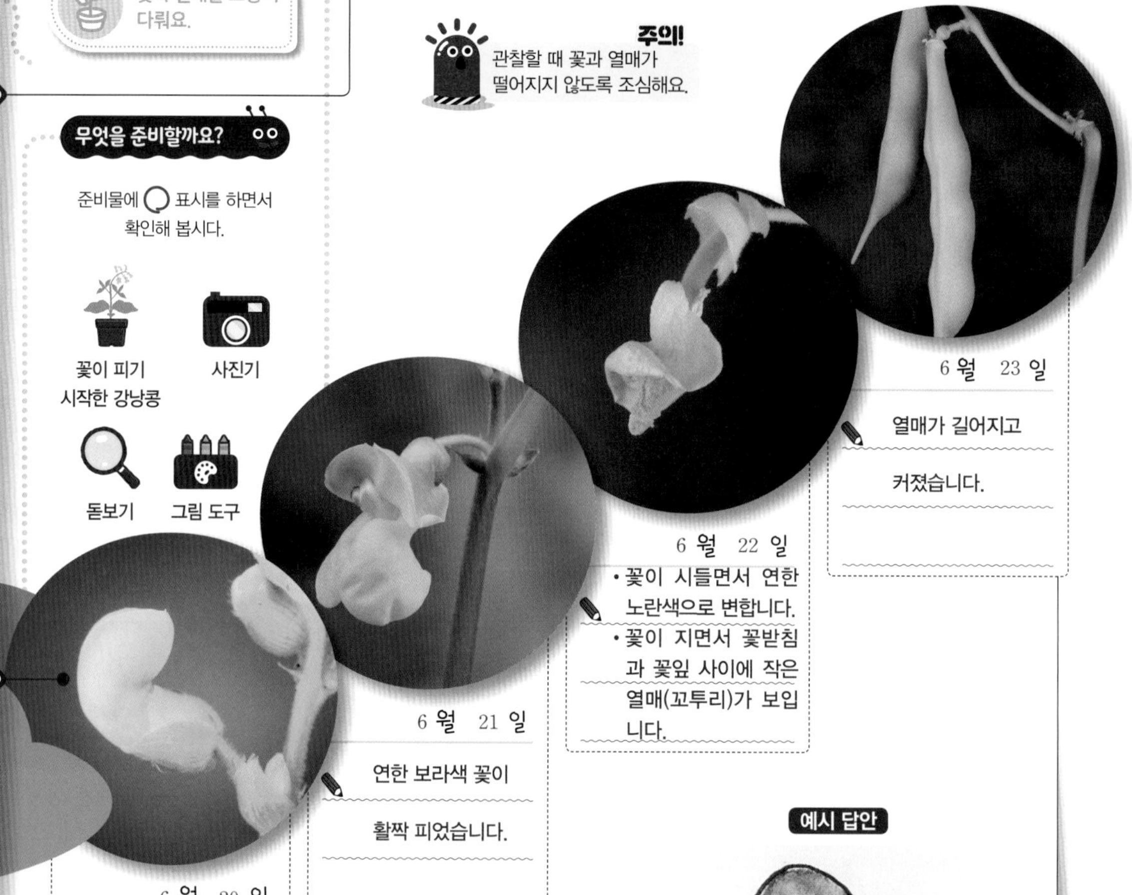

6 월 20 일

예 줄기와 잎자루 사이에 꽃봉오리가 생겼습니다.

6 월 21 일

연한 보라색 꽃이 활짝 피었습니다.

6 월 22 일

- 꽃이 시들면서 연한 노란색으로 변합니다.
- 꽃이 지면서 꽃받침과 꽃잎 사이에 작은 열매(꼬투리)가 보입니다.

6 월 23 일

열매가 길어지고 커졌습니다.

예시 답안

여기에 직접 관찰한 모습 중 하나를 그리거나, 사진을 붙여 보세요.

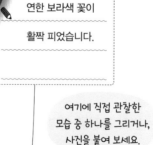

2 강낭콩 한 그루에 있는 꽃과 열매의 개수를 세어 정리해 봅시다.

예시 답안

측정한 날짜	꽃의 개수(개)	열매의 개수(개)
6 월 20 일	3	1
6 월 22 일	5	3
6 월 24 일	5	6
6 월 26 일	2	6

보충해설

꽃과 열매의 개수를 셀 때 꽃과 열매의 크기에 대한 기준을 정합니다. 예를 들면 꽃봉오리나 열매의 길이가 0.5 cm 이상인 것부터 개수를 세는 것으로 정할 수 있습니다.

3 열매 속에 들어 있는 강낭콩의 모습을 관찰하고, 그려 봅시다.

예시 답안

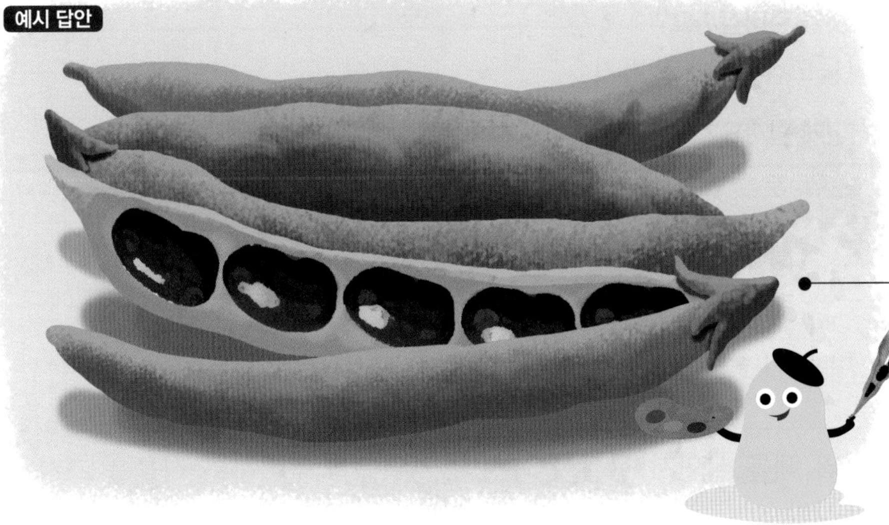

보충해설

열매가 다 자라면 열매를 따서 열매 속에 들어 있는 강낭콩의 생김새와 개수를 관찰합니다.

이렇게 ○○ 정리해요

강낭콩의 꽃과 열매가 자라면서 어떻게 변화하는지 이야기해 봅시다.

강낭콩은 자라면 [꽃] 이/가 피고, [꽃] 이/가 지면 [열매(꼬투리)] 이/가 생깁니다.

그리고 그 속에는 [씨(강낭콩)] 이/가 들어 있습니다.

7 식물에 따라 한살이가 달라요

과학 64~65쪽

➲ 여러 가지 식물의 한살이

강아지풀
강아지풀은 한 해만 살고 죽으며, 씨로 겨울을 나요.

사과나무
사과나무는 여러 해를 살면서 해마다 꽃이 피고 열매를 맺어요.

궁금해요

로빈슨 크루소의 인터뷰를 읽고, 여러 가지 식물의 한살이에 대하여 생각해 봅시다.

질문 어떤 식물의 한살이가 궁금한가요?

예시 답안
- 나팔꽃의 한살이가 궁금합니다.
- 해바라기의 한살이가 궁금합니다.
- 비비추의 한살이가 궁금합니다.
- 사과나무의 한살이가 궁금합니다.

해 보기 여러 가지 식물의 한살이 조사하기

- **무엇을 준비할까요?**

식물도감, 스마트 기기

- **어떻게 할까요?**

① 한 해 동안 한살이 과정을 거치고 죽는 식물을 조사해 봅시다.

➲

식물 이름	특징
강낭콩, 나팔꽃, 강아지풀, 해바라기, 닭의장풀, 봉선화 등	• 한 해만 삽니다. • 씨로 겨울을 납니다. • 씨가 싹 터서 열매를 맺는 기간이 일 년이 안 걸립니다.

② 여러 해를 살면서 한살이 과정의 일부를 되풀이하는 식물을 조사해 봅시다.

➲

식물 이름	특징
비비추, 민들레, 제비꽃, 딸기, 괭이밥, 무궁화, 사과나무, 감나무, 소나무 등	• 씨가 싹 튼 뒤 겨울에 죽지 않고 살아남습니다. • 해마다 꽃이 피고 열매를 맺어 씨를 남깁니다.

교과서 속 핵심 개념

- **한해살이 식물** 한 해 동안 한살이 과정을 거치고 죽는 식물 도움①

예 나팔꽃, 강낭콩, 옥수수, 강아지풀, 해바라기 등

- **여러해살이 식물** 여러 해를 살면서 한살이 과정의 일부를 되풀이하는 식물

예 • 풀: 비비추, 민들레, 괭이밥 등 도움②

• 나무: 무궁화, 사과나무, 감나무 등

도움 ① 한해살이 식물

㉮ 나팔꽃의 한살이

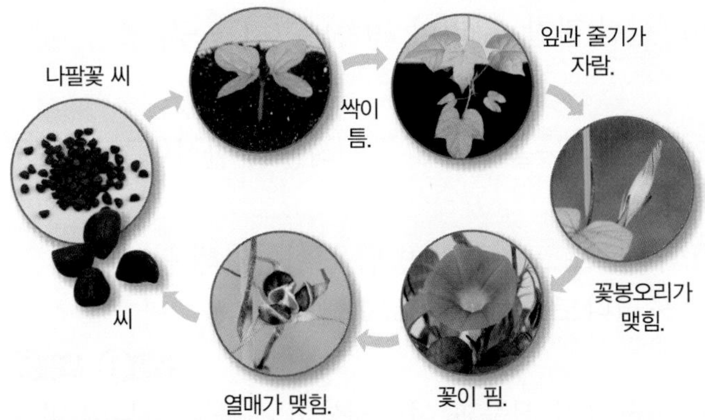

도움 ② 여러해살이 식물

㉮ 비비추의 한살이

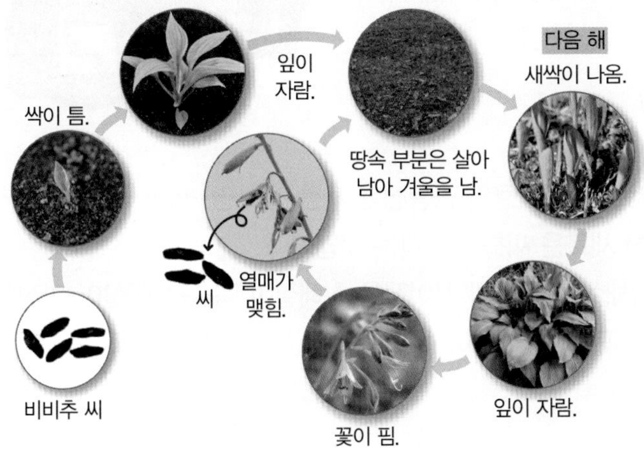

㉮ 사과나무의 한살이

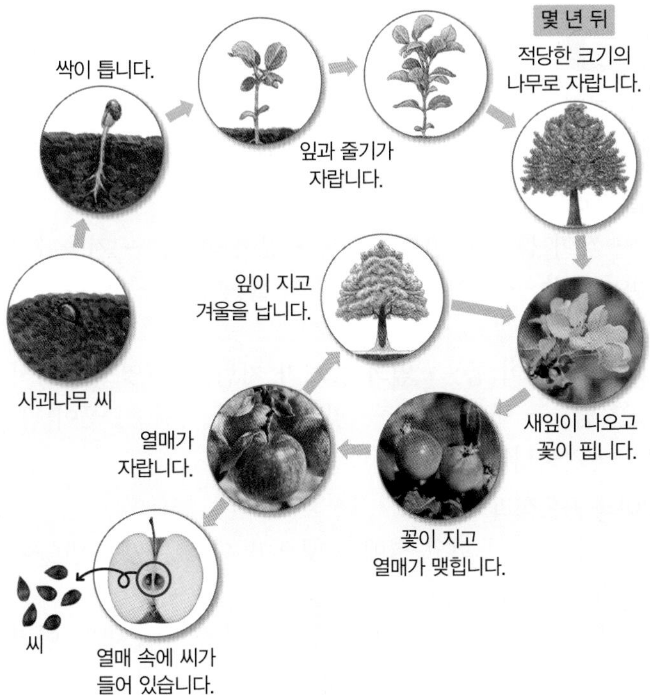

정답과 해설 3쪽

교과서 개념 확인 문제

1 **다음은 식물의 한살이에 대한 설명입니다. 옳은 것은 ○표시를, 옳지 않은 것은 ×표시를 해 봅시다.**

(1) 한살이 과정은 식물의 종류마다 다릅니다. (　　)

(2) 한해살이 식물은 한 해 동안 한살이 과정을 거치고 죽습니다. (　　)

(3) 여러해살이 식물은 씨를 심은 그 해에 꽃이 핍니다. (　　)

2 **한해살이 식물을 보기에서 모두 골라 기호를 써 봅시다.**

보기

㉠ 

▲ 나팔꽃

㉡ 

▲ 비비추

㉢ 

▲ 해바라기

㉣ 

▲ 강아지풀

(　　　　　　)

3 **사과나무의 한살이에 대한 설명으로 옳은 것을 보기에서 모두 골라 기호를 써 봅시다.**

보기

㉠ 씨가 싹 트면 잎과 줄기가 자랍니다.
㉡ 땅속 부분만 살아남아 겨울을 납니다.
㉢ 다음 해 적당한 크기로 자라면 꽃이 핍니다.
㉣ 열매 속 씨를 심으면 다음 세대의 한살이가 시작됩니다.

(　　　　　　)

과학 66~67쪽

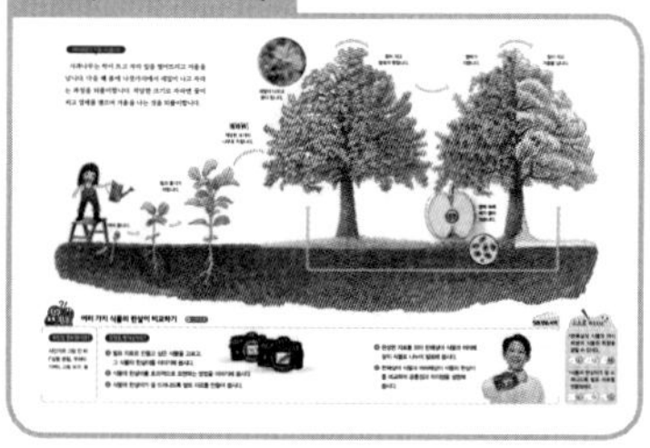

탐구 활동 여러 가지 식물의 한살이 비교하기

자세한 해설은 82~83쪽에 있어요.

- **무엇을 준비할까요?**

사진기와 그림 칸 띠(『실험 관찰』 꾸러미 79쪽), 그림 도구, 풀

- **과정을 알아볼까요?**

1. 발표 자료로 만들고 싶은 식물을 고르고, 그 식물의 한살이를 이야기해 봅시다.
2. 식물의 한살이를 효과적으로 표현하는 방법을 이야기해 봅시다.
3. 식물의 한살이가 잘 드러나도록 발표 자료를 만들어 봅시다.

도움① 도움②

4. 완성한 자료를 모아 한해살이 식물과 여러해살이 식물로 나누어 발표해 봅시다.
5. 한해살이 식물과 여러해살이 식물의 한살이를 비교하여 공통점과 차이점을 설명해 봅시다.

➲ 발표 자료를 잘 만들려면

선택한 식물의 한살이의 특징이 잘 나타나야 해요.
한살이 과정을 시작과 끝이 구분되지 않고 순환하는 구조로 만들어, 생명의 연속성이 드러날 수 있도록 표현하면 좋아요.

- **관찰 내용 및 결과를 정리해요**

➲ 한해살이 식물과 여러해살이 식물의 공통점은 씨를 심으면 씨가 싹 트고 자라 꽃이 피고 열매가 맺혀 새로운 씨를 만든다는 것입니다.

➲ 한해살이 식물과 여러해살이 식물의 차이점은 한해살이 식물은 한살이 과정을 한 해 안에 마치고 죽지만, 여러해살이 식물은 여러 해를 살면서 한살이의 일부를 반복한다는 것입니다.

➲ 한해살이 식물과 여러해살이 식물의 공통점

교과서 속 핵심 개념

- **한해살이 식물의 한살이 과정** 씨 → 싹이 틈. → 잎과 줄기가 자람. → 꽃이 핌. → 열매(씨)를 맺음.
- **여러해살이 식물의 한살이 과정**
  - 풀(예 비비추): 씨 → 싹이 틈. → 잎이 자람. → 잎이 죽음. → 겨울나기 → 새싹이 틈. → 잎이 자람 → 꽃이 핌. →열매(씨)를 맺음. → 잎이 죽음. → 겨울나기
  - 나무(예 사과나무): 씨 → 싹이 틈.→ 잎과 줄기가 자람. → (몇 년 뒤)적당한 크기의 나무로 자람. → 새싹이 틈. → 잎과 줄기가 자람 → 꽃이 핌. → 열매(씨)를 맺음. → 겨울나기
- **여러 가지 식물의 한살이의 공통점과 차이점**
  - 공통점: 씨가 싹 트고 자라 꽃이 피고 열매를 맺으며 새로운 씨를 만들어서 다음 세대를 이어 감.
  - 차이점: 한해살이 식물은 한 해 동안 한살이 과정을 거치고 죽지만, 여러해살이 식물은 여러 해를 살면서 한살이 과정을 되풀이함.

정답과 해설 3쪽

도움 ① 돌림책 만들기

(1) 준비물: 원 모양 색종이 2장, 그림 자료, 그림도구, 가위, 할핀

(2) 과정:

❶ 색종이 1장은 원 중심을 기준으로 단계의 수만큼 같은 크기로 나눕니다.

❷ 식물의 한살이를 순서대로 그리거나 그림을 붙이고, 간단한 설명을 씁니다.

❸ 나머지 색종이는 한 단계의 크기만큼 부채꼴 모양으로 오린 뒤, 식물의 이름, 만든 사람 이름 등을 씁니다.

❹ 과정 ❷의 색종이 위에 과정 ❸의 색종이를 올려 겹친 뒤 원 중심을 할핀으로 고정합니다.

도움 ② 피자 책 만들기

(1) 준비물: A4 종이 1장, 원 모양 색종이 4장, 그림 자료, 그림도구, 가위, 풀

(2) 과정

❶ 원 모양 색종이를 3번 접어 8등분하고, 원의 중심을 기준으로 1개의 선만 자릅니다.

❷ 2개의 칸에 식물의 이름 등을 씁니다.

❸ 세 번째 칸부터 식물의 한살이를 순서대로 정리한 뒤, 병풍 접기를 합니다.

❹ A4 종이에 과정 ❸에서 만든 식물의 한살이를 모아 원 모양이 되도록 붙입니다.

스스로 확인해요

- **한해살이 식물과 여러해살이 식물의 특징을 말할 수 있어요.**
  도움말 한살이가 한 해에 끝나는지, 여러 해 동안 반복되는지의 차이를 설명합니다.
- **식물의 한살이가 잘 드러나도록 발표 자료를 만들었어요.**
  도움말 여러 가지 식물의 한살이의 공통점과 차이점이 드러나도록 발표 자료를 만들었는지 확인해 봅니다.

교과서 개념 확인 문제

4 **다음과 같은 한살이 과정을 거치는 식물은 어느 것입니까? (　　　　)**

> 씨 ➡ 싹이 틈. ➡ 잎과 줄기가 자람.
> ➡ 꽃이 핌. ➡ 열매가 자람. ➡ 씨

① 팽이밥　② 민들레　③ 비비추
④ 강낭콩　⑤ 사과나무

5 **식물의 한살이 과정을 연속적으로 나타내는 자료를 만들려고 합니다. 다음 중 식물의 한살이 과정을 표현하기에 가장 적절하지 <u>않는</u> 형태는 어느 것입니까? (　　　　)**

① 표　② 돌림책
③ 피자 책　④ 팝업 책
⑤ 사진기와 그림칸 띠

6 **다음은 한해살이 식물과 여러해살이 식물의 공통점에 대한 설명입니다. 빈칸에 들어갈 알맞은 각각 써 봅시다.**

> 씨가 싹 트고 자라 (㉠)이/가 피고 (㉡)을/를 맺으며 다시 (㉢)을/를 만들어 다음 세대를 이어갑니다.

㉠ (　　　　) ㉡ (　　　　) ㉢ (　　　　)

실험 관찰

탐구 활동 도움말

이 탐구 활동은 한해살이 식물과 여러해살이 식물을 한 종류씩 선택하여 한살이를 설명하는 자료를 만들어 발표하고, 한해살이 식물과 여러해살이 식물의 공통점과 차이점을 알아보는 활동입니다.

의사소통

실험 관찰 40~41쪽

7 식물에 따라 한살이가 달라요

탐구 활동 여러 가지 식물의 한살이 비교하기

『실험 관찰』 꾸러미 77쪽 붙임딱지를 붙여요.

친구들의 이야기를 잘 들어요.

무엇을 준비할까요?

준비물에 ◯ 표시를 하면서 확인해 봅시다.

사진기와 그림 칸 띠 (『실험 관찰』 꾸러미 79쪽)

그림 도구 풀

1 발표 자료로 만들고 싶은 식물을 고르고, 그 식물의 한살이를 이야기해 봅시다.

예시 답안

	한해살이 식물	여러해살이 식물
식물 이름	강낭콩, 강아지풀, 나팔꽃, 해바라기	비비추, 민들레, 감나무, 사과나무
한살이 단계	씨 → 싹 → 잎과 줄기가 자람. → 꽃 → 열매	씨－싹－잎이 자람.－잎이 죽음.－겨울나기－새싹－잎이 자람.－꽃－열매(씨)－겨울나기

보충해설

- 입체 책, 돌림책, 펼침책, 팝업 책, 입체 퍼즐, 삼각 무대책, 사각 무대책 등 다양한 형식을 자유롭게 생각해 봅니다.
- 한살이 발표 자료는 생명의 연속성이 드러나야 합니다. 한살이 과정이 시작과 끝으로 구분되지 않고, 계속 순환할 수 있도록 자료의 모양을 설계합니다.

2 식물의 한살이를 효과적으로 표현하는 방법을 이야기해 봅시다.

예시 답안

필름 모양의 띠에 한살이 단계를 그리고, 사진기에 끼워 돌리면 한살이가 반복되는 것을 잘 표현할 수 있을 것 같아.

한살이가 잘 드러나게 하려면 어떻게 만들면 좋을까?

3 식물의 한살이가 잘 드러나도록 발표 자료를 만들어 봅시다.

예 ❶ 그림 칸 띠에 자신이 선택한 식물의 한살이가 잘 드러나도록 그림과 글로 정리합니다.

❷ 사진기 그림에 색을 칠합니다.

❸ 사진기에 ❶의 그림 칸을 끼웁니다.

❹ 그림 칸 띠의 양 끝부분을 붙여 고리 모양이 되도록 연결합니다.

고리 모양의 띠를 돌리면서 한살이 과정을 설명할 수 있어요.

도움말
여러해살이 식물의 한살이 내용이 길어 띠의 그림 칸이 부족한 경우 두 사람이 함께 한 식물의 한살이를 정리할 수 있습니다.

도움말
한살이 단계가 잘 드러나는 사진을 준비하거나, 각 단계의 특징이 잘 드러나도록 직접 그려 봅니다.

4 완성한 자료를 모아 한해살이 식물과 여러해살이 식물로 나누어 발표해 봅시다.

5 한해살이 식물과 여러해살이 식물의 한살이를 비교하여 공통점과 차이점을 설명해 봅시다.

예시 답안

공통점	차이점
씨가 싹 터서 자라 꽃이 피고 열매를 맺어 다시 씨를 만들어 다음 세대를 이어 갑니다.	한해살이 식물은 열매를 맺은 뒤 죽지만, 여러해살이 식물은 여러 해를 살면서 열매 맺는 것을 반복합니다.

이렇게 OO 정리해요

한해살이 식물과 여러해살이 식물의 특징을 정리해 봅시다.

[한해살이] 식물은 한 해 동안 한살이 과정을 거치고 죽지만, [여러해살이] 식물은 여러 해를 살면서 한살이 과정의 일부를 되풀이합니다.

과학과 역사

과학 더하기

과학 68~69쪽

씨를 '종자'라고도 해요.

식물도 씨를 저금해 둔다고?

사람들이 은행에 돈을 저금하는 것처럼 식물도 자신의 씨를 저장해 두어요. 식물에게 은행이 되어 주는 곳이 바로 흙(토양)이랍니다.

여러분 주변에 있는 흙 한 줌을 집어서 자세히 살펴보세요. 씨 한두 개쯤 들어 있지 않은 곳은 거의 없답니다. 어디든 있지만 우리가 잘 알지 못했던 식물의 은행인 흙을 '토양 종자 은행'이라고 해요.

토양 종자 은행을 분석해 보면 그 지역이 파괴되었을 때 다시 회복할 수 있는지 알 수 있어요. 그래서 과학자들은 토양 종자 은행에 어떤 씨가 있는지 관심이 많답니다.

과학 더하기 도움말

과학 더하기의 내용은 토양 종자 은행인 흙에 묻혀 있는 씨에 대한 이야기입니다.

과학 더하기 해설

• 토양 종자 은행

토양 종자 은행인 토양(흙)은 살아 있는 씨를 저장하는 자연 창고라고 할 수 있습니다. 식물은 성숙한 씨를 여러 가지 방법으로 퍼뜨려 어미 식물로부터 멀리 떨어진 곳으로 보내는데, 퍼뜨려진 씨는 대부분 토양 속에 저장되어 토양 종자 은행을 이루게 됩니다. 토양 속에 있는 씨들은 대부분 휴면 상태에 있으므로 적절한 환경(물, 온도 등)이 되면 싹이 틉니다.

사람들이 식물의 다양성을 보존하기 위해 인공적으로 관

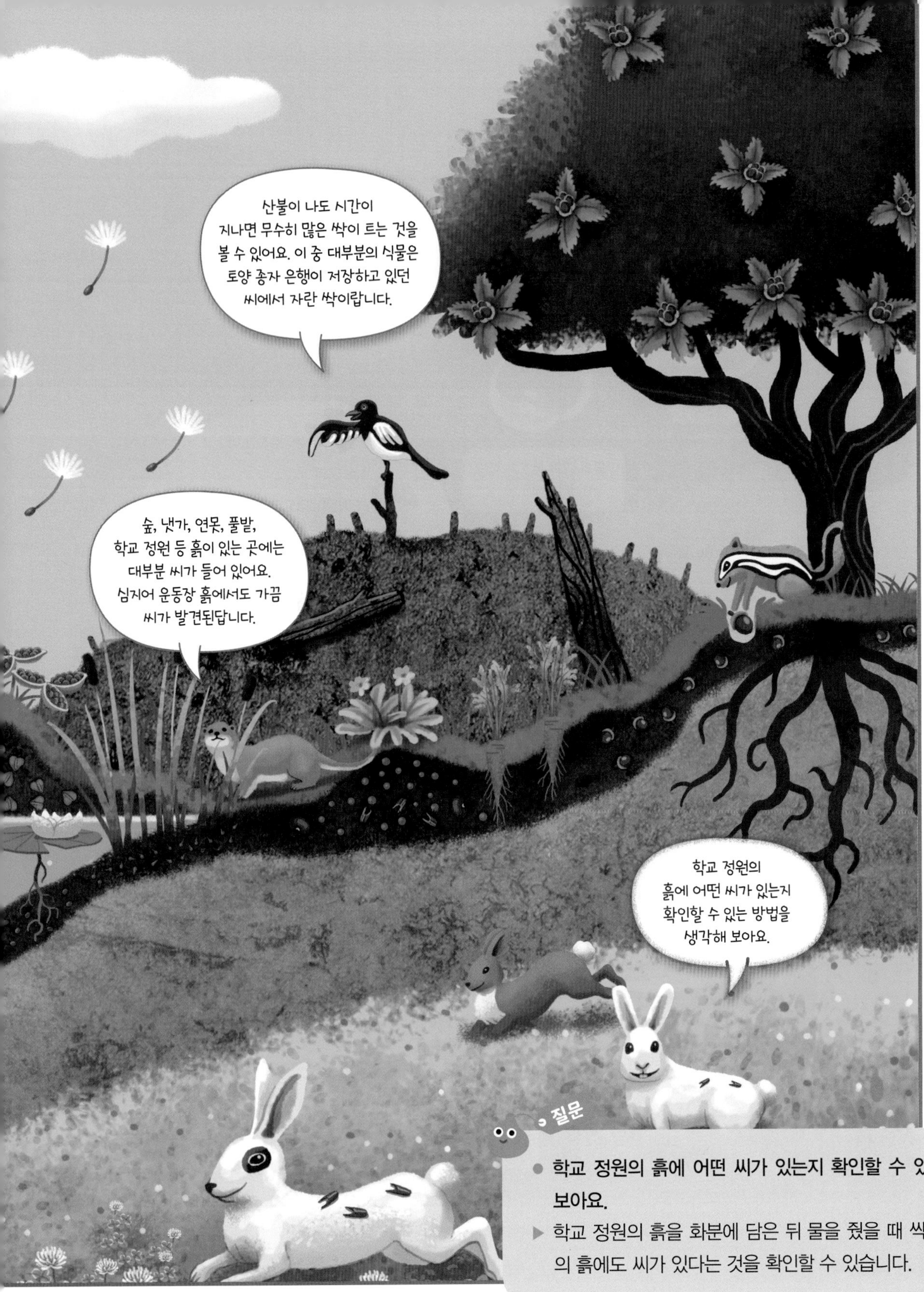
산불이 나도 시간이 지나면 무수히 많은 싹이 트는 것을 볼 수 있어요. 이 중 대부분의 식물은 토양 종자 은행이 저장하고 있던 씨에서 자란 싹이랍니다.
숲, 냇가, 연못, 풀밭, 학교 정원 등 흙이 있는 곳에는 대부분 씨가 들어 있어요. 심지어 운동장 흙에서도 가끔 씨가 발견된답니다.
학교 정원의 흙에 어떤 씨가 있는지 확인할 수 있는 방법을 생각해 보아요.

질문

- **학교 정원의 흙에 어떤 씨가 있는지 확인할 수 있는 방법을 생각해 보아요.**

▶ 학교 정원의 흙을 화분에 담은 뒤 물을 줬을 때 싹이 트면 학교 정원의 흙에도 씨가 있다는 것을 확인할 수 있습니다.

리하는 '종자 은행'과는 달리, 토양 종자 은행은 식물이 생활하면서 씨를 생산하고 이 씨가 토양에 떨어져 저장되므로 식물이 자신의 씨를 저장하는 아주 자연스러운 방법이라고 할 수 있습니다. 토양 종자 은행은 식물이 종을 유지하며 다음 세대를 이어 가는 데 매우 중요한 역할을 합니다. 산불이나 가뭄, 벌목 등 다양한 원인으로 식물 종이 사라질 위기에 있을 때, 토양 종자 은행에 저장된 씨로 인해 식물 종이 빠르게 복원되기 때문입니다.

• 텃밭에 씨를 심은 식물 외에 다른 식물이 계속 나오는 까닭

사람이 씨를 심기 전부터 흙 속에 먼저 있었던 씨이거나, 바람이나 동물에 의해 옮겨 온 씨가 사람이 심은 씨에 물을 주면서 조건이 알맞아 싹이 튼 것입니다. 대부분의 씨는 크기가 작고, 흙에 떨어지면 잘 보이지 않는 색깔이어서 맨눈으로 구별하기 쉽지 않으므로 언제, 어떻게 텃밭으로 들어왔는지 알아내기 어렵습니다.

해당 칸에 『과학』 부록 123쪽 붙임딱지를 붙이세요.

단원 매듭 짓기

그림으로 정리하기

과학 70~71쪽

붙임딱지로 빈칸을 채우며 배운 내용을 정리해 봅시다.

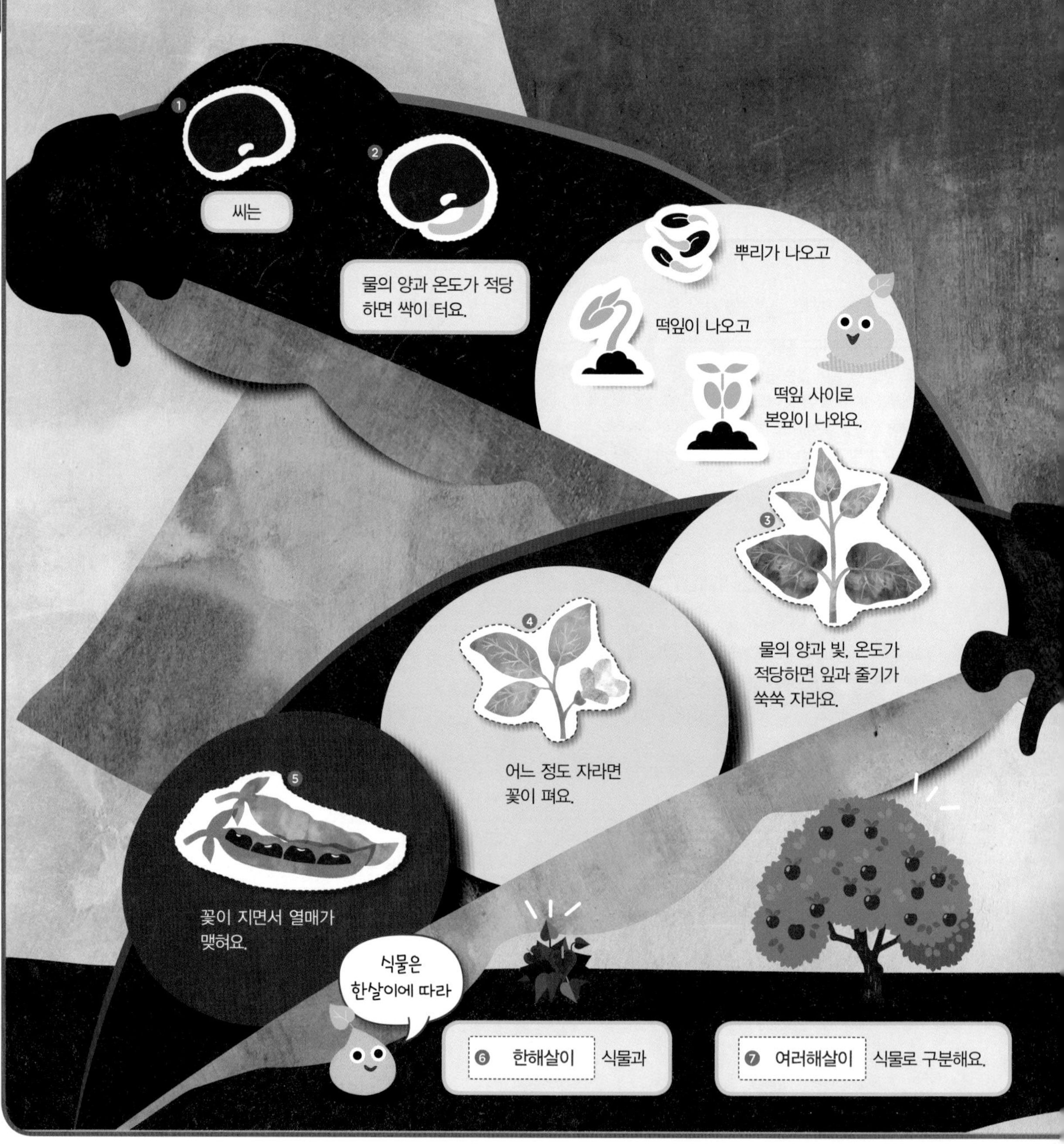

1
2
씨는
물의 양과 온도가 적당하면 싹이 터요.
뿌리가 나오고
떡잎이 나오고
떡잎 사이로 본잎이 나와요.
3
물의 양과 빛, 온도가 적당하면 잎과 줄기가 쑥쑥 자라요.
4
어느 정도 자라면 꽃이 펴요.
5
꽃이 지면서 열매가 맺혀요.
식물은 한살이에 따라
6 한해살이 식물과
7 여러해살이 식물로 구분해요.

그림으로 정리하기 해설

❶, ❷ 강낭콩은 물의 양이 알맞고 온도가 적당하면 싹이 틉니다. 먼저 뿌리가 나오고 껍질이 벗겨지면서 2장의 떡잎이 나옵니다. 떡잎 사이로 본잎이 나옵니다.

❸ 적당한 양의 물과 햇빛, 그리고 온도가 알맞으면 잎과 줄기가 자라고, 잎의 개수가 많아지며, 잎이 커지고, 줄기는 점점 굵어지면서 길어집니다.

❹ 잎과 줄기가 어느 정도 자라면 꽃이 핍니다.

❺ 꽃이 지면서 그 자리에 열매가 맺힙니다. 열매 안에는 씨가 있어 열매가 자라면서 씨도 함께 자랍니다.

❻, ❼ 식물은 한살이 기간에 따라 한 해 동안 한살이 과정을 거치고 죽는 한해살이 식물과 여러 해 동안 살면서 한살이 과정의 일부를 되풀이하는 여러해살이 식물로 구분합니다.

문제로 확인하기 해설

❶ 식물의 한살이와 관련된 여러 가지 내용을 확인하는 문제입니다.

(2) 씨가 싹 트는 데는 적당한 양의 물과 알맞은 온도가 필요합니다.

◉ 문제로 확인하기 ◉

❶ 각 설명의 빈칸에 알맞은 말을 아래 글자 상자에서 찾아 ◯ 표시를 해 봅시다.

줄	기	(떡	잎)	뿌	새
빛	(물)	꼬	투	리)	싹
꽃	(한	살	이)	씨	열
(온	도)	본	잎	흙	매

(1) 씨가 싹 터서 자라 꽃이 피고 열매를 맺어 다시 씨가 만들어지는 과정을 [한살이] (이)라고 합니다.

(2) 씨가 싹 트는 데는 알맞은 양의 [물] 와/과 적당한 [온도] 이/가 필요합니다.

(3) 씨가 싹 틀 때 가장 먼저 [뿌리] 이/가 나옵니다.

(4) 씨가 싹 틀 때 처음 나오는 잎을 [떡잎] (이)라고 합니다.

❷ 한해살이 식물과 여러해살이 식물에 해당하는 설명과 종류끼리 선으로 연결해 봅시다.

한해살이 식물　　　　여러해살이 식물

여러 해를 살면서 한살이의 일부를 되풀이하는 식물　　　한 해 동안 한살이를 마치고 죽는 식물

나팔꽃　　비비추　　해바라기　　무궁화

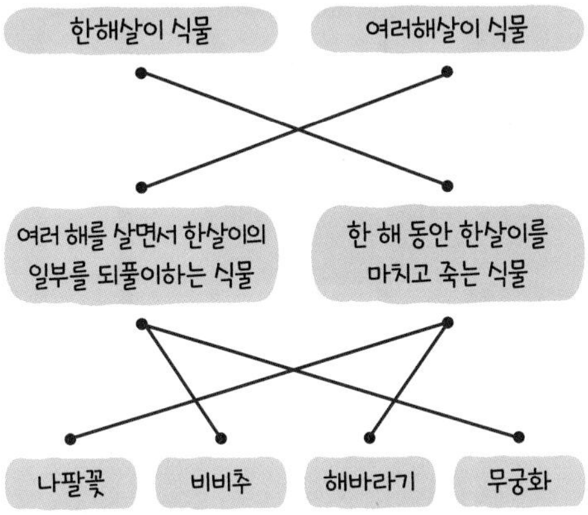

◉ 과학 글쓰기 ◉

❸ 로빈슨 크루소가 나팔꽃을 키우면서 쓴 관찰 일기의 일부가 찢어졌습니다. 남아 있는 그림을 보고 찢어진 부분의 글을 써 봅시다.

◯월 ◯일
떡잎 사이로 줄기가 자라고 본잎이 서로 엇갈려 나왔어요.

예시 답안
- 자라면서 잎의 개수가 많아지고, 줄기가 길어졌어요.
- 줄기가 다른 물체를 감으면서 자라요.

◯월 ◯일
뾰족한 꽃봉오리가 생기고, 꽃이 활짝 폈어요.

◉ 도전! 창의 융합 ◉

SOS를 남겨라!

여러분이 로빈슨 크루소가 되어 한해살이 식물과 여러해살이 식물을 이용하여 여러 해 동안 SOS가 보이도록 식물을 심어 봅시다.

『실험관찰』 42쪽

구분	같게 할 조건	다르게 할 조건
싹 트는 데 물이 미치는 영향 알아보기	씨의 종류, 온도, 공기, 탈지면, 플라스틱 컵 등	물
싹 트는 데 온도가 미치는 영향 알아보기	씨의 종류, 물, 공기, 탈지면, 플라스틱 컵 등	온도

❷ 한해살이 식물과 여러해살이 식물의 의미와 각각의 예를 확인하는 문제입니다.
한해살이 식물은 한 해 동안 한살이를 마치고 죽는 식물로, 나팔꽃, 옥수수, 해바라기 등이 있습니다. 여러해살이 식물은 여러 해를 살면서 한살이 과정의 일부를 반복하는 식물로, 비비추, 무궁화 등이 있습니다.

◉ 과학 글쓰기 해설 ◉

나팔꽃은 한해살이 식물입니다. 씨를 심은 뒤 조건이 알맞으면 싹이 터서 잎과 줄기가 자랍니다. 점점 자라면서 잎의 개수가 많아지고 줄기가 길어집니다. 줄기가 자라면서 줄기가 다른 물체를 감고 올라갑니다. 어느 정도 자라면 꽃봉오리가 생기고, 꽃이 지면서 열매가 맺힙니다.

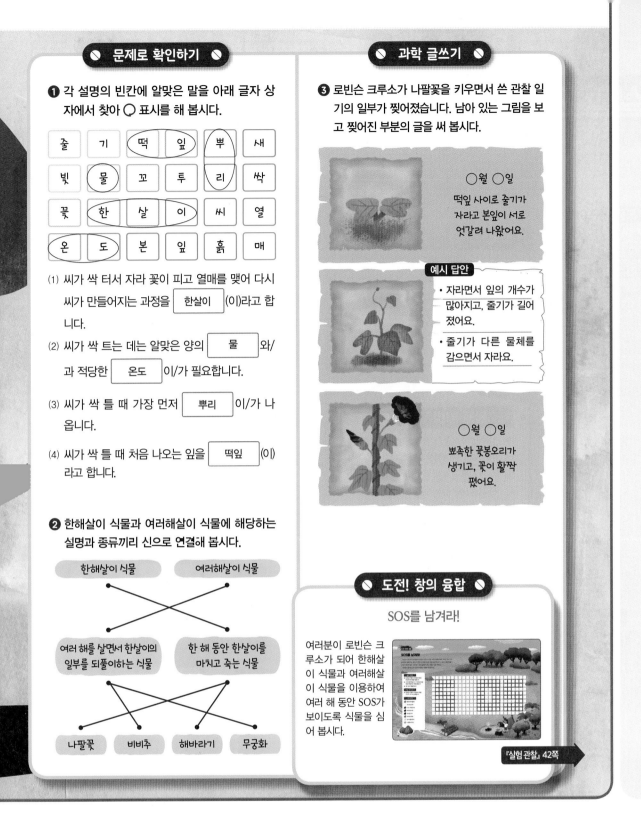

도전! 창의 융합

도전! 창의 융합 도움말

이 활동은 한해살이 식물과 여러해살이 식물의 종류를 구분할 수 있는지를 알아보기 위한 활동입니다. SOS 글자가 나오도록 한해살이 식물과 여러해살이 식물을 구분해 색깔을 칠합니다.

SOS를 남겨라!

로빈슨 크루소가 구조되면서 로빈슨 크루소가 있던 섬이 유명해졌어요. 로빈슨 크루소가 멀리서도 SOS라는 글자가 보이도록 섬에 식물을 심었는데, 여러 해가 지나도 계속 SOS가 보였기 때문이에요. 덕분에 그 섬은 SOS섬이라는 별명도 얻게 되었어요.

여러분이 로빈슨 크루소라면 식물을 어떻게 심었을까요?

도움말

한해살이 식물의 특징과 여러해살이 식물의 특징을 생각해 보고, 어떻게 하면 SOS 글자가 잘 보일 수 있는지 생각하고 색칠합니다.

활동 방법

- 한해살이 식물과 여러해살이 식물의 한살이의 차이점을 이용합니다.
- 아래 식물 목록을 보고 각 칸에 심고 싶은 식물에 해당하는 색깔을 칠합니다.
- 모든 칸에 색칠을 합니다.

색깔 선택 조건

- 한해살이 식물과 여러해살이 식물을 각각 두 가지 이상 선택합니다.

보충해설

- 한해살이 식물: 해바라기, 강낭콩, 옥수수, 강아지풀, 나팔꽃
- 여러해살이 식물: 개나리, 사과나무, 비비추

식물 목록

- 해바라기(주황색)
- 개나리(노란색)
- 사과나무(빨간색)
- 비비추(보라색)
- 강낭콩(갈색)
- 옥수수(초록색)
- 강아지풀(연두색)
- 나팔꽃(파랑색)

예시 답안

도움말

여러해살이 식물을 SOS 글자 칸에 심고 한해살이 식물을 SOS 글자 주변에 심거나, 반대로 한해살이 식물을 SOS 글자 칸에, 여러해살이 식물을 SOS 글자 주변에 심을 수 있습니다.

교과서 평가 문제

중요

1 다음은 씨가 싹 트는 데 필요한 조건을 알아보기 위한 실험 과정입니다.

> ❶ 4개의 플라스틱 컵 (가)~(라)에 각각 탈지면을 넣고, 같은 수의 강낭콩을 넣습니다.
> ❷ 플라스틱 컵 (가)에는 물을 넣지 않고, 플라스틱 컵 (나)~(라)에는 탈지면이 흠뻑 젖도록 물을 넣습니다.
> ❸ 플라스틱 컵 (다)는 얼음을 넣지 않은 보랭 컵에 넣고, 플라스틱 컵 (라)는 얼음을 넣은 보랭 컵에 넣은 다음 뚜껑을 닫습니다.

이 실험에 대한 설명으로 옳은 것은 어느 것입니까? (　　　)

① 탈지면의 양이나 플라스틱 컵의 크기와 종류는 같아야 합니다.
② 실험 결과 (가)의 강낭콩은 싹이 텄습니다.
③ 실험 결과 (나)의 강낭콩은 싹이 트지 않았습니다.
④ 실험 결과 (다)의 강낭콩은 싹이 트지 않았습니다.
⑤ 실험 결과 (라)의 강낭콩은 싹이 텄습니다.

2 다음 중 강낭콩이 싹 틀 수 있는 조건으로 옳은 것을 2가지 고르시오. (　　,　　)

① 알맞은 양의 물을 줍니다.
② 햇빛이 잘 비치는 곳에 둡니다.
③ 씨의 겉이 마르도록 유지합니다.
④ 적당한 온도가 유지되는 곳에 둡니다.
⑤ 씨 크기의 3배~4배 정도의 흙에 넣습니다.

3 다음 빈칸에 들어갈 알맞은 말을 쓰시오.

> 식물의 씨가 싹 트고 자라 꽃이 피고 열매를 맺어 다시 씨를 만드는 과정을 식물의 (　　　)(이)라고 합니다.

(　　　　　　　　　　)

4 식물의 한살이 관찰 계획을 세우는 과정에 대한 설명으로 옳은 것을 2가지 고르시오.
(　　,　　)

① 씨를 심어 꽃이 필 때까지만 관찰합니다.
② 한살이 기간이 비교적 짧은 식물을 선택합니다.
③ 잎, 줄기, 꽃, 열매를 관찰하기 쉬운 식물이 좋습니다.
④ 관찰 방법은 간단히 정하고 관찰하는 동안 계속 바꿉니다.
⑤ 관찰 시간을 정하지 않고 관찰할 수 있을 때만 관찰합니다.

중요

5 강낭콩이 싹 트는 모습을 관찰한 결과로 옳은 것을 2가지 고르시오. (　　,　　)

① 떡잎이 나온 뒤 본잎이 나옵니다.
② 떡잎이 자라 첫 번째 본잎이 됩니다.
③ 뿌리가 나오면서 강낭콩의 크기가 작아집니다.
④ 씨에서 가장 먼저 나오는 부분은 뿌리입니다.
⑤ 뿌리가 나오기 시작하는 강낭콩은 더 단단해집니다.

6 **비슷한 크기의 강낭콩 화분 2개 중 한 화분에는 물을 주고, 다른 화분에는 물을 주지 않았습니다. 이 실험에서 알아보고자 하는 것은 무엇입니까? ( )**

① 식물이 자라는 데 빛이 미치는 영향
② 식물이 자라는 데 물이 미치는 영향
③ 식물이 자라는 데 온도가 미치는 영향
④ 식물이 자라는 데 흙의 종류가 이 미치는 영향
⑤ 식물이 자라는 데 화분의 크기가 미치는 영향

7 **다음 중 식물이 자라면서 생기는 변화로 옳은 것은 어느 것입니까? ( )**

① 잎이 진 자리에 꽃이 핍니다.
② 잎의 크기가 점점 작아집니다.
③ 잎의 개수가 점점 늘어납니다.
④ 줄기의 굵기가 점점 가늘어집니다.
⑤ 큰 줄기에서 뻗어 나오는 줄기의 개수가 줄어듭니다.

중요

8 **식물의 한살이에 대한 설명으로 옳은 것을 다음 보기 에서 모두 골라 기호를 쓰시오.**

보기
㉠ 풀은 모두 한해살이 식물입니다.
㉡ 한해살이 식물은 열매를 맺어 씨를 만들고 죽습니다.
㉢ 한해살이 식물에는 강낭콩, 해바라기, 비비추 등이 있습니다.
㉣ 여러해살이 식물에는 민들레, 괭이밥, 소나무 등이 있습니다.

( )

서술형 문제

9 **다음 강낭콩의 꽃과 열매의 모습을 보고, 물음에 답하시오.**

㉠

㉡

㉢

㉣
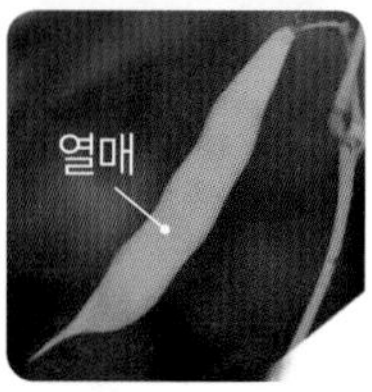

(1) 꽃과 열매의 변화를 시간의 순서에 맞게 나열할 때 세 번째 순서에 해당하는 단계의 기호를 쓰시오.

( )

(2) 꽃과 열매가 어떻게 변화하는지 쓰시오.

서술형 문제

10 **다음 두 식물을 보고, 물음에 답하시오.**

▲ 옥수수

▲ 사과나무

(1) 두 식물의 한살이의 차이점을 쓰시오.

(2) 두 식물의 한살이의 공통점을 쓰시오.

이 단원에서 공부할 내용

3 물체의 무게

제과 제빵사는 저울로 재료의 무게를 측정해서 맛있는 과자와 빵을 만들어요. 왜 재료의 무게를 측정할까요?

단원 그림 도움말

단원 그림은 제과 제빵사가 제과점에서 빵과 과자를 만들기 위해 저울을 사용하여 재료의 무게를 측정하고 있는 모습입니다. 제과점이나 가정에서 빵과 과자를 만드는 모습을 보았거나 빵이나 과자를 직접 만들어 보았던 경험을 이야기하고, 앞으로 배울 내용을 생각해 봅시다.

알아 볼까요?
물체의 무게를 측정하는 까닭을 알아봅시다.
용수철저울의 원리를 알아 봅시다.
수평 잡기로 물체의 무게를 비교해 봅시다.
간단한 저울을 만들어 봅시다.
설탕
10 kg
0
1500 g
500 g
1 kg
놀라운 이야기
먼지 한 개보다 가벼운 물체의 무게를 측정할 수 있는 저울도 있어요.

좀 더 설명할게요

먼지보다 크기가 작고 가벼운 미세 먼지의 무게는 초정밀 저울로 측정합니다. 미세 먼지보다 더 작고 가벼운 물체의 무게는 나노 저울로 측정할 수 있습니다.

질문과 답

저울은 왜 필요할까요?

제과점에서 빵과 과자를 만들 때 재료의 무게를 정확하게 측정하기 위해서 저울이 필요합니다.

과학 74~75쪽

누구의 가방이 가장 무거울까요?

친구들이 탐정놀이를 하고 있어요. 친구들의 표정과 동작을 보고 가장 무거운 가방을 멘 친구와 가장 가벼운 가방을 멘 친구를 추리해 보아요.

이렇게 해요

무엇을 준비할까요?

빈 가방 3개,
빈 2 L 페트병 3개,
물이 들어 있는
2 L 페트병 3개

① 다음 그림과 같이 3개의 가방에 페트병을 2개씩 넣어 봅시다.

② 학급에서 사회자 1명, 연기자 3명을 정합니다. 나머지 사람들은 탐정이 됩니다.

과학 놀이터 도움말

무거운 가방을 멘 친구를 추리하는 활동을 하며 무게에 대해 생각해 봅시다. 무거운 가방을 들었을 때 나타나는 표정, 근육의 변화 등을 관찰해 봅시다.

이렇게 해요

유의점

- 추리하기 위해 무리한 동작을 요청하지 않습니다.

준비물 도움말

- 빈 페트병에 물을 채우기보다 뚜껑을 열지 않은 새 생수병을 사용하면 편리합니다.

활동 도움말

① 다음 그림과 같이 3개의 가방에 페트병을 2개씩 넣어 봅시다.

도움말 다른 사람들이 어떤 가방에 무거운 페트병을 넣었는지 알 수 없도록 수업 시간 전에 미리 준비하는 것이 좋습니다.

무거운 가방을
멘 친구의 표정이나
동작은 어떠한지
이야기해 보아요.

예시 답안 추리 결과 기록지

	이름	그렇게 생각한 까닭
가장 무거운 가방을 멘 친구	라온	얼굴이 빨개졌기 때문입니다.
가장 가벼운 가방을 멘 친구	혜윰	쉽게 앉았다 일어났기 때문입니다.

③ 연기자는 가방을 1개씩 메고 가장 무거운 가방을 멘 것처럼 표정과 동작을 연기합니다.

④ 탐정은 추리하는 데 필요한 동작을 사회자에게 요청합니다. 사회자는 탐정의 요청에 따라 연기자에게 연기를 지시합니다.

가방을 메고
앉았다 일어나
보세요.

⑤ 탐정은 가장 무거운 가방을 멘 친구와 가장 가벼운 가방을 멘 친구가 누구인지 추리합니다.

③ 연기자는 가방을 1개씩 메고 가장 무거운 가방을 멘 것처럼 표정과 동작을 연기합니다.

도움말 연기자들은 탐정이 요청할 질문을 예상하여 어떻게 연기할지 미리 생각합니다.

④ 탐정은 추리하는 데 필요한 동작을 사회자에게 요청합니다. 사회자는 탐정의 요청에 따라 연기자에게 연기를 지시합니다.

도움말 사회자는 탐정의 요청을 모두 받아들이는 것이 아니라 안전을 고려하여 적절하게 지시합니다.

⑤ 탐정은 가장 무거운 가방을 멘 친구와 가장 가벼운 가방을 멘 친구가 누구인지 추리합니다.

도움말 추리한 결과를 기록지에 적고, 그렇게 생각한 까닭은 무엇인지 이야기합니다.

질문

- 무거운 가방을 멘 친구의 표정이나 동작은 어떠한지 이야기해 보아요.

나의 답 얼굴이 빨개지고, 인상을 쓰기도 하였습니다.

1 무게는 어떤 경우에 측정할까요?

과학 76~77쪽

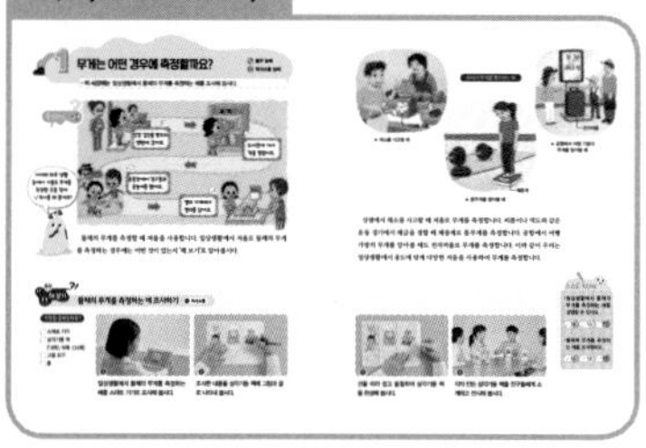

궁금해요

아띠의 하루 생활을 살펴보고, 일상생활에서 저울로 물체의 무게를 측정하는 경우를 생각해 봅시다.

질문 아띠의 하루 생활 중에서 저울로 무게를 측정한 곳을 찾아 ✔ 표시를 해 볼까요?

예시 답안
- 건강 검진을 받으러 병원에 갔어요.
- 젤리 가게에서 젤리를 샀어요.

해 보기 물체의 무게를 측정하는 예 조사하기

- **무엇을 준비할까요?**

스마트 기기, 삼각기둥 책(『과학』 부록 124쪽), 그림 도구, 풀

- **어떻게 할까요?**

❶ 일상생활에서 물체의 무게를 측정하는 예를 스마트 기기로 조사해 봅시다.

도움말 일상생활에서 저울을 보았던 장소를 먼저 떠올려 보고, 그 장소에서 어떤 저울을 사용하였는지 조사해 봅시다.

예시 답안
- 상점에서 채소를 사고팔 때
- 운동 경기에서 체급을 정하기 위해 몸무게를 측정할 때
- 공항에서 여행 가방의 무게를 알아볼 때 등

❷ 조사한 내용을 삼각기둥 책에 그림과 글로 나타내 봅시다.

예시 답안 삼각기둥 책 예

❸ 선을 따라 접고 풀칠하여 삼각기둥 책을 완성해 봅시다.

❹ 각자 만든 삼각기둥 책을 친구들에게 소개하고 전시해 봅시다.

교과서 속 핵심 개념

- 무게를 측정하는 경우 도움① 도움②
  - 상점에서 채소나 고기를 사고팔 때
  - 몸무게를 알아볼 때
  - 공항에서 여행 가방의 무게를 알아볼 때 등

➲ 물체의 무게를 측정하는 예

- 상점에서 물건을 사고팔 때

- 씨름에서 체급을 정할 때

태백	금강	한라	백두	천하
80 kg 이하	90 kg 이하	105 kg 이하	140 kg 이하	통합

비슷한 몸무게를 가진 선수끼리 경기를 하면 공정한 경기를 할 수 있지요.

- 공항에서 여행 가방의 무게를 측정할 때

도움 ① 저울의 종류

- **체중계:** 몸무게를 측정할 때 사용하는 저울입니다. 체중계 안에 있는 용수철이 늘어나면 톱니바퀴가 돌아가면서 눈금판 위의 바늘을 회전시킵니다. 요즘에는 주로 디지털 체중계를 사용합니다.
- **전자저울:** 저울판 위에 올려놓은 물체의 무게를 정밀하게 측정하여 숫자로 나타냅니다. 정밀한 측정이 필요한 경우에 사용합니다.
- **가정용 저울:** 과일이나 채소의 무게를 측정할 때, 요리에 들어갈 재료의 무게를 측정할 때 주로 사용하는 저울입니다. 저울접시 위에 물체를 올려놓으면 용수철이 늘어나면서 눈금판 위의 바늘이 회전합니다.

▲ 체중계

▲ 전자저울

▲ 가정용 저울

도움 ② 일상생활에서 물체의 무게를 측정하는 예

- **상점에서 물건을 사고팔 때:** 감자, 고구마, 당근 등의 채소나 소고기, 돼지고기 등의 무게를 저울로 정확하게 측정하여 가격을 정합니다.
- **우체국에서 우편물을 보낼 때:** 우체국에서 우편물의 무게를 저울로 측정하여 무게에 따라 요금을 정합니다.
- **공항에서 여행 가방의 무게를 알아볼 때:** 공항에서 여행 가방의 무게를 측정하는 까닭은 비행기의 무게와 관련이 있습니다. 비행기에 짐을 너무 많이 실으면 비행기가 너무 무거워져서 균형을 잡지 못해 안전하게 날지 못하기 때문입니다.

스스로 확인해요

- **일상생활에서 물체의 무게를 측정하는 예를 설명할 수 있어요.**
  도움말 조사 과정에서 찾은 저울이 어떤 경우에 사용되며, 어떤 물체의 무게를 측정할 수 있는지 설명합니다.
- **물체의 무게를 측정하는 예를 조사했어요.**
  도움말 조사한 내용을 그림과 글로 잘 표현했는지 삼각기둥 책을 보고 확인합니다.

정답과 해설 4쪽

교과서 개념 확인 문제

1 일상생활에서 무게를 측정하는 경우를 잘못 설명한 사람의 이름을 써 봅시다.

- 민지: 상점에서 고기를 사고팔 때
- 주윤: 상점에서 병에 담긴 콜라를 사고팔 때
- 서진: 씨름 선수들이 몸무게를 측정하여 체급을 정할 때

(　　　　　　　　)

2 다음 내용을 읽고, 빈칸에 공통적으로 들어갈 알맞은 말을 써 봅시다.

- 상점에서 고기를 사고팔 때 저울로 (　　　)을/를 측정합니다.
- 씨름이나 역도와 같은 운동 경기에서 체급을 정할 때 (　　　)을/를 측정합니다.
- 우리는 일상생활에서 용도에 맞게 다양한 저울을 사용하여 (　　　)을/를 측정합니다.

(　　　　　　　　)

3 다음은 일상생활에서 사용하는 저울입니다. 각 사진에 알맞은 이름을 선으로 연결해 봅시다.

(1)  • 　　• ㉠ 체중계

(2)  • 　　• ㉡ 가정용 저울

(3)  • 　　• ㉢ 전자저울

2 무게를 왜 측정해야 할까요?

과학 78~79쪽

궁금해요

쿠키를 만들 때 필요한 재료를 저울로 측정해야 하는 까닭을 생각해 봅시다.

질문 아띠가 쿠키를 맛보고 당황한 까닭은 무엇일까요?

예시 답안
- 밀가루를 많이 넣어서 쿠키의 맛이 달라졌기 때문입니다.
- 밀가루를 적게 넣어서 라온이가 만든 쿠키의 맛과 달랐기 때문입니다.

➡ **무게를 정확하게 측정하지 않았을 때 생기는 문제들**

네 떡이 더
큰 것 같아.

우체국
어제와 똑같은 택배인데
오늘은 더 비싸군요.

무거운 짐을
실은 트럭이 도로를
망가뜨리네요.

탐구 활동 무게를 측정해야 하는 까닭 알아보기

자세한 해설은 100~101쪽에 있어요.

- **무엇을 준비할까요?**

바구니, 여러 가지 필기도구(연필, 볼펜, 색연필, 형광펜 등), 전자저울, 이름표 붙임딱지(『실험 관찰』 꾸러미 80쪽)

- **과정을 알아볼까요?**

❶ 양손에 필기도구를 1개씩 들어 보고, 무거운 순서대로 나열해 봅시다.

❷ 나열한 순서가 친구들과 같지 않다면 그 까닭은 무엇인지 이야기해 봅시다.

❸ 전자저울로 필기도구의 무게를 측정해 보고, 무거운 순서대로 나열해 봅시다.

❹ 물체의 무게를 저울로 측정해야 하는 까닭을 이야기해 봅시다.

❺ 일상생활에서 무게를 정확하게 측정하지 않으면 어떤 점이 불편할지 토의해 봅시다. 도움① 도움②

- **관찰 내용 및 결과를 정리해요**

➡ 손으로 어림하여서는 물체의 무게를 정확하게 알기 어렵습니다.

➡ 물체의 무게를 정확하게 측정하기 위해 저울을 사용합니다.

교과서 속 핵심 개념

- **물체의 무게를 저울로 측정하는 까닭**
  - 사람마다 물체의 무게를 다르게 느끼기 때문
  - 물체의 무게를 정확하게 알기 위해서임.
- **무게를 정확하게 측정하지 않았을 때의 불편한 점**
  - 음식 맛이 달라짐.
  - 상점에서 상품값을 정하기 어려움.

정답과 해설 4쪽

도움 ① 물체의 무게를 정확하게 측정하지 않으면 생길 수 있는 불편한 점

- 상점에서 상품을 사고팔 때 무게를 측정하지 않으면 상품값을 정하기 어렵습니다. 예를 들어 정육점에서 고기를 팔 때 소비자마다 고기의 무게에 따른 고깃값이 다르면 상인과 소비자 사이에 다툼이 생길 수 있습니다.
- 무거운 짐을 실은 차량의 무게를 정확하게 측정하지 않으면 정해진 무게보다 무거운 짐을 실은 차량이 도로를 지나갈 때 도로가 깨지거나 갈라져 사고가 생길 수 있습니다.
- 우체국에서 택배를 보낼 때 무게를 정확하게 측정하지 않으면 요금을 공정하게 정하기 어렵습니다.
- 운동 경기에서 몸무게를 정확하게 측정하지 않으면 몸무게의 차이가 큰 선수끼리 경기를 하게 되어 공정한 시합을 할 수 없습니다.

도움 ② 물체의 부피가 클수록 무게도 무거울까?

아닙니다. 물체의 부피가 커도 물체의 무게는 가벼울 수 있습니다. 예를 들어 부피가 작은 쇠구슬과 부피가 큰 스타이로폼 공의 무게를 측정하면, 부피가 큰 스타이로폼 공의 무게가 부피가 작은 쇠구슬의 무게보다 가볍습니다.

▲ 쇠구슬의 무게

▲ 스타이로폼 공의 무게

스스로 확인해요

- **물체의 무게를 측정해야 하는 까닭을 설명할 수 있어요.**
  도움말 정확한 무게 측정의 필요성과 저울의 필요성을 관련지어 설명합니다.
- **무게를 정확하게 측정하지 않으면 어떤 점이 불편할지 토의했어요.**
  도움말 다양한 상황에서 물체의 무게를 정확하게 측정하지 않았을 때의 불편한 점을 구체적으로 친구들과 이야기합니다.

교과서 개념 확인 문제

1 **다음은 무게가 비슷한 필기도구 2개를 양손으로 들어 보는 실험에 대한 설명입니다. 옳은 것은 ○ 표시를, 옳지 않은 것은 ×표시를 해 봅시다.**

(1) 실험에 참여한 사람 모두가 무겁다고 느끼는 필기도구가 같습니다. (　　)

(2) 위의 방법으로 물체의 무게를 정확하게 측정할 수 있습니다. (　　)

2 **다음을 읽고, (　　) 안에 들어갈 알맞은 말에 ○ 표시를 해 봅시다.**

(1) 물체의 무게를 저울로 측정하는 까닭은 사람마다 물체의 무게를 (다르게 , 같게) 느끼기 때문입니다.

(2) 저울을 사용하여 (무게 , 길이)를 측정하면 물체의 무게를 (정확하게 , 어림하여) 알 수 있습니다.

3 **다음은 물체의 무게를 정확하게 측정하지 않았을 때 생길 수 있는 문제들입니다. 상황에 알맞은 설명을 선으로 연결해 봅시다.**

(1) 

• 　• ㉠ 우체국에서 요금을 공정하게 정하기 어려움.

(2) 
• 　• ㉡ 무거운 짐을 실은 차량이 도로를 망가뜨림.

실험 관찰

측정 의사소통

실험 관찰 46~47쪽

2 무게를 왜 측정해야 할까요?

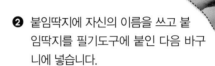

탐구 활동 무게를 측정해야 하는 까닭 알아보기

탐구 활동 도움말

이 탐구 활동은 필기도구의 무게를 손으로 어림했을 때와 저울로 무게를 측정했을 때를 비교해 보고, 물체의 무게를 저울로 측정해야 하는 까닭을 설명하는 활동입니다.

「실험 관찰」 꾸러미 77쪽 붙임딱지를 붙여요.

전자저울을 조심히 다뤄요.

무엇을 준비할까요?

준비물에 ◯ 표시를 하면서 확인해 봅시다.

바구니

여러 가지 필기도구
(연필, 볼펜, 색연필, 형광펜 등)

전자저울

이름표 붙임딱지
(「실험 관찰」 꾸러미 80쪽)

1 양손에 필기도구를 1개씩 들어 보고, 무거운 순서대로 나열해 봅시다.

❶ 모둠원 각자 자신이 가지고 있는 필기도구 중 하나를 고릅니다.

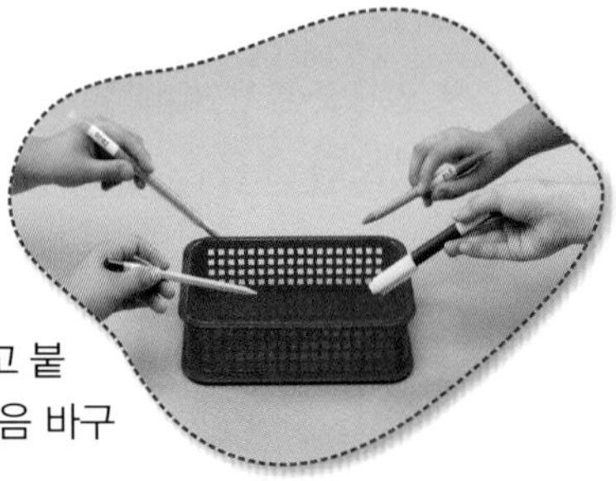

❷ 붙임딱지에 자신의 이름을 쓰고 붙임딱지를 필기도구에 붙인 다음 바구니에 넣습니다.

❸ 필기도구를 양손에 들어 보고 누구의 필기도구가 더 무거운지 어림하여 무거운 순서대로 나열해 봅시다.

보충해설

나열한 결과가 같게 나올 경우 다른 필기도구를 사용하여 과정 **1**을 반복합니다. 결과가 항상 같게 나오지 않는다는 사실을 알 수 있습니다.

예시 답안

무거운 것 ➡ 가벼운 것

아띠(색연필)	바름(형광펜)	혜윰(연필)	라온(볼펜)

▶ 나열한 결과가 서로 (☐ 같다, ☑ 다르다).

2 나열한 순서가 친구들과 같지 않다면 그 까닭은 무엇인지 이야기해 봅시다.

예시 답안
사람마다 물체의 무게를 다르게 느끼기 때문입니다.

3 전자저울로 필기도구의 무게를 측정해 보고, 무거운 순서대로 나열해 봅시다.

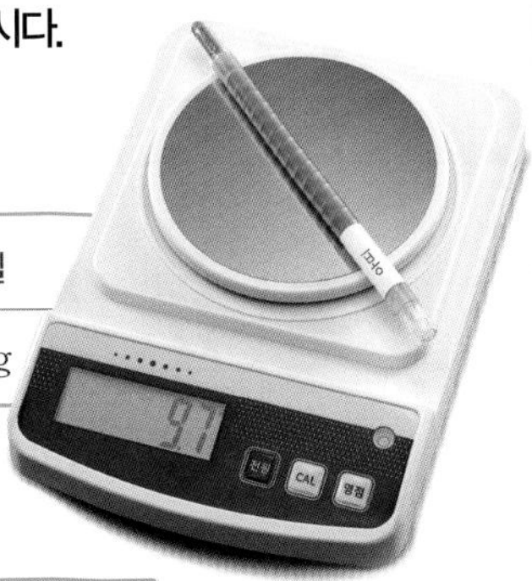

❶ 측정한 값을 써 봅시다.

예시 답안

필기도구	형광펜	색연필	볼펜	연필
무게(g)	11.1 g	9.7 g	5.8 g	4.7 g

❷ 누구의 필기도구가 더 무거운지 무거운 순서대로 나열해 봅시다.

예시 답안

무거운 것 ➡ 가벼운 것			
바름(형광펜)	아띠(색연필)	라온(볼펜)	혜윰(연필)

▶ 나열한 결과가 서로 (☑ 같다, ☐ 다르다).

전자저울 사용 방법은 『과학』 118쪽에 있어요.

4 물체의 무게를 저울로 측정해야 하는 까닭을 이야기해 봅시다.

예시 답안 물체의 무게를 정확하게 측정하기 위해서입니다.

5 일상생활에서 무게를 정확하게 측정하지 않으면 어떤 점이 불편할지 토의해 봅시다.

예시 답안
- 태권도 경기에서 몸무게를 측정하지 않으면 시합을 공정하게 할 수 없습니다.
- 고기를 살 때마다 고기의 양이 달라집니다.
- 정확한 재료의 양을 측정할 수 없어 음식을 만들 때마다 맛이 달라집니다.

도움말

저울이 없다면 어떤 일이 일어날지 상상하면서 무게를 저울로 측정해야 하는 까닭을 이야기합니다.

이렇게 ○○ 정리해요

물체의 무게를 저울로 측정해야 하는 까닭을 정리해 봅시다.

물체의 무게를 [정확하게] 측정하기 위해 저울을 사용합니다.

3 무게란 무엇일까요?

과학 80~81쪽

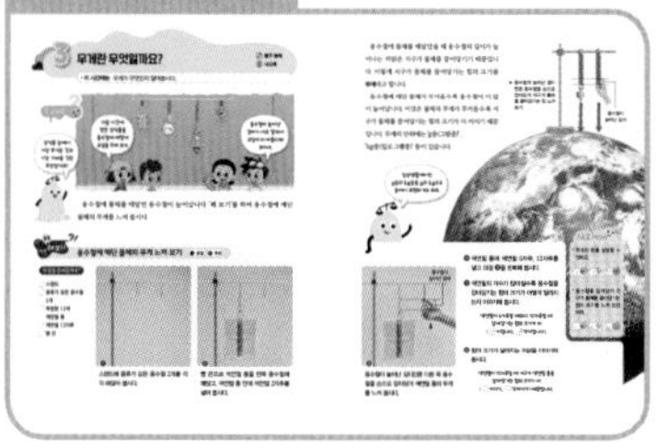

➲ 무게란?

무게란 지구가 물체를 끌어당기는 힘의 크기예요.

➲ 추의 무게 느껴보기

용수철에 추를 매달았을 때 용수철이 늘어난 길이만큼 다른 쪽 용수철을 손으로 잡아 당겨 보아요.
손에 느껴지는 힘이 추의 무게예요.

궁금해요

용수철에 매단 장식품 중에서 가장 무거운 것과 가장 가벼운 것을 찾아봅시다.

질문 장식품 중에서 가장 무거운 것과 가장 가벼운 것은 무엇일까요?

예시 답안 로켓 장식품이 가장 무겁고, 해바라기 장식품이 가장 가볍습니다.

해 보기 용수철에 매단 물체의 무게 느껴 보기

- **무엇을 준비할까요?**

스탠드, 종류가 같은 용수철 2개, 투명한 12색 색연필 통, 색연필 12자루, 빵 끈

- **어떻게 할까요?**

❶ 스탠드에 종류가 같은 용수철 2개를 각각 매달아 봅시다.

❷ 빵 끈으로 색연필 통을 한쪽 용수철에 매달고, 색연필 통 안에 색연필 2자루를 넣어 봅시다.

❸ 용수철이 늘어난 길이만큼 다른 쪽 용수철을 손으로 잡아당겨 색연필 통의 무게를 느껴 봅시다.

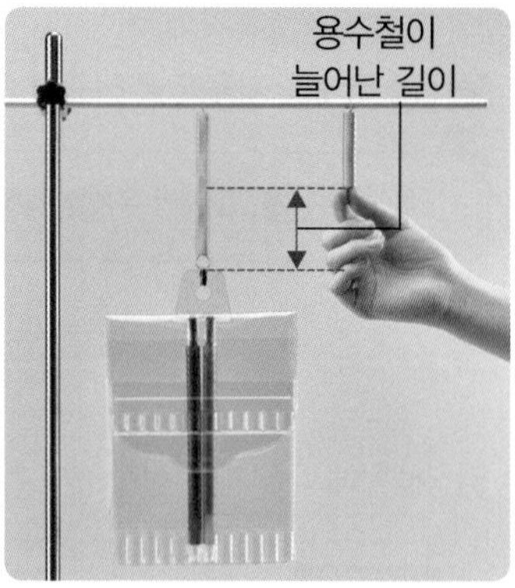
용수철이 늘어난 길이

도움말 색연필 통을 매단 용수철이 늘어난 길이만큼 다른 쪽 용수철을 손으로 잡아당겼을 때 손에 느껴지는 힘이 색연필 통의 무게입니다.

❹ 색연필 통에 색연필 6자루, 12자루를 넣고 과정 ❸을 반복해 봅시다.

❺ 색연필의 개수가 많아질수록 용수철을 잡아당기는 힘의 크기가 어떻게 달라지는지 이야기해 봅시다.

➲ 색연필이 6자루일 때보다 12자루일 때 잡아당기는 힘의 크기가 더 (☑ 커집니다, ☐ 작아집니다).

❻ 힘의 크기가 달라지는 까닭을 이야기해 봅시다.

➲ 색연필이 12자루일 때 지구가 색연필 통을 잡아당기는 힘의 크기가 더 (☑ 커지기, ☐ 작아지기) 때문입니다.

교과서 속 핵심 개념

- **무게** 지구가 물체를 끌어당기는 힘의 크기 도움①
- 용수철에 매단 물체가 무거울수록 용수철이 더 많이 늘어남. ➡ 물체의 무게가 무거울수록 지구가 물체를 끌어당기는 힘의 크기가 더 커지기 때문
- **무게를 나타내는 단위** g중(그램중), kg중(킬로그램중) 등 도움②

교과서 개념 확인 문제

도움 ① 무게

손에 쥐고 있던 작은 돌을 놓으면 아래로 떨어지고, 큰 돌을 놓아도 아래로 떨어집니다. 이러한 현상은 지구가 물체를 끌어당기는 힘 때문에 나타납니다. 크기가 작은 돌과 크기가 큰 돌을 손으로 들면 크기가 큰 돌이 작은 돌보다 무겁다는 것을 느낄 수 있습니다. 물체의 무거운 정도는 지구가 물체를 끌어당기는 힘의 크기로 알 수 있습니다. 지구가 물체를 끌어당기는 힘의 크기를 무게라고 합니다. 크기가 작은 돌과 크기가 큰 돌의 무거운 정도가 다른 까닭은 지구가 큰 돌을 작은 돌보다 더 세게 끌어당기기 때문입니다. 다르게 표현하면 지구가 큰 돌을 끌어당기는 힘의 크기가 작은 돌을 끌어당기는 크기보다 더 크다고 할 수 있습니다. 이것은 크기가 큰 돌이 크기가 작은 돌보다 무게가 무겁다고 표현할 수 있습니다.

지구가 돌을 세게 끌어당기나 보네. 너무 무거워.

▲ 돌의 무게

도움 ② 무게의 단위

일상생활에서는 무게의 단위를 g이나 kg으로 사용하기도 합니다. 예를 들어 몸무게를 말할 때 '35 kg중'이라고 말하지 않고 '35 kg'이라고 말합니다. 이처럼 일상생활에서 무게의 단위를 g이나 kg으로 사용하더라도 정확한 무게의 단위는 'g중', 'kg중'입니다.

스스로 확인해요

- **무게의 뜻을 설명할 수 있어요.**
  도움말 지구가 끌어당기는 힘의 크기와 관련지어 무게의 뜻을 설명합니다.
- **용수철을 잡아당겨 지구가 물체를 끌어당기는 힘의 크기를 느껴 보았어요.**
  도움말 용수철이 늘어난 길이가 길수록 용수철을 더 세게 잡아당겨야 함을 알고 용수철을 잡아당길 때 느껴지는 힘이 지구가 물체를 끌어당기는 힘의 크기임을 경험합니다.

1 **다음은 무게와 관련된 설명입니다. 옳은 것은 ○표시를, 옳지 않은 것은 ×표시를 해 봅시다.**

(1) 지구가 끌어당기는 힘의 크기를 무게라고 합니다. (　　)

(2) 물체가 무거울수록 지구가 물체를 끌어당기는 힘의 크기가 작아집니다. (　　)

(3) 물체의 무게를 나타내는 단위에는 g중(그램중), kg중(킬로그램중) 등이 있습니다. (　　)

2 **다음을 읽고, (　　) 안에 들어갈 알맞은 말에 ○표시를 해 봅시다.**

(1) 용수철에 색연필 6개를 매달았을 때보다 색연필 12개를 매달았을 때 용수철의 길이가 더 (많이 , 적게) 늘어납니다.

(2) 색연필 6개의 무게가 색연필 12개의 무게보다 더 (가볍습니다 , 무겁습니다).

3 **용수철에 색연필을 매다는 실험을 했을 때, 다음 중 용수철의 길이가 가장 많이 늘어나는 경우는 어느 것입니까? (　　　)**

① 용수철에 색연필 1개를 매달았을 경우
② 용수철에 색연필 2개를 매달았을 경우
③ 용수철에 색연필 3개를 매달았을 경우
④ 용수철에 색연필 4개를 매달았을 경우
⑤ 용수철에 색연필 5개를 매달았을 경우

4 무게에 따라 용수철이 늘어난 길이는?

과학 82~83쪽

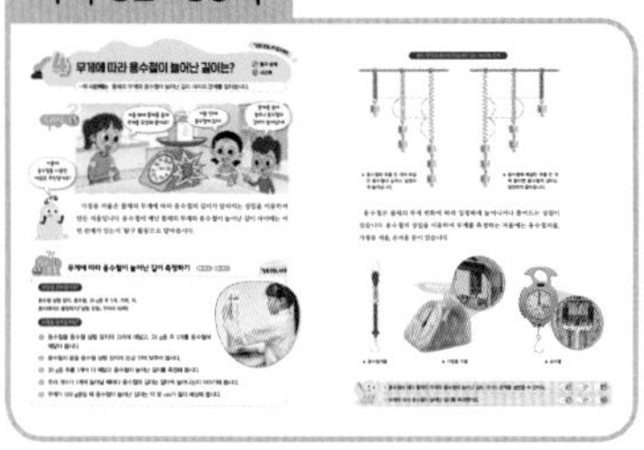

용수철의 성질

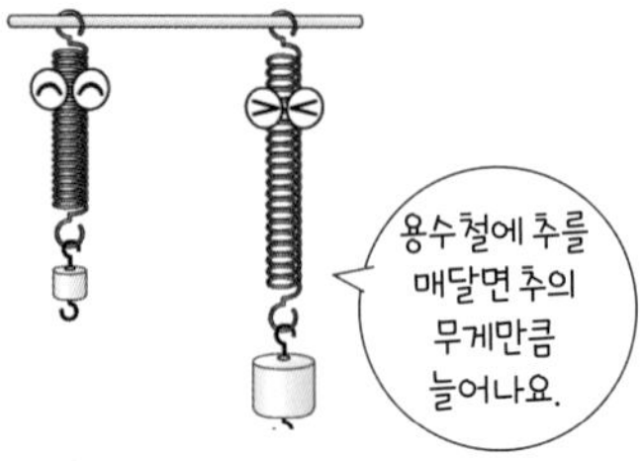

용수철에 추를 매달면 추의 무게만큼 늘어나요.

용수철에 매단 추의 무게가 일정하게 늘어날 때

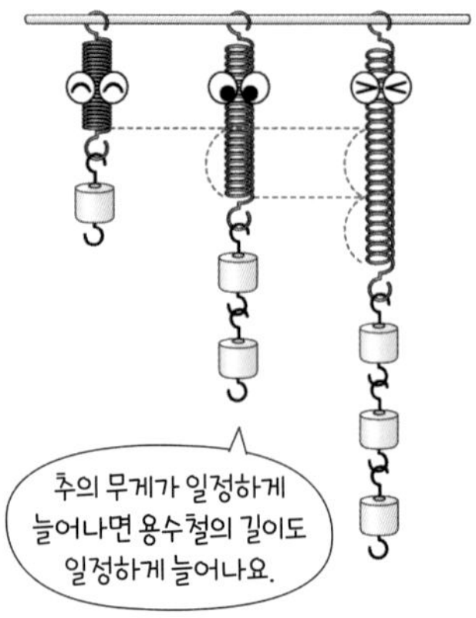

추의 무게가 일정하게 늘어나면 용수철의 길이도 일정하게 늘어나요.

용수철에 매단 추의 무게가 일정하게 줄어들 때

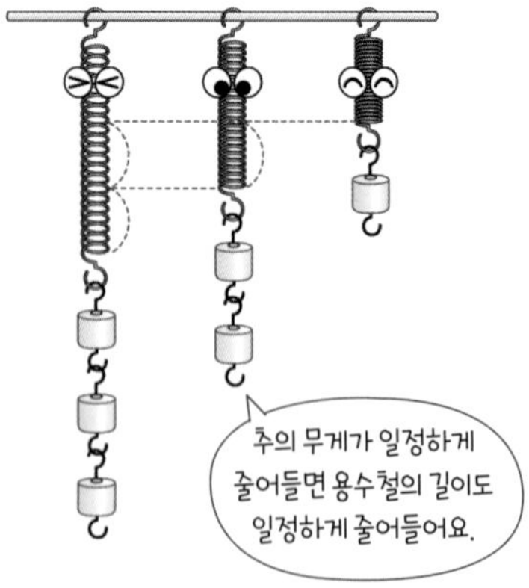

추의 무게가 일정하게 줄어들면 용수철의 길이도 일정하게 줄어들어요.

궁금해요

가정용 저울에 용수철을 사용한 까닭을 생각하면서 용수철의 성질을 알아봅시다.

질문 저울에 용수철을 사용한 까닭은 무엇일까요?

예시 답안 저울에 물체를 올려놓으면 물체의 무게에 따라 용수철이 늘어나는 길이가 달라집니다. 이렇게 용수철의 길이가 달라지는 정도에 따라 저울의 눈금이 이동할 수 있기 때문인 것 같습니다.

탐구 활동 무게에 따라 용수철이 늘어난 길이 측정하기

자세한 해설은 106~107쪽에 있어요.

- 무엇을 준비할까요?

용수철 실험 장치, 용수철, 20 g중 추 5개, 가위, 자, 종이테이프 붙임딱지(『실험 관찰』 꾸러미 80쪽)

- 과정을 알아볼까요?

❶ 용수철을 용수철 실험 장치의 고리에 매달고, 20 g중 추 1개를 용수철에 매달아 봅시다. 도움①

❷ 용수철의 끝을 용수철 실험 장치의 눈금 '0'에 맞추어 봅시다.

❸ 20 g중 추를 1개씩 더 매달고 용수철이 늘어난 길이를 측정해 봅시다.

❹ 추의 개수가 1개씩 늘어날 때마다 용수철의 길이는 얼마씩 늘어나는지 이야기해 봅시다. 도움②

❺ 무게가 100 g중일 때 용수철이 늘어난 길이는 약 몇 cm가 될지 예상해 봅시다.

- 관찰 내용 및 결과를 정리해요

➲ 용수철에 20 g중 추를 1개씩 매달면 용수철의 길이는 일정하게 늘어납니다.

교과서 속 핵심 개념

- **가정용 저울의 원리** 물체의 무게에 따라 용수철의 길이가 달라지는 성질을 이용함. 도움③
- **용수철의 성질** 용수철은 물체의 무게 변화에 따라 용수철이 일정하게 늘어나거나 줄어듦.
  - 용수철에 매단 물체의 무게가 일정하게 늘어나면 용수철의 길이도 일정하게 늘어남.
  - 용수철에 매단 물체의 무게가 일정하게 줄어들면 용수철의 길이도 일정하게 줄어듦.
- **용수철의 성질을 이용한 저울** 용수철저울, 가정용 저울, 손저울 등

도움 ① 20 g중 추 1개를 매달아 놓고 실험하는 까닭

추의 무게에 따라 용수철이 늘어나는 길이는 처음에는 일정하지 않다가 20 g중 추 1개를 매단 다음부터 일정하게 늘어납니다. 따라서 20 g중 추 1개를 매달아 놓고 실험을 시작해야 일정한 결과값을 얻을 수 있습니다.

도움 ② 용수철저울의 원리

용수철저울로 물체의 무게를 측정하는 것은 물체의 무게에 따라 용수철이 일정하게 늘어나거나 줄어드는 원리를 이용한 것입니다.

도움 ③ 가정용 저울로 무게를 측정하는 원리

가정용 저울의 접시 위에 물체를 올려놓으면 눈금판의 바늘이 회전하여 무게를 가리킵니다. 가정용 저울 내부에 용수철이 있는데, 물체를 올려놓으면 용수철이 늘어나고 늘어난 만큼 바늘이 회전합니다. 물체의 무게가 무거울수록 용수철이 더 많이 늘어나고 바늘도 더 많이 회전합니다.

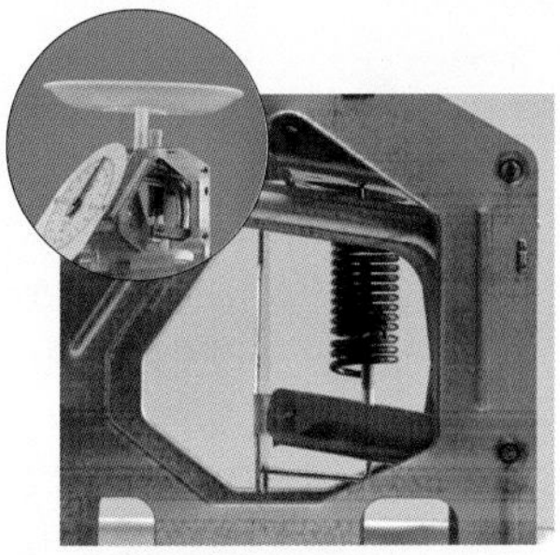
▲ 물체를 올리지 않았을 때

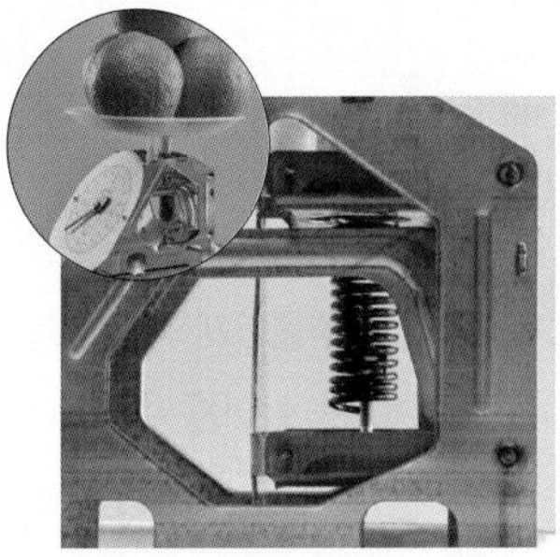
▲ 물체를 올렸을 때

스스로 확인해요

- **용수철에 매단 물체의 무게와 용수철이 늘어난 길이 사이의 관계를 설명할 수 있어요**

  도움말 용수철에 추를 1개씩 매달 때마다 용수철의 길이가 일정하게 늘어난다는 것을 설명합니다.

- **무게에 따라 용수철이 늘어난 길이를 측정했어요.**

  도움말 실험에서 추의 무게에 따라 용수철의 길이가 일정하게 늘어났는지 확인합니다.

교과서 개념 확인 문제

1 **다음은 용수철과 무게에 대한 설명입니다. 옳은 것은 ○표시를, 옳지 않은 것은 ×표시를 해 봅시다.**

(1) 용수철은 물체의 무게 변화에 따라 일정하게 늘어나거나 줄어드는 성질이 있습니다. (　　)

(2) 용수철의 성질을 이용한 저울에는 용수철저울, 가정용 저울, 손저울 등이 있습니다. (　　)

2 **용수철 실험 장치에 추를 1개 매달고 영점 조절 나사로 눈금 '0'을 맞추었습니다. 그 다음의 과정에 대한 설명에서 (　　) 안에 들어갈 알맞은 말에 ○표시를 해 봅시다.**

(1) 용수철에 추를 1개씩 매달면 용수철의 길이가 (일정하게 , 일정하지 않게) 늘어납니다.

(2) 용수철에 매달린 추를 1개씩 줄이면 용수철의 길이가 (일정하게 , 일정하지 않게) 줄어듭니다.

3 **오른쪽과 같은 가정용 저울의 접시 위에 물체를 올렸을 때 가정용 저울 안쪽의 용수철은 어떻게 될지 보기에서 골라 기호를 써 봅시다.**

보기

㉠ 용수철의 길이가 늘어납니다.
㉡ 용수철의 길이가 줄어듭니다.
㉢ 용수철의 길이가 변하지 않습니다.

(　　　　　　)

실험 관찰

측정 예상

실험 관찰 48~49쪽

4 무게에 따라 용수철이 늘어난 길이는?

탐구 활동 무게에 따라 용수철이 늘어난 길이 측정하기

탐구 활동 도움말

이 탐구 활동은 용수철에 20 g중 추를 1개씩 매달아 보면서 용수철이 늘어난 길이를 측정하고, 추의 무게가 100 g중일 때 용수철이 늘어난 길이를 예상해 보는 활동입니다.

도움말

용수철이 일정하게 늘어나게 하기 위해 20 g중 추 1개를 매달아 놓고 실험을 시작합니다.

도움말

용수철 실험 장치 뒤쪽에 영점을 조절할 수 있는 장치가 있습니다. 이 장치로 높낮이를 조절하여 용수철 실험 장치의 눈금 '0'에 용수철의 끝을 맞춥니다.

도움말

용수철에 미리 매달아 놓은 20 g중 추 1개를 제외하고, 20 g중 추 1개를 더 매달았을 때부터 용수철이 늘어난 길이를 종이테이프 붙임딱지에 표시합니다.

『실험 관찰』 꾸러미 77쪽 붙임딱지를 붙여요.

추를 떨어뜨리지 않도록 주의해요.

무엇을 준비할까요?

준비물에 ◯ 표시를 하면서 확인해 봅시다.

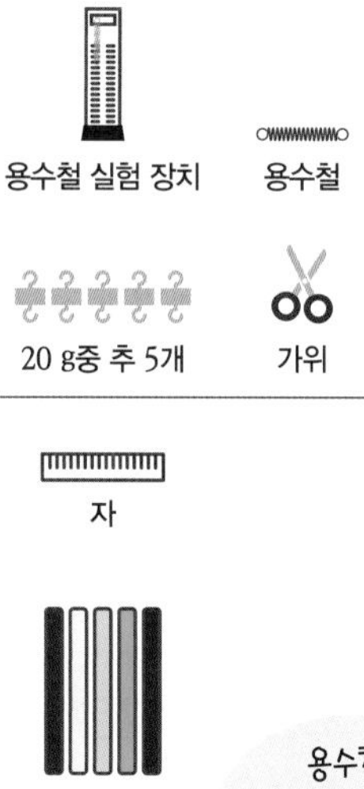

용수철 실험 장치, 용수철, 20 g중 추 5개, 가위, 자, 종이테이프 붙임딱지(『실험 관찰』 꾸러미 80쪽)

1 용수철을 용수철 실험 장치의 고리에 매달고, 20 g중 추 1개를 용수철에 매달아 봅시다.

처음에는 용수철이 잘 늘어나지 않기 때문에 추를 1개 매달아 놓고 실험을 시작해요.

2 용수철의 끝을 용수철 실험 장치의 눈금 '0'에 맞추어 봅시다.

실험 장치 뒤쪽에 있는 나사를 위아래로 조절하여 눈금 '0'에 맞추어요.

3 20 g중 추를 1개씩 더 매달고 용수철이 늘어난 길이를 측정해 봅시다.

❶ 20 g중 추를 1개 더 매달고 용수철이 늘어난 길이를 붙임딱지에 표시한 다음 가위로 자릅니다.

용수철이 흔들리지 않을 때까지 충분히 기다린 다음 용수철이 늘어난 길이를 붙임딱지에 표시해 보아요.

붙임딱지의 끝을 눈금 '0'에 반듯하게 맞추어요.

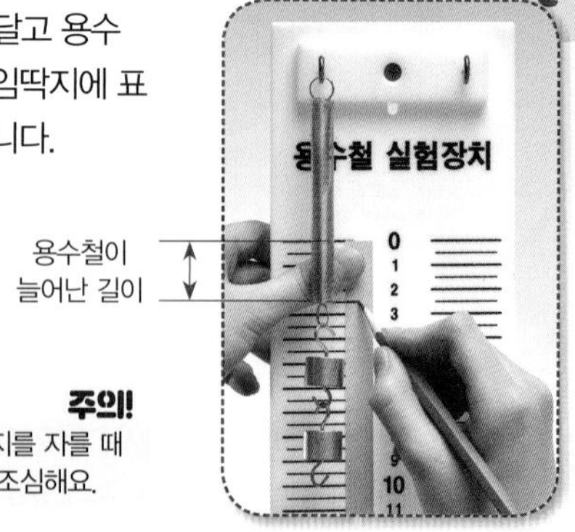

주의! 가위로 붙임딱지를 자를 때 다치지 않도록 조심해요.

❷ 자른 붙임딱지를 아래 표에 붙이고 용수철이 늘어난 길이를 써 봅시다.

예시 답안

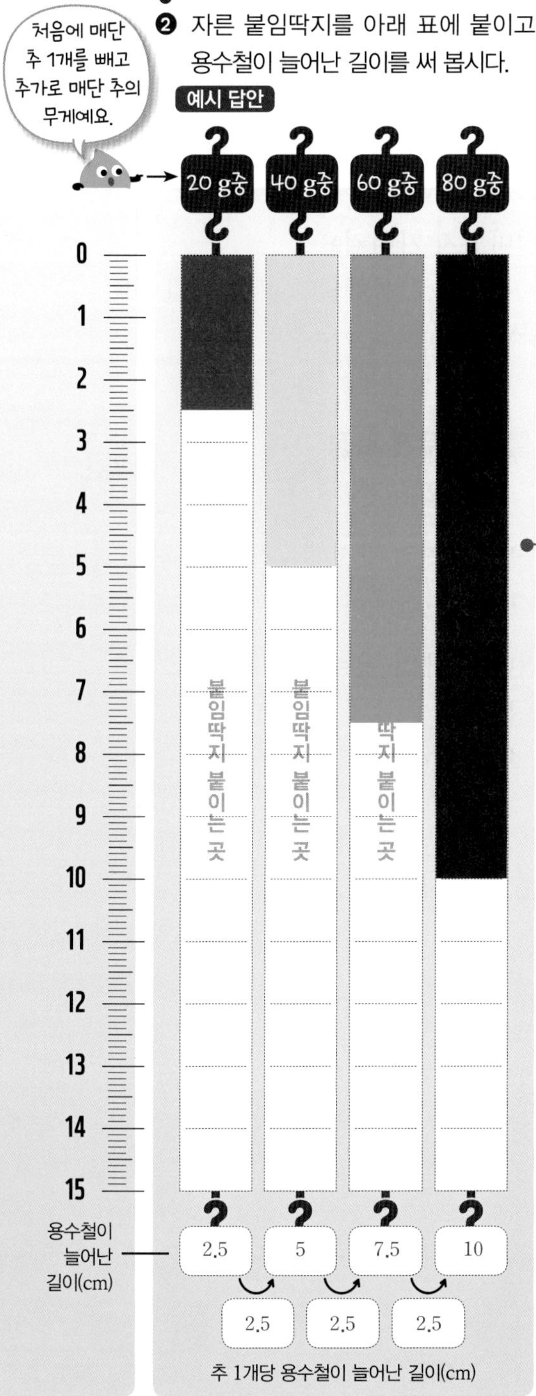

❸ 추의 개수를 1개씩 늘려 가며 과정 ❶~❷를 반복하고, 추 1개당 용수철이 늘어난 길이를 자로 측정하여 써 봅시다.

4 추의 개수가 1개씩 늘어날 때마다 용수철의 길이는 얼마씩 늘어나는지 이야기해 봅시다.

예시 답안

약 [2.5] cm씩 늘어납니다.

5 무게가 100 g중일 때 용수철이 늘어난 길이는 약 몇 cm가 될지 예상해 봅시다.

예시 답안

약 [12.5] cm가 될 것으로 예상됩니다.

이렇게 ○○ 정리해요

추의 무게와 용수철이 늘어난 길이 사이에는 어떤 관계가 있는지 정리해 봅시다.

용수철에 매단 물체의 무게가 일정하게 늘어나면 용수철의 길이도 [일정하게] 늘어납니다.

보충해설

용수철에 가장 처음 매단 20 g중 추 1개는 용수철이 일정하게 늘어나도록 매달아 놓은 것입니다. 따라서 표의 20 g중은 20 g중 추를 1개 더 매달았을 때의 무게입니다.

도움말

추 1개당 용수철이 늘어난 길이는 붙임딱지의 사이 간격을 직접 자로 측정하여 알 수 있습니다.

보충해설

붙인 종이테이프 사이의 간격을 자로 측정하여 일정하게 늘어나는 변화를 확인합니다. 이를 통해 무게가 100 g중일 때 용수철이 늘어난 길이를 예상할 수 있습니다.

5 용수철저울로 무게를 측정해 보아요

과학 84~85쪽

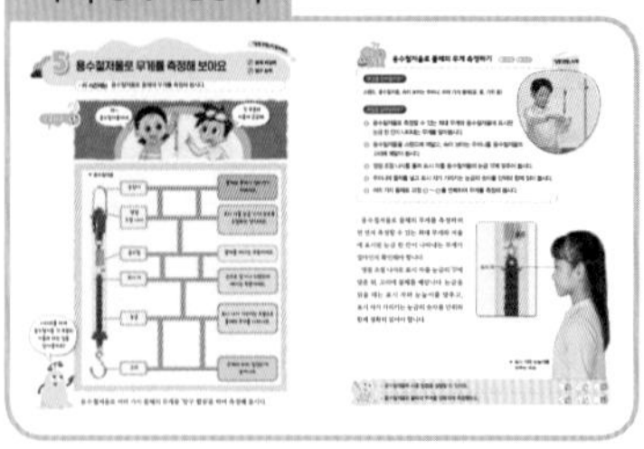

➲ 용수철저울로 물체의 무게 측정하기

영점 조절 나사로 영점을 맞추어요.
주머니에 공을 넣고 용수철저울의 눈금을 읽어 보아요.

➲ 용수철저울의 눈금 읽는 방법

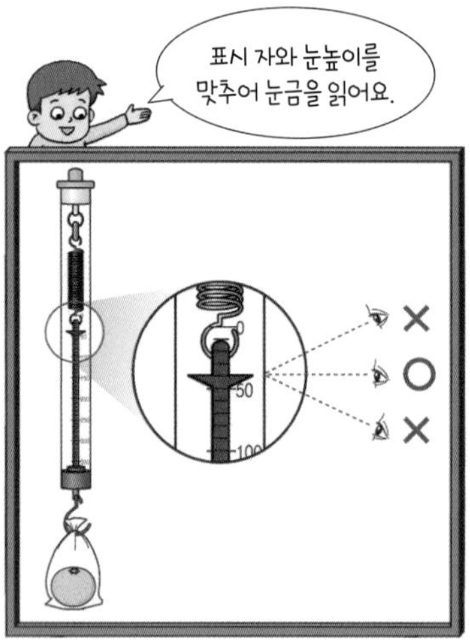

표시 자와 눈높이를 맞추어 눈금을 읽어요.
50
100

궁금해요

용수철저울 각 부분의 이름과 하는 일을 알아봅시다. 도움①

질문 사다리를 타며 용수철저울 각 부분의 이름과 하는 일을 알아볼까요?

예시 답안
- 손잡이: 손으로 잡거나 스탠드에 매다는 부분이에요.
- 영점 조절 나사: 표시 자를 눈금 '0'에 오도록 조절하는 장치예요.
- 용수철: 무게에 따라 일정하게 늘어나요.
- 표시 자: 물체의 무게가 얼마인지 가리켜요.
- 눈금: 표시 자가 가리키는 부분으로 물체의 무게를 나타내요.
- 고리: 물체를 매다는 부분이에요.

탐구 활동 용수철저울로 물체의 무게 측정하기

자세한 해설은 110~111쪽에 있어요.

● **무엇을 준비할까요?**

스탠드, 용수철저울, 속이 보이는 주머니, 여러 가지 물체(공, 풀, 가위 등)

● **과정을 알아볼까요?**

❶ 용수철저울로 측정할 수 있는 최대 무게와 용수철저울에 표시된 눈금 한 칸이 나타내는 무게를 알아봅시다.

❷ 용수철저울을 스탠드에 매달고, 속이 보이는 주머니를 용수철저울의 고리에 매달아 봅시다.

❸ 영점 조절 나사를 돌려 표시 자를 용수철저울의 눈금 '0'에 맞추어 봅시다.

❹ 주머니에 물체를 넣고 표시 자가 가리키는 눈금의 숫자를 단위와 함께 읽어 봅시다.

❺ 여러 가지 물체로 과정 ❸~❹를 반복하여 무게를 측정해 봅시다.

● **관찰 내용 및 결과를 정리해요**

➲ 용수철저울의 영점 조절 나사를 이용하여 표시 자를 눈금 '0'에 맞춥니다. 물체를 고리에 매단 다음, 표시 자가 가리키는 눈금의 숫자를 단위와 함께 읽습니다.

교과서 속 핵심 개념

● **용수철저울로 물체의 무게를 측정하는 방법** 도움②

① 용수철저울로 측정할 수 있는 최대 무게와 저울에 표시된 눈금 한 칸이 나타내는 무게 확인하기
② 용수철저울을 스탠드에 매달기
③ 영점 조절 나사를 돌려 표시 자를 용수철저울의 눈금 '0'에 맞추기
④ 용수철저울의 고리에 물체 매달기
⑤ 표시 자와 눈높이를 맞추고, 표시 자가 가리키는 눈금의 숫자를 단위와 함께 읽기

교과서 개념 확인 문제

도움 ① 용수철저울 각 부분의 이름과 하는 일

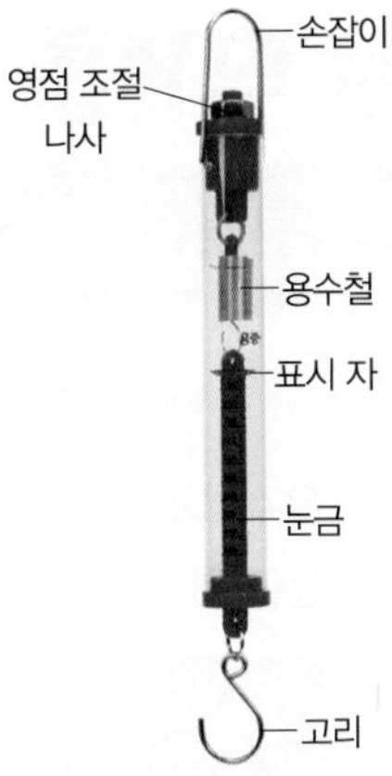

▲ 용수철저울

- **손잡이:** 손으로 잡거나 스탠드에 매다는 부분입니다.
- **영점 조절 나사:** 물체의 무게를 측정하기 전에 표시 자를 용수철저울의 눈금 '0'에 위치하도록 조절하는 나사입니다.
- **용수철:** 물체의 무게에 따라 일정하게 늘어나는 성질이 있어 용수철의 길이 변화로 무게를 알려 줍니다.
- **표시 자:** 물체의 무게를 가리키는 부분입니다.
- **눈금:** 물체를 매달았을 때 표시 자가 가리키는 부분으로 물체의 무게를 나타냅니다.
- **고리:** 물체를 매다는 부분입니다.

도움 ② 용수철저울을 사용할 때 주의할 점

- **영점 조절 나사:** 물체의 무게를 측정하기 전에 먼저 영점 조절 나사를 돌려 표시 자가 용수철저울의 눈금 '0'에 오도록 맞추어야 합니다. 영점 조절 나사를 너무 많이 돌리면 고장 나기 때문에 영점 조절 나사를 조금씩 돌려 사용해야 합니다.
- **측정할 수 있는 무게 범위:** 용수철저울은 측정할 수 있는 무게의 범위가 정해져 있습니다. 물체의 무게를 측정하기 전에 눈금을 보고 미리 최대 무게를 확인합니다. 고리에 너무 무거운 물체를 매달면 저울의 눈금을 벗어나 무게를 측정할 수 없습니다. 또 너무 가벼운 물체를 매달면 눈금의 변화가 너무 작아 무게를 측정하기 어렵습니다.

스스로 확인해요

- **용수철저울의 사용 방법을 설명할 수 있어요.**
  도움말 용수철저울의 사용 방법을 순서대로 설명합니다.
- **용수철저울로 물체의 무게를 정확하게 측정했어요.**
  도움말 무게를 측정하여 눈금의 숫자와 단위를 정확하게 말합니다.

1 다음은 용수철저울에 대한 설명입니다. 옳은 것은 ○표시를, 옳지 않은 것은 ×표시를 해 봅시다.

(1) 용수철저울은 무게에 따라 용수철이 일정하게 늘어나는 성질을 이용한 저울입니다. (　　)

(2) 용수철저울로 물체의 무게를 측정하기 전에 용수철저울의 영점 조절 나사를 이용하여 표시 자를 눈금 '1'에 맞춥니다. (　　)

(3) 용수철저울의 눈금을 보려면 표시 자와 눈높이를 맞춰야 합니다. (　　)

2 다음의 용수철저울 각 부분과 하는 일을 선으로 연결해 봅시다.

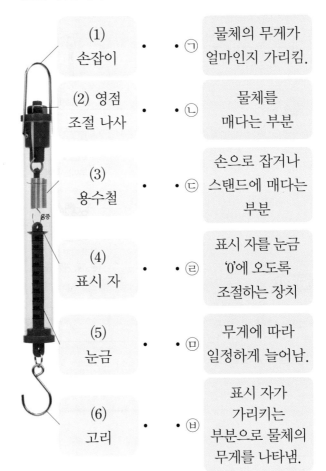

(1) 손잡이	• • ㉠	물체의 무게가 얼마인지 가리킴.
(2) 영점 조절 나사	• • ㉡	물체를 매다는 부분
(3) 용수철	• • ㉢	손으로 잡거나 스탠드에 매다는 부분
(4) 표시 자	• • ㉣	표시 자를 눈금 '0'에 오도록 조절하는 장치
(5) 눈금	• • ㉤	무게에 따라 일정하게 늘어남.
(6) 고리	• • ㉥	표시 자가 가리키는 부분으로 물체의 무게를 나타냄.

실험 관찰

관찰 측정

실험 관찰 50~51쪽

5 용수철저울로 무게를 측정해 보아요

탐구 활동 용수철저울로 물체의 무게 측정하기

탐구 활동 도움말

이 탐구 활동은 용수철저울 각 부분의 이름과 사용 방법을 익힌 다음, 용수철저울로 물체의 무게를 정확하게 측정해 보는 활동입니다.

보충해설

용수철저울로 측정할 수 있는 최대 무게와 큰 눈금, 작은 눈금 한 칸이 각각 나타내는 무게가 얼마인지 미리 확인합니다.

도움말

용수철저울의 고리에 직접 매달 수 있는 물체인 경우에는 주머니를 용수철저울에 매다는 단계를 생략할 수 있습니다.

도움말

주머니 가운데에 구멍을 뚫어 용수철저울의 고리에 매답니다. 주머니 가운데에 구멍을 뚫을 때 가위나 펀치를 이용하면 편리합니다.

도움말

주머니를 고리에 먼저 매달아 고정한 다음, 영점 조절 나사를 돌려 표시 자를 용수철저울의 눈금 '0'에 맞춥니다.

『실험 관찰』 꾸러미 77쪽 붙임딱지를 붙여요.

용수철저울로 장난치지 않아요.

무엇을 준비할까요?

준비물에 ○ 표시를 하면서 확인해 봅시다.

스탠드

용수철저울

속이 보이는 주머니

여러 가지 물체 (공, 풀, 가위 등)

1 용수철저울로 측정할 수 있는 최대 무게와 용수철저울에 표시된 눈금 한 칸이 나타내는 무게를 알아봅시다.

예시 답안

용수철저울로 [500] g중까지 측정할 수 있어요.

큰 눈금 한 칸은 [50] g중, 작은 눈금 한 칸은 [10] g중을 나타내요.

2 용수철저울을 스탠드에 매달고, 속이 보이는 주머니를 용수철저울의 고리에 매달아 봅시다.

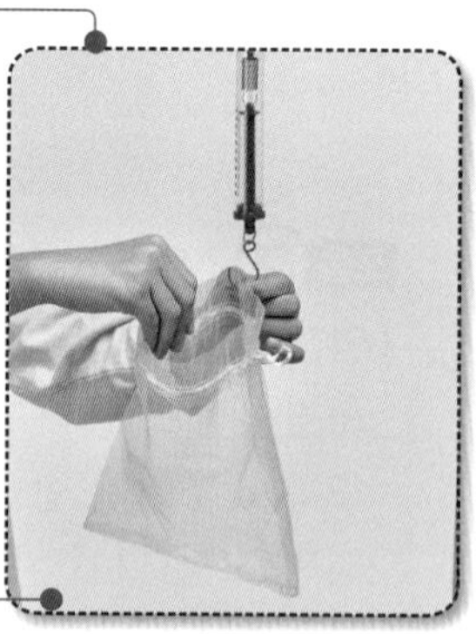

3 영점 조절 나사를 돌려 표시 자를 용수철저울의 눈금 '0'에 맞추어 봅시다.

4 주머니에 물체를 넣고 표시 자가 가리키는 눈금의 숫자를 단위와 함께 읽어 봅시다.

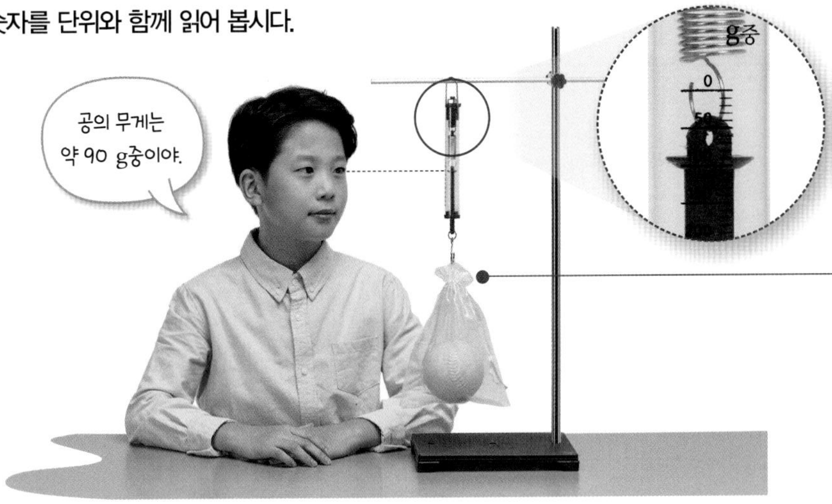

도움말
주머니에 물체를 넣고 양쪽 끈을 당겨 입구를 좁게 한 다음 물체의 무게를 측정합니다.

5 여러 가지 물체로 과정 3 ~ 4를 반복하여 무게를 측정해 봅시다.

예시 답안

물체의 이름	측정한 무게(g중)
공	약 90 g중
풀	약 65 g중
가위	약 40 g중
형광펜	약 35 g중

이렇게 ○○ 정리해요

용수철저울로 물체의 무게를 측정하는 방법을 설명해 봅시다.

용수철저울의 [영점 조절 나사]을/를 이용하여 표시 자를 눈금 '0'에 맞춥니다. 물체를 고리에 매단 다음, 표시 자가 가리키는 눈금의 숫자를 [단위]와/과 함께 읽습니다.

6 수평을 잡아 보아요

과학 86~87쪽

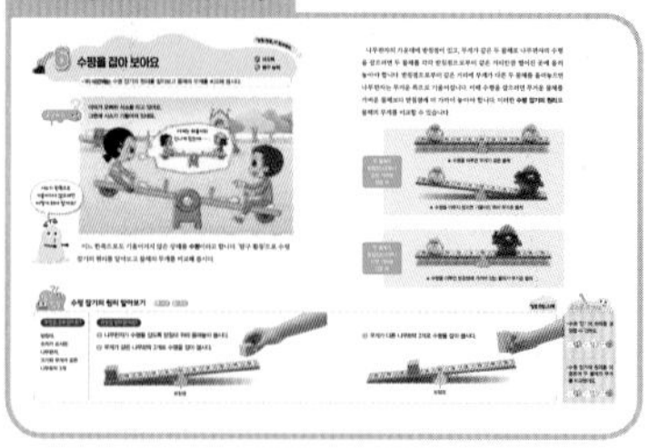

궁금해요

시소를 탈 때 수평을 잡는 방법을 생각해 봅시다.

질문 시소가 한쪽으로 기울어지지 않으려면 어떻게 해야 할까요?

예시 답안
- 아띠의 오빠가 한 칸 앞으로 이동하여 앉습니다.
- 아띠가 가방을 메고 같은 자리에 앉습니다.

몸무게가 같을 때 시소에서 수평 잡기

우리는 몸무게가 같으니까 받침점에서 똑같은 거리만큼 떨어져 앉아야 해.

몸무게가 다를 때 시소에서 수평 잡기

제가 더 가벼우니까 제가 선생님보다 받침점에서 더 멀리 앉아야 하죠?
그렇지! 내가 더 무거우니까 나는 너보다 받침점에 더 가까이 앉아야 하지.

탐구 활동 수평 잡기의 원리 알아보기

자세한 해설은 114~115쪽에 있어요.

- **무엇을 준비할까요?**

받침대, 숫자가 표시된 나무판자, 크기와 무게가 같은 나무토막 3개

- **과정을 알아볼까요?**

❶ 나무판자가 수평을 잡도록 받침대 위에 올려놓아 봅시다.
❷ 무게가 같은 나무토막 2개로 수평을 잡아 봅시다.
❸ 무게가 다른 나무토막 2개로 수평을 잡아 봅시다.

- **관찰 내용 및 결과를 정리해요**

➲ 무게가 같은 두 물체의 경우, 두 물체를 각각 받침점으로부터 같은 거리만큼 떨어진 곳에 올려놓아야 수평을 잡습니다.

➲ 무게가 다른 두 물체의 경우, 무거운 물체를 가벼운 물체보다 받침점에 더 가까이 올려놓아야 수평을 잡습니다.

교과서 속 핵심 개념

- **수평** 어느 한쪽으로도 기울어지지 않은 상태
- **수평 잡기의 원리** 도움① 도움② 도움③
  - 무게가 같은 두 물체로 수평 잡기: 두 물체를 각각 받침점으로부터 같은 거리만큼 떨어진 곳에 올려놓아야 함.

  - 무게가 다른 두 물체로 수평 잡기: 무거운 물체를 가벼운 물체보다 받침점에 더 가까이 놓아야 함.

정답과 해설 4쪽

교과서 개념 확인 문제

도움 1 수평 잡기의 원리로 물체의 무게 비교하기

- 비교하려는 물체를 받침점으로부터 각각 같은 거리의 나무판자 위에 놓았을 때, 기울어진 쪽에 있는 물체가 더 무겁습니다.
- 두 물체가 받침점으로부터 같은 거리에 있을 때 수평을 이루면 두 물체의 무게는 같습니다. 두 물체가 받침점으로부터 다른 거리에 있을 때 수평을 이루면 받침점에 더 가까이 있는 물체가 더 무겁습니다.

도움 2 모빌

모빌은 가느다란 실, 철사 등으로 여러 가지 모양의 쇳조각이나 나무 조각을 매달아 균형을 이루게 하여 만든 공예품을 말합니다. 모빌에 물체를 매달고 물체의 무게와 받침점까지의 거리를 조절하면 수평을 맞출 수 있습니다.

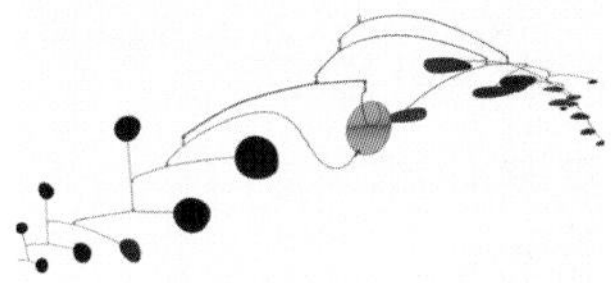
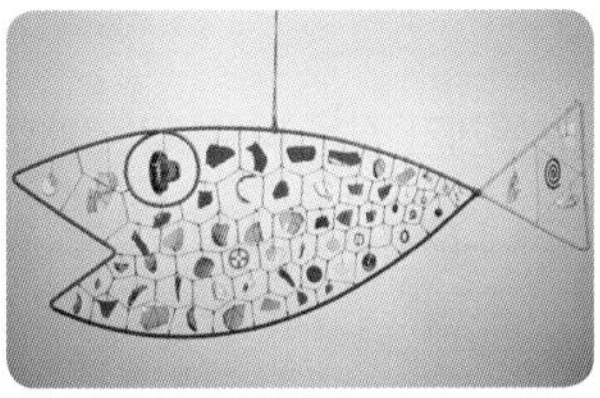

▲ 여러 가지 모빌

도움 3 줄타기

줄광대가 외줄을 탈 때 양손을 접었다 폈다 반복하거나 부채를 이리저리 움직이는 것을 볼 수 있습니다. 줄광대가 이렇게 행동하는 까닭은 몸의 수평을 잡기 위해서입니다.

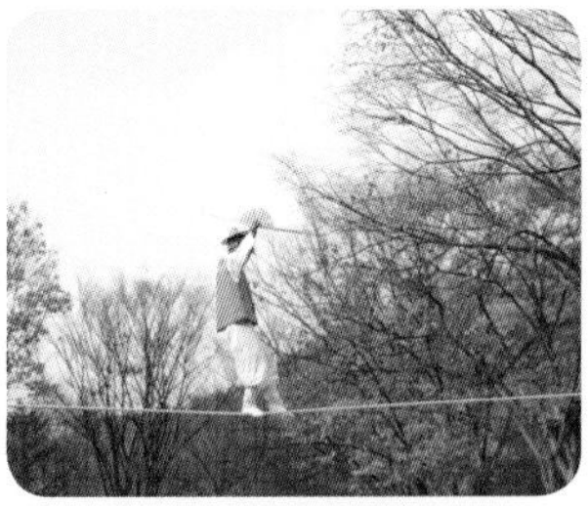

▲ 한 손에 부채를 들고 줄 위를 걷는 줄광대

스스로 확인해요

- **수평 잡기의 원리를 설명할 수 있어요.**
  도움말 무게가 같은 두 물체와 무게가 다른 두 물체를 받침점으로부터 어떤 거리에 놓으면 수평이 되는지 설명합니다.
- **수평 잡기의 원리를 이용하여 두 물체의 무게를 비교했어요.**
  도움말 받침점과 물체 사이의 거리에 따라 두 물체 중 어떤 물체가 더 무거운지를 비교합니다.

1 다음은 수평 잡기에 대한 설명입니다. 옳은 것은 ○표시를, 옳지 않은 것은 ×표시를 해 봅시다.

(가)

(나)

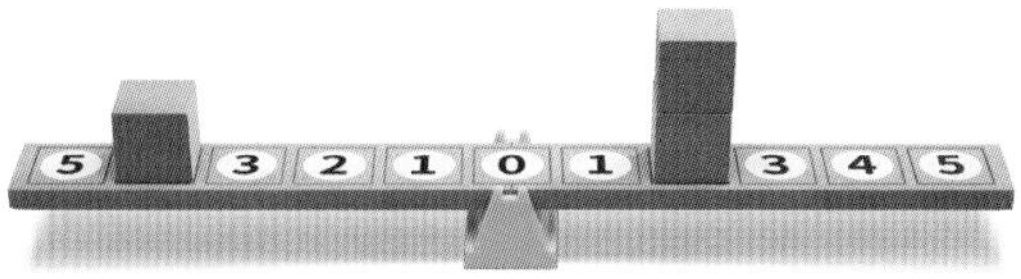

(1) 수평이란 어느 한쪽으로도 기울어지지 않는 상태를 말합니다. (　　)

(2) (가)의 경우 두 물체의 무게가 같습니다. (　　)

(3) (가)의 경우 받침점으로부터 두 물체의 떨어진 거리가 다릅니다. (　　)

(4) (나)의 경우처럼 무게가 다른 물체의 수평을 잡으려면 무거운 물체를 가벼운 물체보다 받침점에서 더 멀리 놓아야 합니다. (　　)

(5) 시소를 탈 때 무거운 사람이 받침점에 더 가까이 앉아야 수평을 잡을 수 있습니다. (　　)

2 다음과 같이 나무토막 1개를 나무판자 위에 두었습니다. 무게가 같은 나무토막 1개를 어느 위치에 올려놓아야 수평을 잡을 수 있을지 써 봅시다.

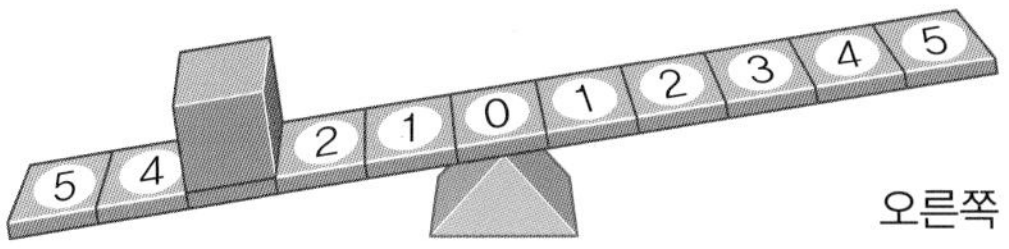

(　　　)쪽, (　　　)번

측정 추리

실험 관찰 52~53쪽

6 수평을 잡아 보아요

탐구 활동 수평 잡기의 원리 알아보기

탐구 활동 도움말

이 탐구 활동은 무게가 같은 나무토막 2개와 무게가 다른 나무토막 2개를 나무판자에 올려 수평을 잡아 보면서 수평 잡기의 원리를 알아보는 활동입니다.

도움말

책상 위 평평한 곳에 받침대를 올려놓고 실험합니다.

『실험 관찰』 꾸러미 77쪽 붙임딱지를 붙여요.

나무토막으로 장난치지 않아요.

무엇을 준비할까요?

준비물에 ○ 표시를 하면서 확인해 봅시다.

받침대

5 4 3 2 1 0 1 2 3 4 5

숫자가 표시된 나무판자

크기와 무게가 같은 나무토막 3개

1 나무판자가 수평을 잡도록 받침대 위에 올려놓아 봅시다.

나무판자가 수평을 잡으려면 받침대가 나무판자의 [가운데]에 오도록 놓아야 합니다.

2 무게가 같은 나무토막 2개로 수평을 잡아 봅시다.

- 나무판자가 수평을 잡는 위치를 찾아 표에 써 봅시다.

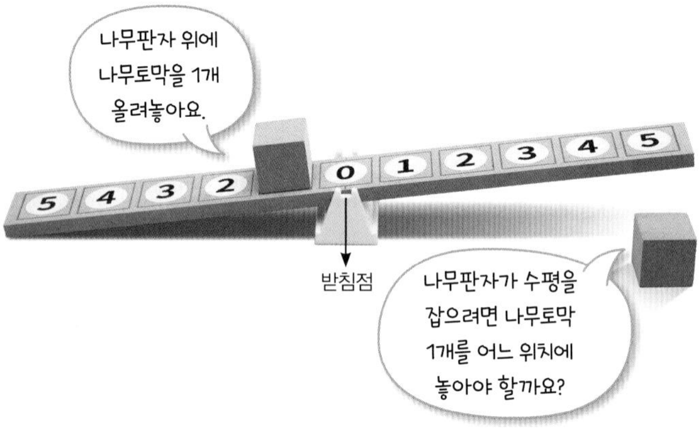
나무판자 위에 나무토막을 1개 올려놓아요.
5 4 3 2
0 1 2 3 4 5
받침점
나무판자가 수평을 잡으려면 나무토막 1개를 어느 위치에 놓아야 할까요?

받침점의 왼쪽 (나무토막 1개)	①	②	③	④	⑤
받침점의 오른쪽 (나무토막 1개)	①	②	③	④	⑤

무게가 같은 두 물체로 수평을 잡으려면 각각의 물체를 받침점으로부터 (☑같은, ☐다른) 거리에 놓아야 합니다.

3 무게가 다른 나무토막 2개로 수평을 잡아 봅시다.

● 나무판자가 수평을 잡는 위치를 찾아 표에 써 봅시다.

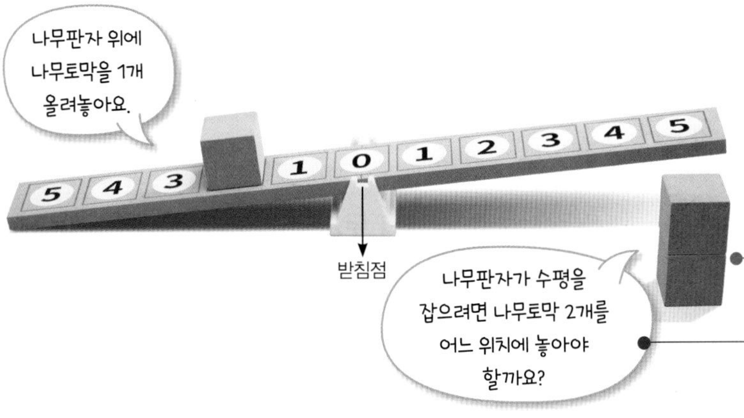
나무판자 위에 나무토막을 1개 올려놓아요.
5 4 3 1 0 1 2 3 4 5
받침점
나무판자가 수평을 잡으려면 나무토막 2개를 어느 위치에 놓아야 할까요?

받침점의 왼쪽 (나무토막 1개)	②	④
받침점의 오른쪽 (나무토막 2개)	①	②

무게가 다른 두 물체로 수평을 잡으려면 무거운 물체를 받침점에 더 (✔ 가까이, ☐ 멀리) 놓아야 합니다.

도움말

나무토막 2개를 테이프로 붙여 무거운 나무토막을 만들 수 있습니다. 이때 테이프를 많이 사용하면 무게에 영향을 줄 수 있기 때문에 많은 양을 사용하지 않도록 주의합니다.

보충해설

- 가벼운 나무토막을 받침점의 왼쪽 ②번에 놓고, 무거운 나무토막을 받침점의 오른쪽 ②번에 놓으면 오른쪽으로 기울어집니다.
- 무거운 나무토막을 앞뒤로 움직여 수평을 잡는 위치를 찾아봅시다.
- 무거운 나무토막을 앞쪽으로 이동하여 ①번 위치에 놓으면 수평을 잡을 수 있습니다.

이렇게 OO 정리해요

수평 잡기의 원리를 이용하여 물체의 무게를 비교해 봅시다.

5 3 2 1 0 1 2 3 5

나무판자가 수평을 잡았을 때 받침점으로부터 같은 거리에 있으므로 두 물체의 무게는 (✔ 같습니다, ☐ 다릅니다).

5 3 2 1 0 1 3 4 5

나무판자가 수평을 잡았을 때 받침점에 더 (✔ 가까이, ☐ 멀리) 있는 물체가 무거운 물체이므로 받침점의 (✔ 오른쪽, ☐ 왼쪽)에 있는 물체가 더 무겁습니다.

보충해설

수평 잡기의 원리를 이용하여 나무판자가 수평을 잡았을 때 받침점에서 물체까지의 거리의 차이를 보고 어떤 물체가 더 무거운지 비교할 수 있습니다.

7 양팔저울로 무게를 비교해 보아요

과학 88~89쪽

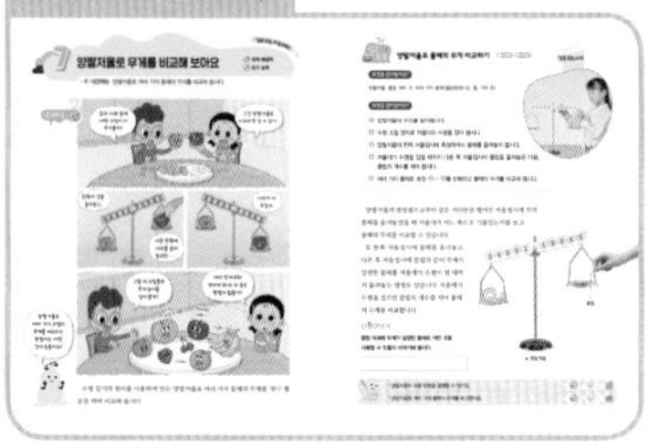

➡ 양팔저울의 구조

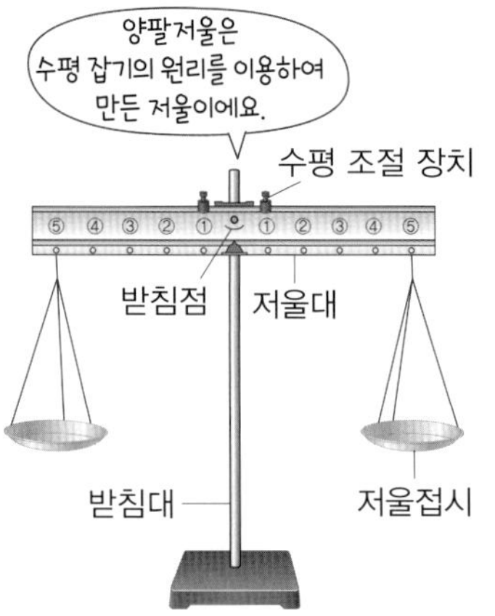
양팔저울은 수평 잡기의 원리를 이용하여 만든 저울이에요.
수평 조절 장치
⑤ ④ ③ ② ① ① ② ③ ④ ⑤
받침점
저울대
받침대
저울접시

➡ 양팔저울로 물체의 무게 비교하기(1)

⑤ ④ ③ ② ① ① ② ③ ④ ⑤
내가 더 가볍네.
내가 더 무거워.

➡ 양팔저울로 물체의 무게 비교하기(2)

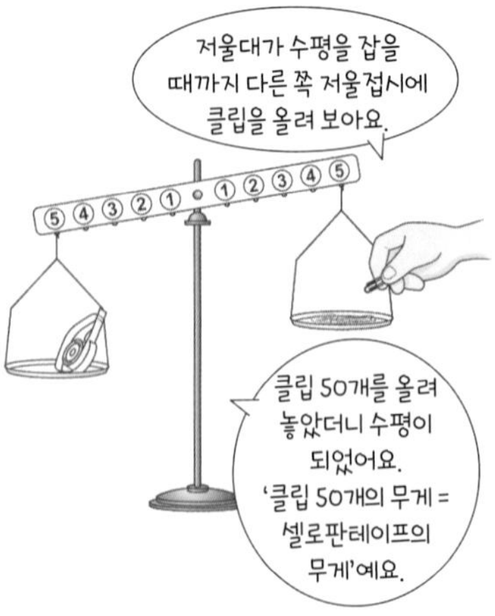
저울대가 수평을 잡을 때까지 다른 쪽 저울접시에 클립을 올려 보아요.
⑤ ④ ③ ② ① ① ② ③ ④ ⑤
클립 50개를 올려놓았더니 수평이 되었어요. '클립 50개의 무게 = 셀로판테이프의 무게'예요.

궁금해요

양팔저울로 여러 가지 물체의 무게를 비교하는 방법을 생각해 봅시다.

질문 양팔저울로 여러 가지 과일의 무게를 비교하는 방법에는 어떤 것이 있을까요?

예시 답안 한쪽 저울접시에 물체를 올려놓고, 양팔저울이 수평을 잡을 때까지 다른 쪽 저울접시에 무게가 같은 클립이나 동전을 계속 올려놓고 비교하는 방법이 있을 것 같습니다.

탐구 활동 양팔저울로 물체의 무게 비교하기

자세한 해설은 118~119쪽에 있어요.

- **무엇을 준비할까요?**

양팔저울, 클립 여러 개, 여러 가지 물체(셀로판테이프, 풀, 가위 등)

- **과정을 알아볼까요?**

❶ 양팔저울의 구조를 알아봅시다.
❷ 수평 조절 장치로 저울대의 수평을 잡아 봅시다.
❸ 양팔저울의 한쪽 저울접시에 측정하려는 물체를 올려놓아 봅시다.
❹ 저울대가 수평을 잡을 때까지 다른 쪽 저울접시에 클립을 올려놓은 다음, 클립의 개수를 세어 봅시다.
❺ 여러 가지 물체로 과정 ❷~❹를 반복하고 물체의 무게를 비교해 봅시다.

- **관찰 내용 및 결과를 정리해요**

➡ 저울대가 수평을 잡을 때까지 올려놓은 클립의 개수가 많을수록 무거운 물체입니다.

더 알아보기

클립 이외에 무게가 일정한 물체로 어떤 것을 사용할 수 있을지 이야기해 봅시다.

예시 답안 동전, 바둑돌, 못, 주사위, 단추, 블록, 구슬 등 도움①

교과서 속 핵심 개념

- **양팔저울로 물체의 무게를 비교하는 방법** 도움②
  - 양팔저울의 받침점으로부터 같은 거리만큼 떨어진 저울접시에 각각 물체를 올려놓았을 때 저울대가 어느 쪽으로 기울었는지를 보고 비교함.
  - 한쪽 저울접시에 물체를 올려놓고, 다른 쪽 저울접시에 클립과 같이 무게가 일정한 물체를 저울대가 수평이 될 때까지 올려놓은 다음, 클립의 개수를 세어 비교함.

정답과 해설 4쪽

도움 ① 클립 대신 사용할 수 있는 물체

▲ 금액이 같은 동전

▲ 크기와 무게가 같은 단추

▲ 크기와 무게가 같은 나무 블록

도움 ② 양팔저울로 물체의 무게를 비교하는 방법

(1) 물체 두 개의 무게를 직접 비교하는 방법

❶ 양팔저울의 받침점으로부터 같은 거리만큼 떨어진 곳에 저울접시를 매답니다.
❷ 각각의 저울접시에 물체를 올려놓습니다.
❸ 저울대가 기울어진 쪽이 무거운 물체입니다.

- 장점: 무게를 간단하게 비교할 수 있습니다.
- 단점: 각 물체의 무게가 얼마나 차이 나는지 알 수 없습니다.

(2) 수평 잡기의 원리를 이용하여 비교하는 방법

❶ 한쪽 저울접시에 물체를 올려놓습니다.
❷ 다른 쪽 저울접시에 클립과 같이 무게가 일정한 물체를 저울대가 수평을 잡을 때까지 올려놓습니다.
❸ 양팔저울이 수평을 잡으면 클립의 개수를 세어 물체의 무게를 비교합니다.

- 장점: 각 물체의 무게를 정확하게 측정할 수 있고, 클립의 개수를 세어 물체의 무게를 비교할 수 있습니다.
- 단점: 무게가 일정한 물체가 측정하려는 물체에 비해 매우 가벼울 경우 무게가 일정한 물체를 많이 사용해야 하는 번거로움이 있습니다.

스스로 확인해요

- **양팔저울의 사용 방법을 설명할 수 있어요.**
  도움말 양팔저울의 사용 방법을 순서대로 설명합니다.
- **양팔저울로 여러 가지 물체의 무게를 비교했어요.**
  도움말 수평 잡기의 원리를 이용하여 물체의 무게를 비교합니다.

교과서 개념 확인 문제

1 **다음은 양팔저울의 구조입니다. 빈칸에 들어갈 각 부분의 이름을 보기 에서 골라 써 봅시다.**

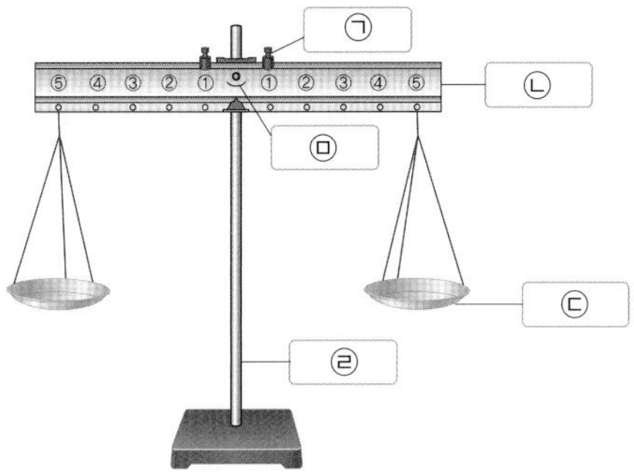

보기
받침점, 받침대, 저울접시, 저울대, 수평 조절 장치

㉠ (　　　) ㉡ (　　　) ㉢ (　　　)
㉣ (　　　) ㉤ (　　　)

2 **다음은 양팔저울에 대한 설명입니다. 옳은 것은 ○표시를, 옳지 않은 것은 × 표시를 해 봅시다.**

(1) 양팔저울의 저울대가 수평을 잡았을 때 클립의 개수를 세어 물체의 무게를 비교할 수 있습니다. (　　)
(2) 양팔저울에 두 종류의 물체를 각각 저울접시에 올려놓았을 때, 아래로 기우는 쪽의 물체가 더 무거운 물체입니다. (　　)

3 **양팔저울로 물체의 무게를 비교할 때 클립 대신 사용할 수 있는 물체에 대한 설명으로 옳은 것을 2가지 고르시오. (　　,　　)**

① 무게가 일정해야 합니다.
② 무게는 작을수록 좋습니다.
③ 크기는 무엇이든 가능합니다.
④ 무게는 측정하는 물체의 무게보다 무거워야 합니다.
⑤ 크기와 무게가 같은 단추, 나무 블록, 동전 등을 사용할 수 있습니다.

실험 관찰

탐구 활동 도움말

이 탐구 활동은 양팔저울로 여러 가지 물체의 무게를 비교하여 물체의 무게를 비교하는 활동입니다.

관찰 측정

실험 관찰 54~55쪽

7 양팔저울로 무게를 비교해 보아요

탐구 활동 양팔저울로 물체의 무게 비교하기

『실험 관찰』 꾸러미 77쪽 붙임딱지를 붙여요.

양팔저울로 장난치지 않아요.

무엇을 준비할까요?

준비물에 ◯ 표시를 하면서 확인해 봅시다.

양팔저울

클립 여러 개

여러 가지 물체
(셀로판테이프, 풀, 가위 등)

보충해설

클립 이외에 다른 물체를 이용할 수 있습니다. 크기와 무게가 일정하고, 측정하려는 물체보다 가벼우며, 저울접시에 올려놓을 수 있는 작은 물체를 선택합니다.

1 양팔저울의 구조를 알아봅시다.

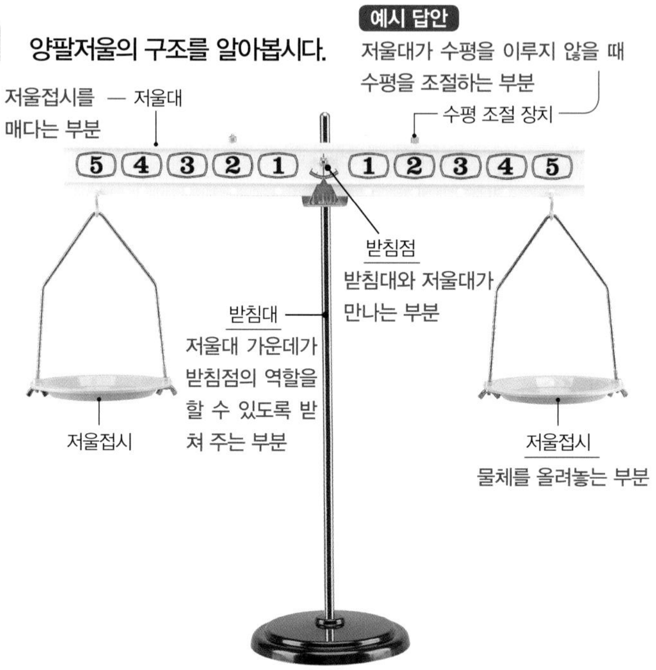

2 수평 조절 장치로 저울대의 수평을 잡아 봅시다.

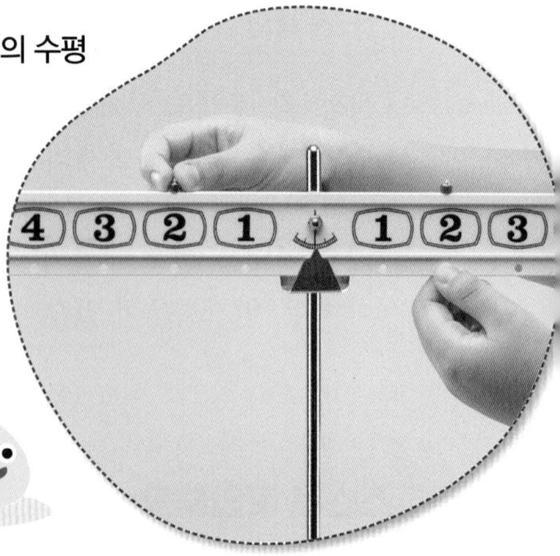

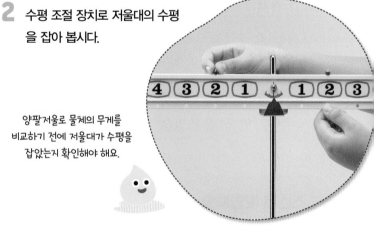

양팔저울로 물체의 무게를 비교하기 전에 저울대가 수평을 잡았는지 확인해야 해요.

3 양팔저울의 한쪽 저울접시에 측정하려는 물체를 올려놓아 봅시다.

4 저울대가 수평을 잡을 때까지 다른 쪽 저울접시에 클립을 올려놓은 다음, 클립의 개수를 세어 봅시다.

5 여러 가지 물체로 과정 2 ~ 4를 반복하고 물체의 무게를 비교해 봅시다.

● 클립의 개수를 표에 쓰고, 측정한 물체를 무거운 순서대로 나열해 봅시다.

예시 답안

물체의 이름	클립의 개수(개)
셀로판테이프	49
지우개	48
수정 테이프	37
붙임쪽지	23
무거운 순서대로 나열하기	셀로판테이프, 지우개, 수정 테이프, 붙임쪽지

도움말

클립의 개수를 비교하여 측정한 물체의 무게를 무거운 순서대로 나열합니다.

이렇게 ○○ 정리해요

양팔저울로 물체의 무게를 비교하는 방법을 설명해 봅시다.

한쪽 저울접시에 물체를 올리고 저울대가 [수평] 을/를 잡을 때까지 다른 쪽 저울접시에 클립을 올려놓습니다. 클립의 개수를 세어 무게를 비교합니다.

8 간단한 저울을 만들어 보아요

과학 90~91쪽

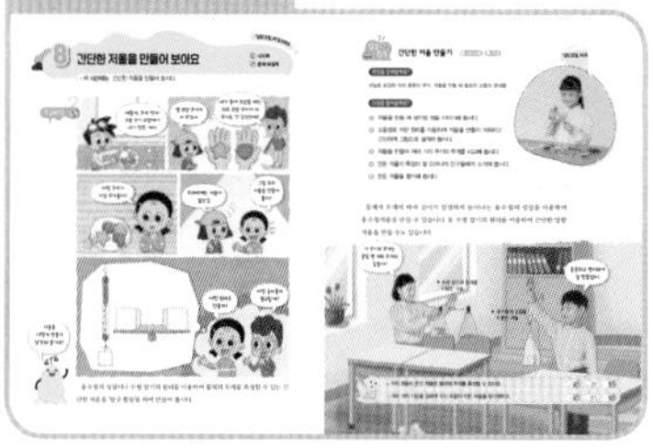

➜ 간단한 저울(1)

수평 잡기의 원리를
이용하여 만든 양팔저울입니다.
바지걸이를 이용하여
만들었어요.

➜ 간단한 저울(2)

용수철의 성질을
이용하여 만든 용수철
저울이에요.
투명하고
둥근 원통에 용수철을
넣고, 추를 한 개씩 걸어
용수철이 늘어난 만큼
눈금을 표시하여
만들어요.

궁금해요

생활 속에서 쉽게 구할 수 있는 재료를 이용하여 간단한 저울을 어떻게 만들지 생각해 봅시다.

질문 저울을 어떻게 만들지 생각해 볼까요?

예시 답안
- 용수철의 성질이나 수평 잡기의 원리를 이용하여 만들 수 있습니다.
- 튼튼하고 사용하는 데 편리하게 만듭니다.

탐구 활동 간단한 저울 만들기

자세한 해설은 122~123쪽에 있어요.

● **무엇을 준비할까요?**

비닐로 포장된 여러 종류의 쿠키, 저울을 만들 때 필요한 모둠의 준비물

● **과정을 알아볼까요?**

❶ 저울을 만들 때 생각할 점을 이야기해 봅시다.
❷ 모둠별로 어떤 원리를 이용하여 저울을 만들지 계획하고 간단하게 그림으로 설계해 봅시다.
❸ 저울을 만들어 여러 가지 쿠키의 무게를 비교해 봅시다.
❹ 만든 저울의 특징이 잘 드러나게 친구들에게 소개해 봅시다.
❺ 만든 저울을 평가해 봅시다.

● **관찰 내용 및 결과를 정리해요**

➜ 용수철이 일정하게 늘어나는 성질을 이용하여 용수철저울을 만들 수 있습니다.
➜ 수평 잡기의 원리를 이용하여 양팔저울을 만들 수 있습니다.

교과서 속 핵심 개념

● **저울의 종류 및 특징**

저울의 종류	용수철저울 도움❶	양팔저울 도움❷
이용한 성질이나 원리	용수철이 일정하게 늘어나는 성질을 이용함.	수평 잡기의 원리를 이용함.
저울 예시		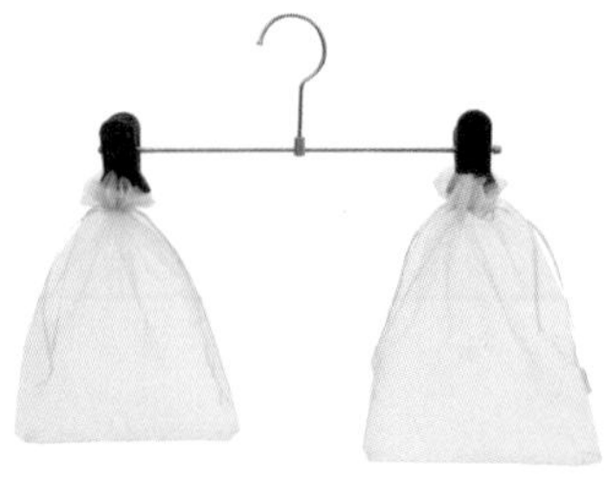

정답과 해설 4쪽

교과서 개념 확인 문제

도움 1 수평 잡기의 원리를 이용하여 양팔저울 만들기

(1) 준비물: 바지걸이, 크기와 무게가 같은 주머니 2개

(2) 과정: 바지걸이 양쪽에 주머니를 각각 매달고, 집게의 위치를 조절하여 수평을 맞춥니다.

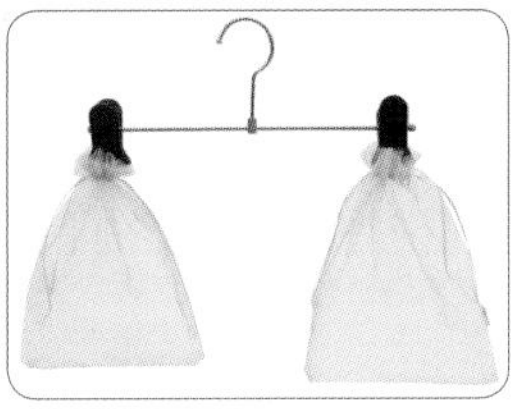

도움 2 용수철의 성질을 이용하여 용수철저울 만들기

(1) 준비물: 투명한 둥근 원통(지름: 1.5 cm), 구멍 뚫린 뚜껑 2개, 빵 끈, 용수철, 고리, 공예용 철사(두께: 1 cm), 속이 보이는 주머니, 20 g중 추 여러 개, 가위, 유성 펜

(2) 과정

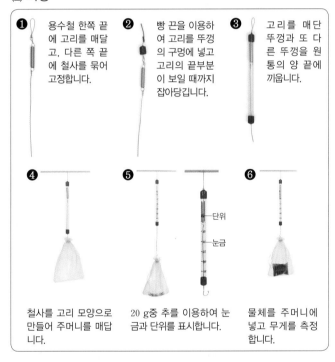

❶ 
용수철 한쪽 끝에 고리를 매달고, 다른 쪽 끝에 철사를 묶어 고정합니다.

❷ 
빵 끈을 이용하여 고리를 뚜껑의 구멍에 넣고 고리의 끝부분이 보일 때까지 잡아당깁니다.

❸ 
고리를 매단 뚜껑과 또 다른 뚜껑을 원통의 양 끝에 끼웁니다.

❹ 
철사를 고리 모양으로 만들어 주머니를 매답니다.

❺ 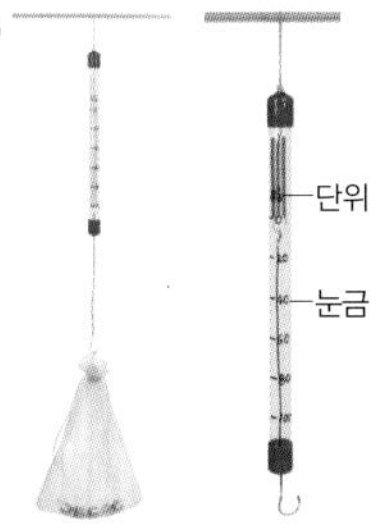

20 g중 추를 이용하여 눈금과 단위를 표시합니다.

❻ 
물체를 주머니에 넣고 무게를 측정합니다.

스스로 확인해요

- **우리 모둠이 만든 저울로 물체의 무게를 측정할 수 있어요.**

  도움말 모둠에서 만든 저울로 여러 가지 물체의 무게를 측정합니다.

- **여러 가지 기준을 정하여 우리 모둠이 만든 저울을 평가했어요.**

  도움말 저울을 튼튼하고 편리하게 만들었는지, 만든 저울로 무게를 정확하게 측정할 수 있는지 등을 평가합니다.

1 **다음은 여러 저울의 특징에 대한 설명입니다. 옳은 것은 ○표시를, 옳지 않은 것은 ×표시를 해 봅시다.**

(1) 용수철저울은 물체의 무게에 따라 용수철이 일정하게 늘어나는 성질을 이용하여 만든 저울입니다. (　　)

(2) 양팔저울은 수평 잡기의 원리를 이용하여 만든 저울입니다. (　　)

2 **다음은 생활 속에서 쉽게 구할 수 있는 재료를 이용하여 만든 저울입니다. 각 저울에 이용한 성질이나 원리를 선으로 연결해 봅시다.**

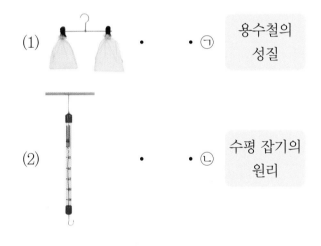

(1)  • 　　• ㉠ 용수철의 성질

(2) 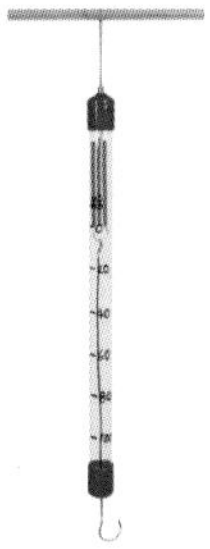 • 　　• ㉡ 수평 잡기의 원리

3 **다음 중 저울을 만들 때 생각할 점으로 중요하지 않은 것은 어느 것입니까? (　　　)**

① 어떻게 하면 예쁘게 만들지 생각합니다.

② 어떻게 하면 사용하기에 편리할지 생각합니다.

③ 어떻게 하면 튼튼하게 만들 수 있는지 생각합니다.

④ 어떤 성질이나 원리를 이용하여 만들지 생각합니다.

⑤ 무게를 정확히 측정하기 위해 어떻게 만들면 좋을지 생각합니다.

실험 관찰

의사소통 측정

실험 관찰 56~57쪽

8 간단한 저울을 만들어 보아요

탐구 활동 간단한 저울 만들기

탐구 활동 도움말

이 탐구 활동은 모둠원과 함께 의논하여 만들 저울을 구상하고 제작한 다음, 여러 종류의 쿠키의 무게를 측정하거나 비교해 보는 활동입니다.

「실험 관찰」 꾸러미 77쪽 붙임딱지를 붙여요.

뾰족한 도구를 사용할 때 조심해요.

무엇을 준비할까요?

준비물에 ◯ 표시를 하면서 확인해 봅시다.

비닐로 포장된 여러 종류의 쿠키

보충해설

생활 속에서 쉽게 구할 수 있는 재료를 생각해 봅니다.

예 바지걸이, 작은 빨래 건조대, 주머니, 옷걸이, 우유갑, 블록, 종이컵, 나무판자, 30 cm 자, 실, 셀로판 테이프 등

• 저울을 만들 때 필요한 모둠의 준비물

필요한 준비물을 왼쪽 준비물 란에 써 보아요.

1 저울을 만들 때 생각할 점을 이야기해 봅시다.

용수철의 성질이나 수평 잡기의 원리로 만들면 어떨까?
무게를 정확하게 측정할 수 있게 만들자.
튼튼하게 만들자.

예시 답안 사용하는 데 편리하면 좋겠습니다.

2 모둠별로 어떤 원리를 이용하여 저울을 만들지 계획하고 간단하게 그림으로 설계해 봅시다.

예시 답안

우리 모둠의 저울 이름 : 바지걸이로 만든 양팔저울

보충해설

어떤 성질이나 원리를 이용할 것인지, 어떤 모양으로 제작할 것인지 생각해 봅니다.

• 이용한 원리: ☐ 용수철의 성질 ☑ 수평 잡기의 원리

3 저울을 만들어 여러 가지 쿠키의 무게를 비교해 봅시다.

예시 답안

가장 무거운 쿠키	두 번째로 무거운 쿠키	가장 가벼운 쿠키
동그란 모양 쿠키	하트 모양 쿠키	별 모양 쿠키

4 만든 저울의 특징이 잘 드러나게 친구들에게 소개해 봅시다.

5 만든 저울을 평가해 봅시다.

예시 답안

모둠	이용한 성질이나 원리	무게를 정확하게 측정할 수 있나요?	튼튼하게 만들었나요?	사용하는 데 편리한가요?
우리 모둠의 저울	용수철의 성질	★★★	★★★	★☆☆
(아띠) 모둠의 저울	수평 잡기의 원리	★★☆	★★☆	★★★
(라온) 모둠의 저울	용수철의 성질	★★☆	★☆☆	★★★

이렇게 OO 정리해요

친구들이 만든 저울 중 하나를 그려 보고 잘된 점과 개선할 점을 써 봅시다.

예시 답안

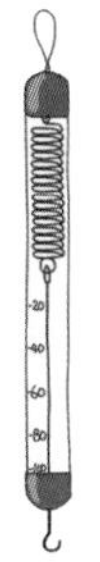

▶ 잘된 점
- 물체를 매달 수 있는 고리가 있어 편리합니다.
- 쿠키의 무게를 정확하게 측정할 수 있습니다.

▶ 개선할 점 눈금이 지워지지 않도록 개선하면 좋겠습니다.

도움말

클립, 동전 등과 같이 무게가 일정한 물체의 무게를 알고 있다면 비교적 정확한 무게를 측정할 수 있습니다.

보충해설

전자저울을 이용하여 쿠키의 무게를 측정하고, 만든 저울로 쿠키의 무게를 측정한 뒤 서로 비교하여 만든 저울의 정확성을 평가해 봅시다.

역사 과학 더하기

과학 92~93쪽

저울 박물관으로 떠나요!

저울 박물관을 관람하면서 저울의 역사를 알아 봅시다. 우리나라와 세계 여러 나라에서 저울이 어떻게 사용되어 왔는지도 살펴봅시다.

저울 박물관에 오신 것을 환영합니다.
우아, 다양한 저울들이 많아.

제1전시실
저울의 역사

저울이 그려진 벽화

약 3,000년 전 고대 이집트 벽화에서 양팔저울 그림이 발견되었어요.

양팔저울

유럽에서는 저울을 물체의 무게를 측정하기 위한 용도뿐만 아니라 장식하기 위한 용도로도 사용했어요.

우편 저울

미국에서 우편물의 무게를 측정할 때 사용했던 저울이에요. 우편물을 보내는 지역과 우편물의 무게에 따른 요금이 표시되어 있어요.

아기 체중계

영국에서 아기의 몸무게를 측정할 때 사용했던 저울이에요. 바구니에 아기를 놓고 몸무게를 측정했어요.

제3전시실
세계 여러 나라의 저울

과학 더하기 도움말

과학 더하기의 내용은 우리나라와 세계 여러 나라에서 저울이 어떻게 사용되어 왔는지 보여 주는 자료입니다.

과학 더하기 해설

● **우리나라와 세계 여러 나라에서 쓰인 저울**

- 저울이 그려진 벽화: 약 3,000년 전 고대 이집트의 무덤에서 발견된 벽화입니다. 이 벽화에 그려진 양팔저울 그림으로 양팔저울의 사용 시기가 오래되었음을 알 수 있습니다.
- 약저울: 옛날 우리 선조들이 한약방에서 주로 사용했던 작고 정밀한 저울입니다. 저울대, 저울접시, 저울추, 저울추를 걸었던 고리, 저울을 넣어 보관하는 상자로 이루어져 있습니다. 저울대에는 무게를 알려 주는 눈금이 표시되어 있습니다.

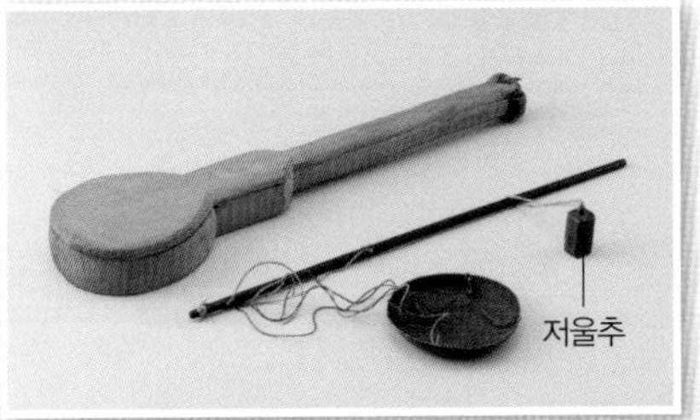

약저울

우리 조상들이 한약방에서 주로 사용하던 저울이에요. 무게를 정밀하게 측정할 수 있도록 만들어졌어요.

저울추

저울추는 저울대 한쪽에 걸거나 저울판에 올려놓고, 물체의 무게를 측정하는 데 사용했어요. 금속뿐만 아니라 흙, 돌, 철과 같은 다양한 물질로 만들어졌어요.

제2전시실
우리나라의 저울

분석 저울

실험실에서 실험 재료의 무게를 측정하는 전자저울이에요. 정밀하게 측정해야 하기 때문에 유리로 된 상자로 막아 바람의 영향을 줄여요.

체험관

스마트 체중계

스마트 체중계는 스마트 기기와 체중계를 연동하여 만든 저울이에요. 스마트 기기로 몸무게를 기록하여 건강을 관리하는 데 활용할 수 있어요.

제4전시실
오늘날의 저울

● **미래에는 어떤 저울이 만들어지면 좋을지 이야기해 보아요.**

▶ 여행 가방 안에 저울이 포함되어 있어서 공항에서 가방을 전자저울에 올려 측정하지 않아도 가방의 무게를 바로 확인할 수 있는 여행용 저울 가방이 만들어지면 좋겠습니다.

- 양팔저울: 1,800년대 이탈리아에서 만든 양팔저울입니다. 받침대 주변이 크리스털로 장식되어 있습니다. 양팔저울은 용수철을 이용하여 만든 저울이 등장하기 훨씬 이전부터 사용되었습니다.
- 아기 체중계: 1,890년~1,920년에 영국 런던에서 만들어진 저울입니다. 아기의 몸무게를 약 11.34 kg까지 측정할 수 있습니다.
- 분석 저울: 분석 저울은 정밀한 측정을 할 때 주로 사용합니다. 분석 저울의 저울판은 공기의 흐름과 먼지에 영향을 받지 않도록 유리로 만들어진 상자로 덮여 있습니다. 유리 상자에는 여닫이문이 있는데, 저울판에 물체를 갖다 놓을 수 있는 용도로 사용합니다. 또한 저울의 수평을 조절할 수 있는 수평 조절 장치가 있습니다.
- 스마트 체중계: 스마트 체중계는 무게를 측정할 때마다 체중, 근육량, 체지방량 등과 관련된 데이터를 자동으로 스마트 기기에 전송합니다.

단원 매듭 짓기 그림으로 정리하기

과학 94~95쪽

해당 칸에 『과학』 부록 123쪽 붙임딱지를 붙이세요.

붙임딱지로 빈칸을 채우며 배운 내용을 정리해 봅시다.

물체의 무게를 측정하는 예

❶ 채소를 사고팔 때

물체의 무게를 저울로 측정해야 하는 까닭

물체의 무게를 ❷ 정확하게 측정하기 위함.

무게

❸ 지구 가 물체를 끌어당기는 힘의 크기

용수철의 성질

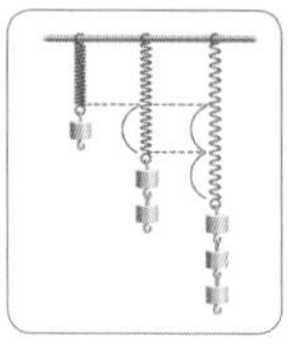

무게에 따라 용수철의 길이가 ❹ 일정하게 늘어남.

용수철저울로 무게 측정하기

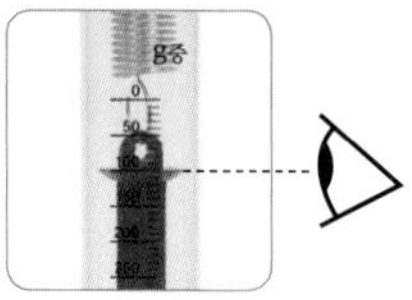

❺ 표시 자 가 가리키는 눈금의 숫자를 단위와 함께 읽기

수평 잡기의 원리

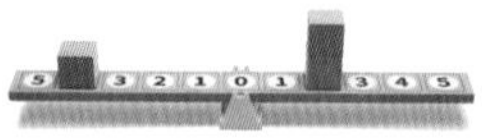

두 물체의 무게가 다를 때 수평을 잡으려면 무거운 물체를 받침점에 더 ❻ 가까이 놓아야 함.

양팔저울로 무게 비교하기

저울대가 ❼ 수평 을 잡을 때까지 저울접시에 올린 클립의 개수를 세어 비교하기

◈ 그림으로 정리하기 해설 ◈

❶, ❷ 무게를 정확하게 측정해야 요리를 할 때 음식의 맛이 달라지지 않고, 상점에서 물건을 사고파는 사람들 사이에서 문제가 발생하지 않습니다.

❹ 용수철에 매단 물체의 무게가 일정하게 늘어나면 용수철의 길이도 일정하게 늘어나고, 무게가 일정하게 줄어들면 용수철의 길이도 일정하게 줄어듭니다.

❻ 두 물체의 무게가 다를 때는 무거운 물체를 받침점에 더 가까이 놓아야 수평을 잡을 수 있습니다. 두 물체의 무게가 같을 때는 두 물체를 받침점으로부터 같은 거리에 놓아야 수평을 잡을 수 있습니다.

❼ 양팔저울의 한쪽 저울접시에 물체를 올려놓고, 다른 쪽 저울접시에 클립과 같이 무게가 일정한 물체를 저울대가 수평이 될 때까지 올려놓습니다. 저울대가 수평을 잡으면 클립의 개수를 세어 물체의 무게를 비교합니다.

◈ 문제로 확인하기 해설 ◈

❶ 무게가 다른 두 물체로 수평 잡기의 원리를 확인하는 문제입니다. ㉠이 ㉡보다 받침점에 더 가까이 있으므로 ㉠이 더 무거운 물체입니다.

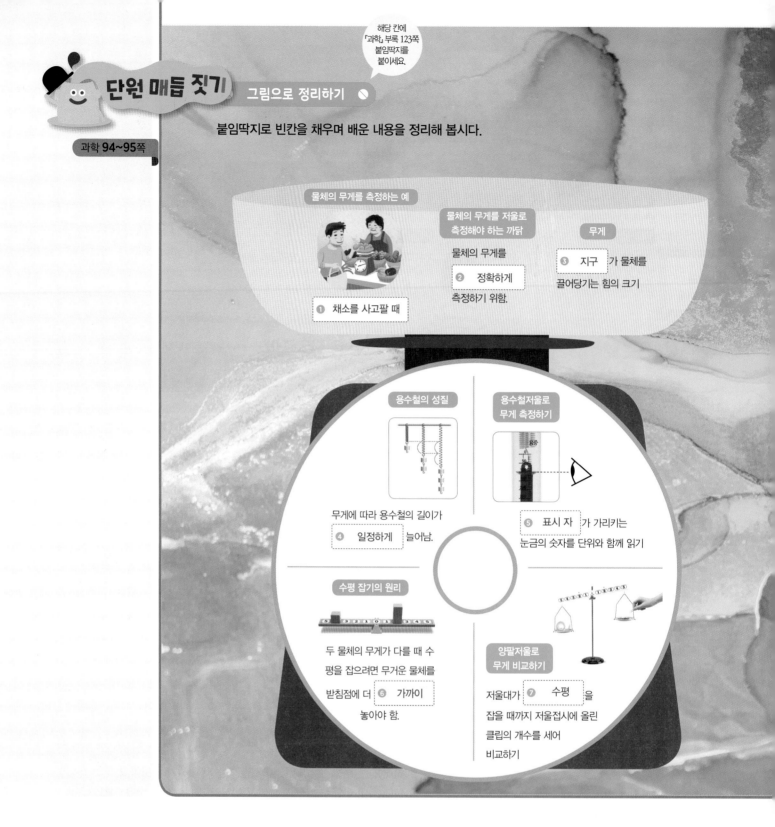

문제로 확인하기

❶ 나무판자가 수평을 이루고 있습니다. 수평 잡기의 원리를 생각하며 두 물체 중 어떤 물체가 더 무거운지 써넣어 봅시다.

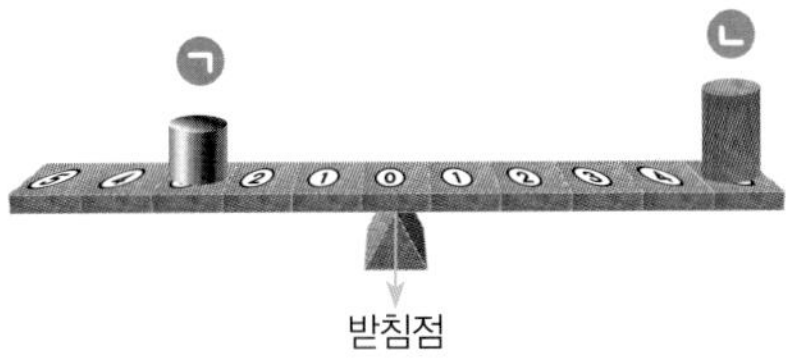

무거운 물체: (㉠)

❷ 용수철저울로 인형의 무게를 측정하는 과정을 순서대로 나열하고, 인형의 무게가 얼마인지 옳게 읽어 봅시다.

가 용수철저울의 고리에 인형을 매답니다.

나 표시 자가 가리키는 눈금의 숫자를 단위와 함께 읽습니다.

다 영점 조절 나사를 이용하여 표시 자를 눈금 '0'에 맞춥니다.

라 용수철저울의 손잡이를 스탠드에 매답니다.

(1) 순서: 라 ➡ 다 ➡ 가 ➡ 나

(2) 인형의 무게: 50 g중

과학 글쓰기

❸ 아띠는 놀이터에서 시소를 탄 경험을 떠올리며 동시를 써 보았습니다. 수평 잡기의 원리를 생각해 보고 동시로 표현해 봅시다.

예 친구

오르락내리락 시소를 타며 수평 잡기 놀이	내가 너보다 무거워도 걱정 마! 내가 한 뼘 더 다가갈게.

예시 답안

제목 : 친구 ○○○

초여름 햇살 아래
신나는 놀이터

오르락내리락 시소를 타며
수평 잡기 놀이

내 몸무게가
너보다 무거워도
걱정 마! 내가 한 뼘 더 다가갈게.

너랑 나
마음의 무게는
똑같이
한 뼘 거리

도전! 창의 융합

보물 상자를 열어라!

양팔저울을 두 번만 사용하여 보물 상자를 열 수 있는 열쇠를 찾아봅시다.

『실험 관찰』 58쪽

❷ 용수철저울로 무게를 측정하는 방법을 확인하는 문제입니다. 주머니를 사용할 경우, 다음과 같이 측정합니다.
(1) 용수철저울을 스탠드에 매답니다.
(2) 용수철저울의 고리에 주머니를 매답니다.
(3) 영점 조절 나사로 표시 자를 눈금의 '0'에 맞춥니다.
(4) 물체를 주머니에 넣습니다.
(5) 표시 자와 눈높이를 맞추고, 표시 자가 가리키는 눈금의 숫자를 단위와 함께 읽습니다.

주머니를 사용하지 않을 경우, 다음과 같이 측정합니다.
(1) 용수철저울을 스탠드에 매답니다.
(2) 영점 조절 나사로 표시 자를 눈금의 '0'에 맞춥니다.
(3) 물체를 용수철저울의 고리에 매답니다.
(4) 표시 자와 눈높이를 맞추고, 표시 자가 가리키는 눈금의 숫자를 단위와 함께 읽습니다.

과학 글쓰기 해설

몸무게가 비슷한 두 사람이 시소에서 수평을 잡으려면 두 사람이 각각 시소의 받침점으로부터 같은 거리만큼 떨어진 곳에 앉아야 합니다. 몸무게가 다른 두 사람이 시소에서 수평을 잡으려면 몸무게가 무거운 사람이 시소의 받침점에 더 가까이 앉아야 합니다.

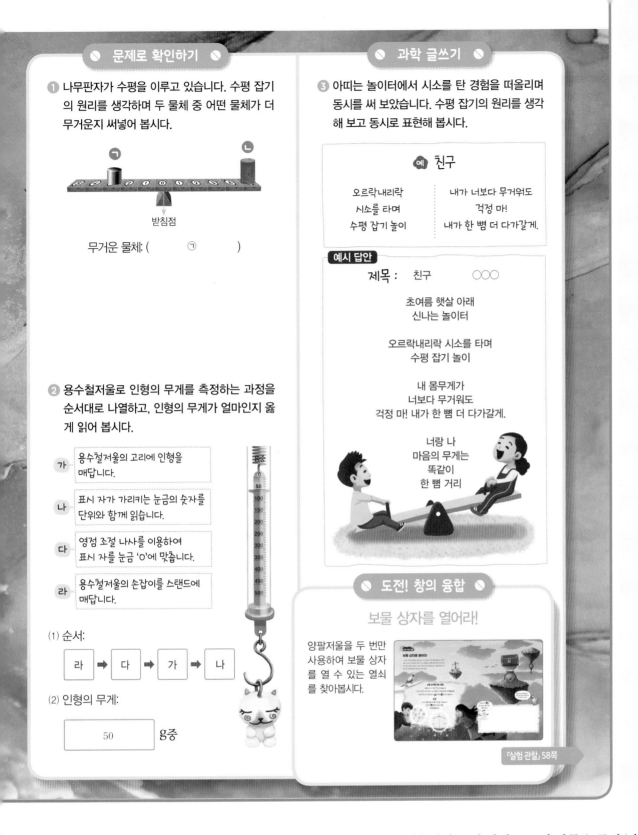

도전! 창의 융합

도전! 창의 융합 도움말

이 활동은 양팔저울로 무게를 비교하는 방법을 활용하여 이야기 속 문제를 해결하는 활동입니다.

보물 상자를 열어라!

무게 나라로 탐험을 떠난 친구들이 보물 상자를 발견했어요. 하지만 보물 상자는 자물쇠로 잠겨 있고, 주변에는 양팔저울과 반짝이는 열쇠 다섯 개가 놓여 있어요. 보물 상자를 여는 방법을 읽고, 자물쇠를 열 수 있는 단 한 개의 진짜 열쇠를 찾아보아요.

보물 상자를 여는 방법

모양과 크기가 같은 5개가 있습니다.

이 중 가짜 4개는 무게가 같고 **진짜** **1개는 무게가 더 무겁습니다.**

가장 무거운 진짜 를 찾아 를 열면 를 열 수 있습니다.

조건

하나, 양팔저울은 **두 번**만 사용할 수 있습니다.

둘, 로 를 열 수 있는 기회는 단 **한** 번뿐입니다.

5개의 열쇠에 번호를 붙이고 2개씩 양팔저울의 저울접시에 각각 올려놓아 보아요.
어떻게 하면 를 열 수 있을지 그림이나 글로 설명해 보아요.

예시 답안

열쇠 5개에 각각 ①, ②, ③, ④, ⑤번을 붙인 다음, 양팔저울의 저울접시 한쪽에 열쇠 ①, ②를, 다른 쪽에 ③, ④를 올려놓고 무게를 비교합니다. 다음과 같이 세 가지 경우로 나누어 생각하면 양팔저울을 두 번만 사용하여 문제를 해결할 수 있습니다.

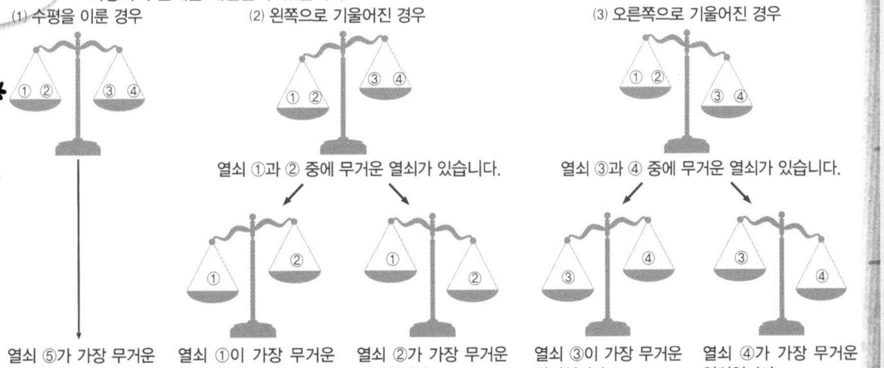
(1) 수평을 이룬 경우
(2) 왼쪽으로 기울어진 경우
(3) 오른쪽으로 기울어진 경우
① ② ③ ④
열쇠 ①과 ② 중에 무거운 열쇠가 있습니다.
열쇠 ③과 ④ 중에 무거운 열쇠가 있습니다.
열쇠 ⑤가 가장 무거운 열쇠입니다.
열쇠 ①이 가장 무거운 열쇠입니다.
열쇠 ②가 가장 무거운 열쇠입니다.
열쇠 ③이 가장 무거운 열쇠입니다.
열쇠 ④가 가장 무거운 열쇠입니다.

보충해설

양팔저울의 양쪽 저울접시에 물체를 올리면 무거운 물체 쪽으로 저울접시가 기웁니다. 진짜 열쇠는 가짜 열쇠보다 무겁기 때문에, 양팔저울의 저울접시 양쪽에 열쇠를 놓으면, 진짜 열쇠가 놓여 있는 저울접시가 기울게 됩니다. 이 원리를 이용하여 진짜 열쇠를 찾을 수 있습니다.

교과서 평가 문제

1 다음 그림에서 사과와 토마토 중 사과가 토마토보다 더 들기 어렵습니다. 그 까닭으로 옳은 것은 어느 것입니까? (   )

토마토 — 150 g중   사과 — 300 g중

① 토마토가 사과보다 더 무겁기 때문입니다.
② 지구가 물체를 끌어당기는 힘의 크기가 일정하기 때문입니다.
③ 지구가 사과보다 토마토를 더 큰 힘으로 끌어당기기 때문입니다.
④ 지구가 토마토보다 사과를 더 작은 힘으로 끌어당기기 때문입니다.
⑤ 물체가 무거울수록 지구가 물체를 끌어당기는 힘의 크기가 커지기 때문입니다.

중요

2 저울로 물체를 측정해야 하는 까닭으로 옳지 않은 것은 어느 것입니까? (   )

① 물체의 무게를 정확하게 측정하기 위해서입니다.
② 손으로 어림하여서는 물체의 무게를 정확하게 알기 어렵기 때문입니다.
③ 개수당 가격이 정해진 물건을 살 때 무게를 정확하게 측정하면 편리하기 때문입니다.
④ 요리할 때 재료의 무게를 정확하게 측정하지 않으면 음식 맛이 달라질 수 있기 때문입니다.
⑤ 상점에서 채소나 고기를 사고팔 때 무게를 정확하게 측정하지 않으면 가격을 정하기 어렵기 때문입니다.

3 지구가 물체를 끌어당기는 '힘의 크기'와 '힘의 크기의 단위'에 해당하는 것을 다음 보기 에서 각각 골라 쓰시오.

보기

길이, 넓이, 무게, km, mm, kg중

(1) 힘의 크기: (   )
(2) 힘의 크기의 단위: (   )

중요

4 다음과 같이 스탠드에 두 개의 용수철을 걸고, ㉠ 용수철에는 색연필이 들어 있는 색연필 통을 매달고, ㉠ 용수철이 늘어난 길이만큼 ㉡ 용수철을 손으로 잡아당기는 실험을 하였습니다.

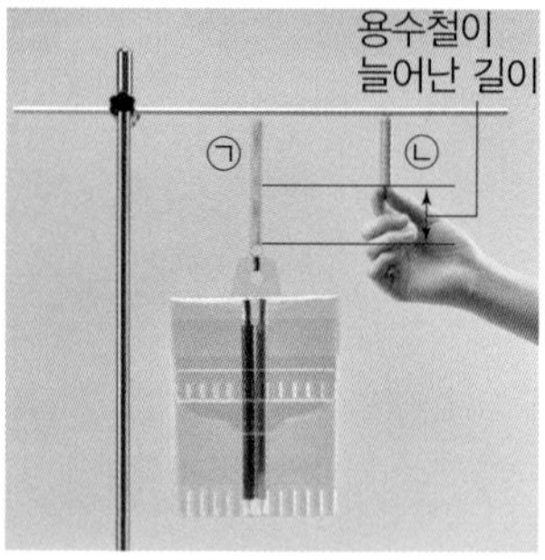

이에 대한 설명으로 옳지 않은 것은 어느 것입니까? (   )

① 용수철에 매달린 물체가 무거울수록 용수철이 더 적게 늘어납니다.
② 용수철에 매달린 물체가 무거울수록 지구가 물체를 끌어당기는 힘이 커집니다.
③ 색연필 통 안의 색연필이 2자루일 때보다 6자루일 때, 지구가 색연필 통을 잡아당기는 힘의 크기가 커집니다.
④ ㉠ 용수철이 늘어난 길이만큼 ㉡ 용수철을 손으로 잡아당겼을 때, 손에 느껴지는 힘이 색연필 통의 무게입니다.
⑤ 색연필 통 안의 색연필이 2자루일 때보다 6자루일 때, ㉡ 용수철을 손으로 잡아당기는 힘의 크기가 더 커집니다.

5 용수철에 20 g중 추 1개를 매단 다음 20 g중 추 1개를 더 매달았더니 1 cm가 늘어났습니다. 여기에 20 g중 추 1개를 더 매단다면 용수철은 몇 cm가 늘어날지 쓰시오.

( )

6 용수철저울의 각 부분의 이름을 알맞게 선으로 연결하시오.

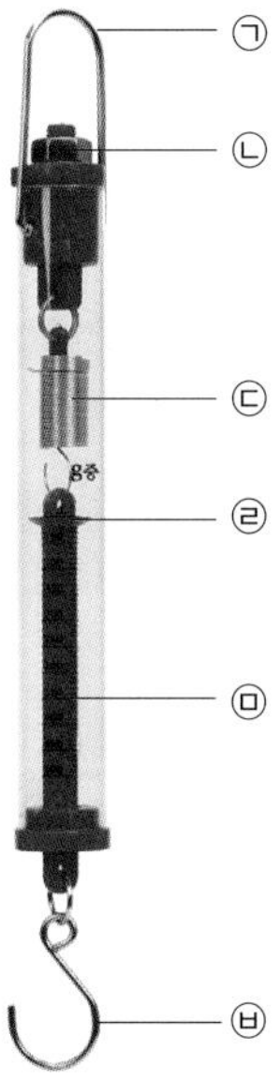

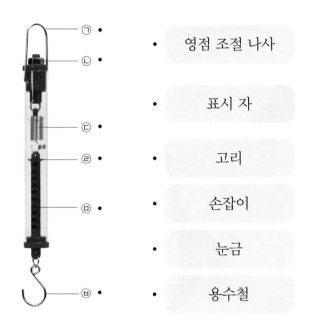

- 영점 조절 나사
- 표시 자
- 고리
- 손잡이
- 눈금
- 용수철

7~8 무게가 같은 나무토막을 받침점의 왼쪽과 오른쪽에 각각 올려 수평을 잡으려 합니다. 물음에 답하시오.

중요

7 나무토막 1개를 받침점의 왼쪽 ①번 자리에 올려놓았습니다. 무게가 같은 나무토막 1개를 어느 위치에 올려놓아야 수평을 잡을 수 있을지 쓰시오.

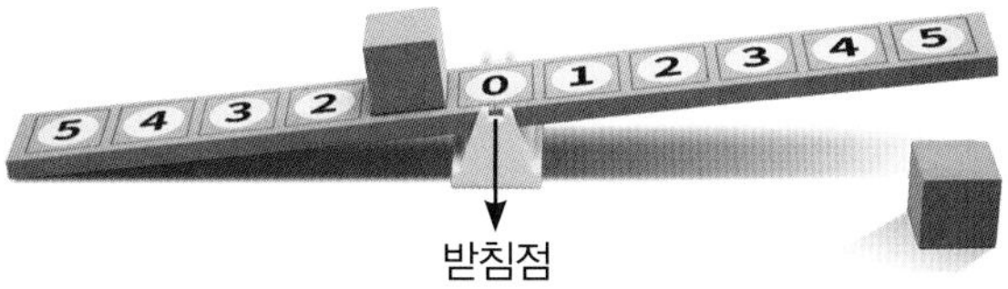

( )쪽, ( )번

중요

8 나무토막 1개를 받침점의 왼쪽 ②번 자리에 올려놓았습니다. 무게가 같은 나무토막 2개를 겹쳐 올릴 때 어느 위치에 올려놓아야 수평을 잡을 수 있을지 쓰시오.

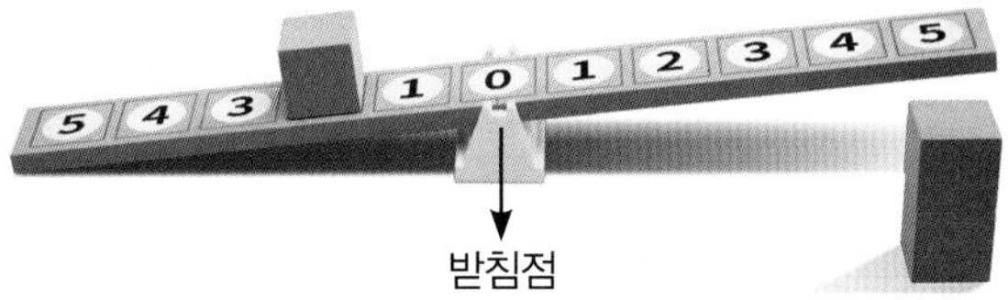

( )쪽, ( )번

서술형 문제

9 양팔저울로 2개의 물체를 비교할 수 있는 방법을 보기 에서 필요한 단어를 사용하여 쓰시오.

보기

저울접시, 물체, 오른쪽, 왼쪽, 클립, 수평

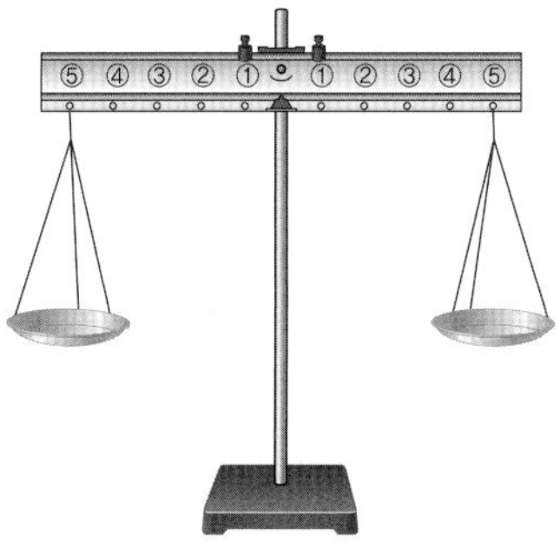

서술형 문제

10 양팔저울로 물체의 무게를 비교할 때 다음의 돌멩이는 클립 대신 사용할 수 없습니다. 그 까닭을 무게와 관련지어 쓰시오.

4
혼합물의 분리
공기 중에는 꽃가루, 먼지 등
여러 가지 물질이 섞여 있어요.
오늘은 공기에 아주 작은 먼지들이 많이 섞여 있어서
하늘이 뿌옇게 보여요. 그래서 저와 친구는 마스크를
썼어요. 마스크가 몸을 보호해 준대요.

이 단원에서 공부할 내용

단원 그림 도움말

단원 그림은 미세 먼지가 심한 날 학생들이 마스크를 쓰고 있는 모습입니다. 미세 먼지는 공기와 함께 우리 몸속으로 들어와 해로운 영향을 미칠 수 있습니다. 마스크는 공기 중에 있는 미세 먼지를 걸러 줍니다. 그림을 보면서 마스크가 어떻게 우리 몸을 보호해 주는지 생각하며, 앞으로 배울 내용에 대해 생각해 봅시다.

알아 볼까요?
우리 주변에서 볼 수 있는 혼합물을 알아봅시다.
혼합물을 분리하는 까닭을 알아 봅시다.
혼합물을 어떻게 분리할 수 있는지 알아 봅시다.
마스크는 어떤 역할을 할까요?
놀라운 이야기
옛날에는 새 부리 모양의 마스크가 있었어요.

좀 더 설명할게요

해로운 물질이 코와 입으로 들어오는 것을 막아 주는 마스크는 고대 로마에서 사용하기 시작해 지금까지 사용되고 있습니다. 그중 새 부리 모양의 가면은 중세 유럽의 의사들이 사용했습니다. 새 부리 모양 부분 끝에 작은 구멍을 내 숨을 쉴 수 있게 하여 마스크를 착용했는데, 긴 부리에 허브와 각종 향료를 넣으면 공기가 정화되고 소독이 된다고 생각했습니다.

질문과 답

마스크는 어떤 역할을 할까요?

마스크는 공기 중에 있는 먼지를 걸러 주는 역할을 합니다.

과학 놀이터

과학 98~99쪽

마블링 물감으로 작품을 만들어 보아요!

미술

다양한 색깔의 마블링 물감으로 창의적인 무늬를 만들어 보아요.

이렇게 해요

마블링 물감은 물 위에 떠요.

무엇을 준비할까요?

마블링 물감, 도화지, 나무젓가락, 수조, 물, 풀, 핀셋, 바다 생물 모양 종이(『과학』 부록 125쪽)

① 물에 다양한 색깔의 마블링 물감을 조금씩 풉니다.

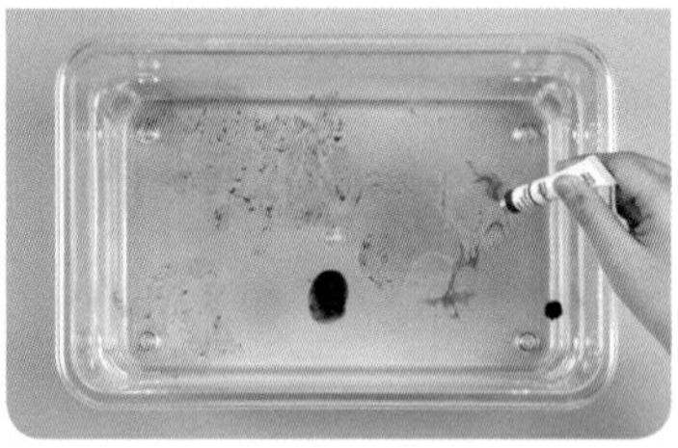

② 붓이나 나무젓가락으로 물에 푼 마블링 물감을 저어 줍니다.

과학 놀이터 도움말

물과 기름이 섞이지 않는 성질을 이용하여 마블링 물감으로 작품을 만들어 보면서 혼합물의 분리에 대해 더 쉽게 이해할 수 있습니다.

이렇게 해요

유의점

- 종이나 물감을 절약하기 위해 작은 바다 생물 모양 종이에 마블링 물감을 찍어 내어 큰 종이에 옮겨 붙여 작품을 만드는 것이 좋습니다.

준비물 도움말

- 책상 위에 천이나 신문지 등을 미리 깔아 두어 책상에 물감이 튀지 않도록 합니다.

활동 도움말

② 붓이나 나무젓가락으로 물에 푼 마블링 물감을 저어 줍니다.

도움말 마블링 물감이 너무 많이 풀어지지 않도록 주의하며 붓이나 나무젓가락으로 살살 저어 줍니다.

마블링 물감은 물과 섞이지 않고 물 위에 뜹니다. 그래서 마블링 물감을 물에 풀고 종이를 덮으면 마블링 물감이 종이에 묻어납니다.

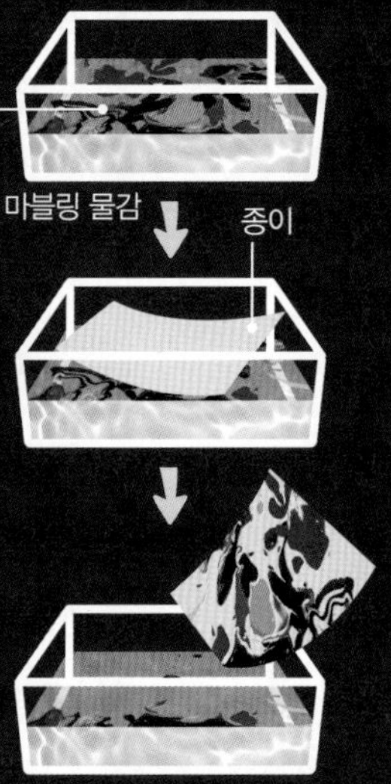

마블링 물감
종이

물에 떠 있던 마블링 물감은 어디로 갔나요?

③ 바다 생물 모양 종이를 뜯어 마블링 물감을 푼 물에 덮습니다.

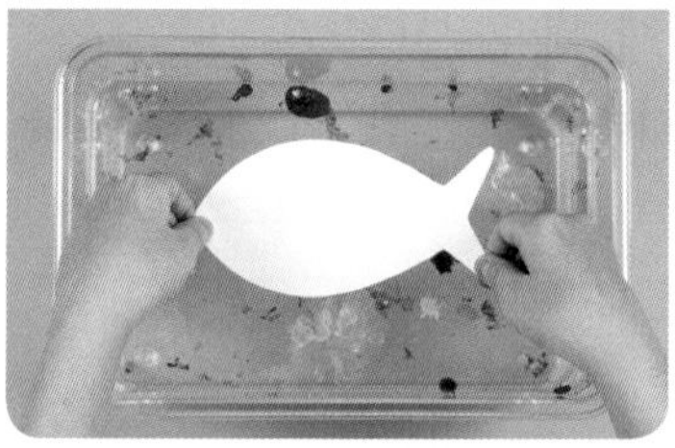

④ 잠시 뒤 바다 생물 모양 종이를 핀셋으로 천천히 들어 올려 말린 뒤 도화지에 붙입니다.

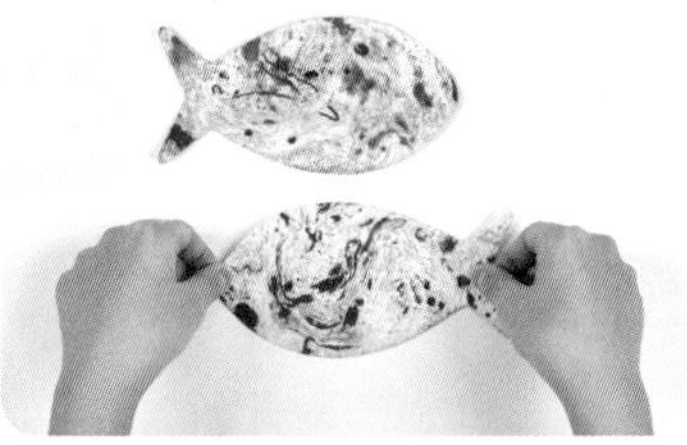

⑤ 작품을 보고, 마블링 물감과 물은 어디에 남아 있는지 이야기해 봅시다.

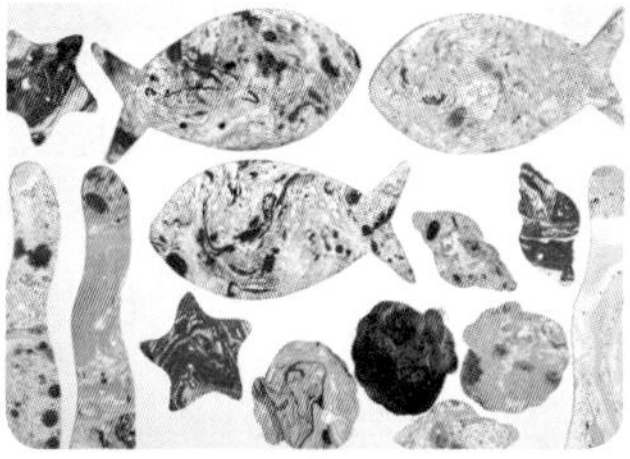

③ 바다 생물 모양 종이를 뜯어 마블링 물감을 푼 물에 덮습니다.

도움말 바다 생물 모양 종이를 덮을 때 종이의 끝을 잘 잡아 종이가 물에 빠지지 않도록 합니다.

④ 잠시 뒤 바다 생물 모양 종이를 핀셋으로 천천히 들어 올려 말린 뒤 도화지에 붙입니다.

도움말 물에 덮은 바다 생물 모양 종이는 물감이 묻을 동안만 잠시 두었다가 핀셋으로 천천히 들어 올립니다.

도움말 도화지에 붙이기 전에 종이가 완전히 마를 때까지 기다립니다. 이때 머리 말리개를 사용하면 종이 말리는 시간을 줄일 수 있습니다.

질문

- 물에 떠 있던 마블링 물감은 어디로 갔나요?

나의 답 바다 생물 모양 종이에 마블링 물감이 남아 있습니다. 수조에는 물과 적은 양의 마블링 물감이 남아 있습니다.

1 뒤죽박죽 섞여도 변하지 않아요

과학 100~101쪽

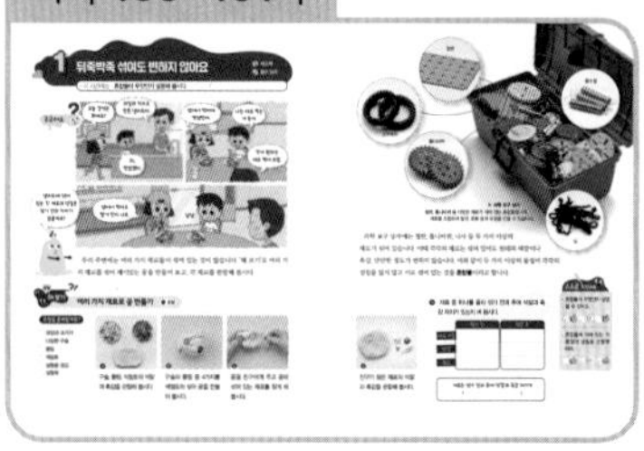

➡ 혼합물

➡ 혼합물의 특징

과학 교구 상자에는 용수철, 철판, 톱니바퀴, 고무바퀴 등의 많은 부품들이 섞여 있어.
하지만 용수철의 성질은 변하지 않아! 이것 봐~ 여전히 잘 늘어나잖아? 쭉쭉~

궁금해요

샐러드에 어떤 재료가 들어 있는지 관찰하고, 샐러드를 만든 후 재료에 변화가 있는지 관찰해 봅시다. 도움①

질문 샐러드에 섞여 있는 각 재료의 성질은 섞기 전과 차이가 있을까요?

예시 답안 재료를 섞기 전과 섞은 후, 재료의 맛과 색깔에 차이가 없습니다.

해 보기 여러 가지 재료로 공 만들기

- **무엇을 준비할까요?**

  모양과 크기가 다양한 구슬, 클립, 색점토, 실험용 장갑, 실험복

- **어떻게 할까요?**

❶ 구슬, 클립, 색점토의 색깔과 촉감을 관찰해 봅시다.

▲ 구슬

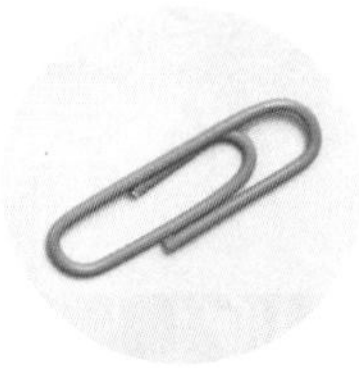
▲ 클립

▲ 색점토

구분	구슬	클립	색점토
색깔	분홍색	파란색	노란색
촉감	매끈매끈합니다.	딱딱합니다.	말랑말랑합니다.

❷ 구슬과 클립 중 4가지를 색점토와 섞어 공을 만들어 봅시다.

❸ 공을 친구에게 주고 공에 섞여 있는 재료를 찾게 해 봅시다.

❹ 친구가 찾은 재료의 색깔과 촉감을 관찰해 봅시다. 도움③

❺ 재료 중 하나를 골라 섞기 전과 후에 색깔과 촉감 차이가 있는지 써 봅시다.

구분	섞기 전	섞은 후
재료 이름	구슬	구슬
색깔	분홍색	분홍색
촉감	매끈매끈합니다.	매끈매끈합니다.

➡ 재료를 섞기 전과 후에 색깔과 촉감 차이가 (없습니다).

교과서 속 핵심 개념

- **혼합물** 두 가지 이상의 물질이 각각의 성질을 잃지 않고 서로 섞여 있는 것 도움②
- **혼합물의 특징** 여러 가지 재료를 섞어 만든 혼합물인 공에 섞여 있는 각 재료는 공을 만들기 전과 만든 후에 색깔이나 맛 등이 변하지 않음. 도움③

도움 ① 오개념 바로잡기

- 오개념: 과학 교구 상자는 혼합물이고, 과학 교구 상자의 각 재료들은 혼합물이 아닙니다.
- 바른 개념: 과학 교구 상자의 재료들 중에서도 이미 혼합물인 것이 있을 수 있습니다. 톱니바퀴는 철, 플라스틱 등이 섞여 있는 혼합물입니다.

▲ 톱니바퀴

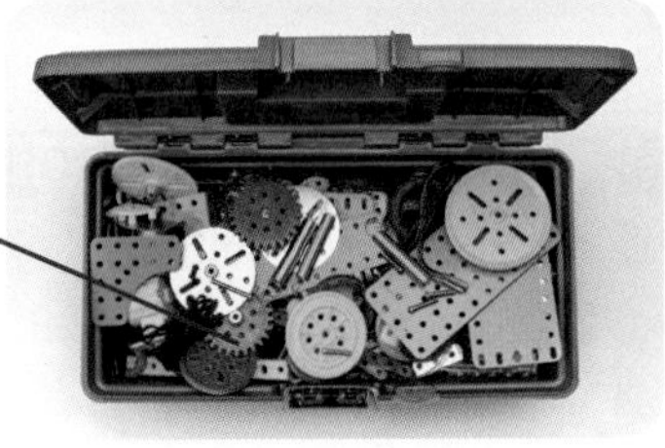

▲ 과학 교구 상자

도움 ② 혼합물

두 종류 이상의 물질이 단순히 섞여 각각의 성질을 잃지 않는 물질로, 균일하게 섞인 혼합물과 균일하지 않게 섞인 혼합물로 나뉩니다.

- 균일 혼합물: 혼합물을 구성하는 물질들이 골고루 섞여 있는 것을 말합니다. 예로는 설탕물, 공기, 청동 등이 있습니다.
- 불균일 혼합물: 혼합물을 구성하는 물질들이 고르게 섞이지 않아 부분마다 다른 성질을 보이는 물질을 말합니다. 예로는 미숫가루, 과학 교구 상자, 흙탕물 등이 있습니다.

도움 ③ 혼합물을 만든 후 재료의 변화

재료를 섞어 혼합물을 만들 때 재료의 크기나 모양은 부서지거나 찌그러져 변할 수 있습니다. 혼합물에서 각각의 성질을 잃지 않는다는 의미는 물질의 고유한 성질인 색깔, 촉감, 맛 등이 변하지 않는다는 것입니다.

스스로 확인해요

- **혼합물이 무엇인지 설명할 수 있어요.**
  도움말 과학 교구 상자 또는 여러 가지 재료로 만든 공을 예로 들어 혼합물의 의미를 설명합니다.
- **혼합물에 섞여 있는 각 물질의 성질을 관찰했어요.**
  도움말 재료를 섞기 전의 색깔, 촉감을 기억하여 재료가 섞인 후의 색깔, 촉감과 비교합니다.

정답과 해설 5쪽

교과서 개념 확인 문제

1 다음 (   ) 안에 들어갈 알맞은 말에 ○표시를 해 봅시다.

(1) 두 가지 이상의 물질이 각각의 성질을 잃지 않고 서로 섞여 있는 것을 (순물질 , 혼합물) 이라고 합니다.

(2) 여러 가지 재료를 섞어 혼합물을 만들었을 때 각 재료의 색깔이나 촉감, 단단한 정도가 (변합니다 , 변하지 않습니다).

2~3 다음은 여러 가지 재료를 섞어 공을 만든 후, 재료를 다시 분리한 모습입니다. 물음에 답해 봅시다.

2 다음은 재료를 섞기 전과 후를 비교한 것입니다. 빈칸에 들어갈 알맞은 말을 써 봅시다.

구분	섞기 전	섞은 후
재료 이름	클립	㉠
색깔	파란색	㉡
촉감	딱딱합니다.	㉢

3 다음은 위 실험에서 관찰 결과를 정리한 내용입니다. (   ) 안에 들어갈 알맞은 말에 ○표시를 해 봅시다.

재료는 섞기 전과 후에 색깔과 촉감 차이가 (없습니다 , 있습니다).

2 혼합물에 어떤 물질이 섞여 있을까요?

과학 102~103쪽

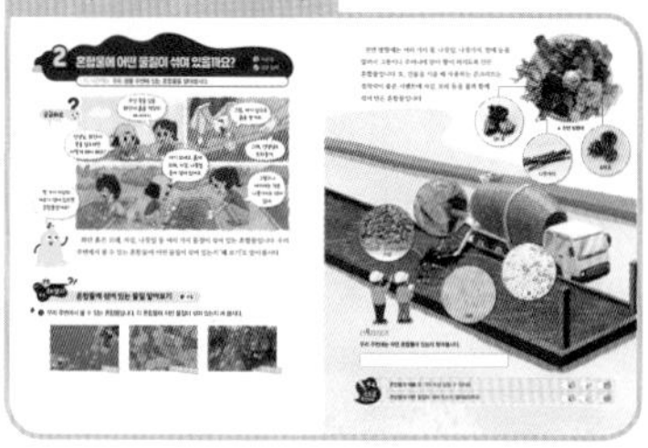

궁금해요

화단 흙도 혼합물임을 알고, 화단 흙에서 본 여러 가지 물질을 떠올려 봅시다.

질문 몇 가지 이상의 재료가 섞여 있으면 혼합물일까요?

예시 답안 두 가지 이상입니다.

해 보기 혼합물에 섞여 있는 물질 알아보기

● 어떻게 할까요?

❶ 우리 주변에서 볼 수 있는 혼합물입니다. 각 혼합물에 어떤 물질이 섞여 있는지 써 봅시다.

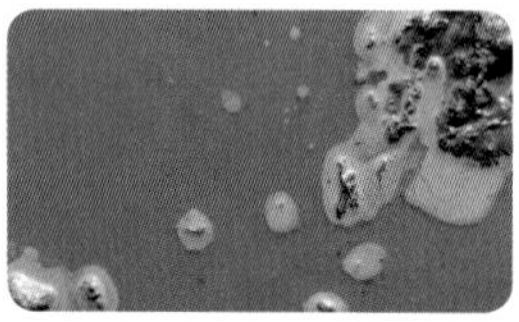

▲ 흙탕물

▲ 저금통 속 동전

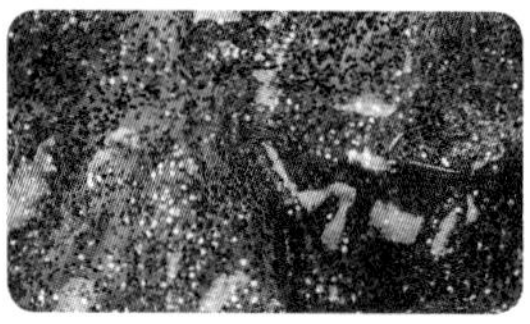

▲ 반짝이 풀

흙탕물	저금통 속 동전	반짝이 풀
흙(모래, 자갈, 나뭇잎 등), 물 등	10원짜리 동전, 50원짜리 동전, 100원짜리 동전 등	풀, 빨간색 반짝이, 파란색 반짝이, 초록색 반짝이 등

화단 흙에 섞여 있는 물질

흙아, 화단 흙에는 어떤 물질들이 섞여 있니?
화단 흙
화단 흙에는 나뭇잎, 자갈, 모래 등이 섞여 있어!

더 알아보기

우리 주변에는 어떤 혼합물이 있는지 찾아봅시다.

예시 답안 재활용품, 필통 속 물건 등이 있습니다.

생활 속 혼합물

반짝이 풀에는 여러 가지 색깔의 반짝이와 풀이 섞여 있어요!

교과서 속 핵심 개념

- **다양한 혼합물:** 우리 주변에는 다양한 혼합물이 있으며, 그 혼합물을 구성하는 것들은 각각 자신의 성질을 잃지 않고 섞여 있음.
- **우리 주위에서 볼 수 있는 혼합물:** 흙탕물, 저금통 속 동전, 반짝이 풀, 천연 방향제, 콘크리트, 화단 흙 등
  - 천연 방향제는 여러 가지 꽃, 나뭇잎, 나뭇가지, 열매 등을 말려서 그릇이나 주머니에 담아 향이 퍼지도록 만든 혼합물임. 도움①
  - 콘크리트는 접착력이 좋은 시멘트에 자갈, 모래 등을 물과 함께 섞어 만든 혼합물임. 도움②
- **혼합물에 섞여 있는 물질:** 눈으로 확인할 수 있는 것도 있지만, 콘크리트처럼 눈으로 구별이 어려운 것도 있음. 도움③

정답과 해설 5쪽

도움 ① 천연 방향제

▲ 천연 방향제

자연에서 얻은 물질로 좋은 향기를 제공하는 방향제를 말합니다. 향기가 좋은 식물의 꽃(꽃잎), 나뭇잎, 나뭇가지, 나무껍질, 뿌리, 열매, 줄기 등을 말려 이용합니다. 향이 좋은 식물을 말려 주머니에 담아 자동차에 두거나 장식용으로 이용하기도 합니다. 천연 방향제를 만들 때는 장미, 백일홍, 라벤더 등의 꽃, 월계수, 계피나무, 허브 등의 잎, 레몬, 귤 등의 열매를 이용합니다.

도움 ② 콘크리트

▲ 콘크리트

토목 공사나 건축의 주요 재료로서 시멘트에 모래와 자갈 등을 적당히 섞고 물을 넣어 반죽한 혼합물입니다. 건물의 벽이나 다리 등을 만들 때 콘크리트를 원하는 모양으로 만들고 굳을 때까지 기다리면 튼튼한 건축물을 만들 수 있습니다.
콘크리트를 공사 현장까지 운반할 때는 굳지 않게 차 속에서도 계속 뒤섞을 수 있는 장치가 설치된 레미콘 트럭을 사용합니다.

도움 ③ 오개념 바로잡기

- 오개념: 혼합물을 구성하는 물질들은 모두 눈에 보입니다.
- 바른 개념: 혼합물을 구성하는 물질들 중에는 눈에 보이는 것도 있고 눈에 보이지 않는 것도 있습니다. 예를 들어, 설탕과 물을 섞은 설탕물은 혼합물이지만 설탕은 물에 녹아 보이지 않습니다.

스스로 확인해요

- 혼합물의 예를 두 가지 이상 말할 수 있어요.
  도움말 우리 주변에 있는 다양한 혼합물을 찾아봅니다.
- 혼합물에 어떤 물질이 섞여 있는지 알아보았어요.
  도움말 교과서에 제시된 사진을 보고 섞여 있는 물질을 찾아봅니다.

교과서 개념 확인 문제

1 우리 주변에서 찾을 수 있는 혼합물을 2가지 써 봅시다.

(,)

2 다음 혼합물에 섞여 있는 물질을 2가지 써 봅시다.

▲ 천연 방향제

(,)

3 다음과 같이 자갈, 시멘트, 모래, 물 등이 섞여 있는 혼합물의 이름을 써 봅시다.

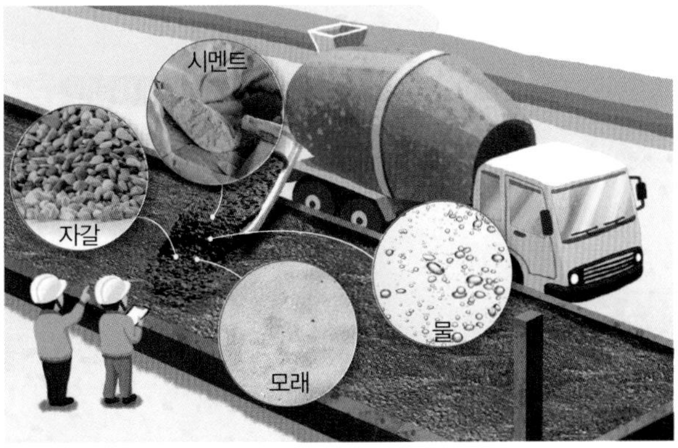

( )

3 혼합물을 왜 분리할까요?

과학 104~105쪽

➔ 혼합물의 분리

저는 감귤에서 과즙만을 분리하여 맛있는 감귤 주스를 만들었어요! 혼합물의 분리를 이용했죠!

솜이불은 목화에서 부드러운 부분만 분리하여 만든 것이에요. 혼합물의 분리를 이용해서 만들죠!

궁금해요

재활용품을 분리해서 내놓아야 하는 까닭과 방법을 생각해 봅시다. 도움①

질문 재활용품을 왜 분리하여 버려야 할까요?

예시 답안 필요한 물질을 재활용하여 환경 오염을 줄일 수 있기 때문입니다.

해 보기 혼합물을 분리하는 까닭 알아보기

● 어떻게 할까요?

❶ 혼합물에서 분리한 물질을 사다리 타기 놀이로 찾고, 그 물질로 만든 제품을 빈칸에 써 봅시다. 도움② 도움③

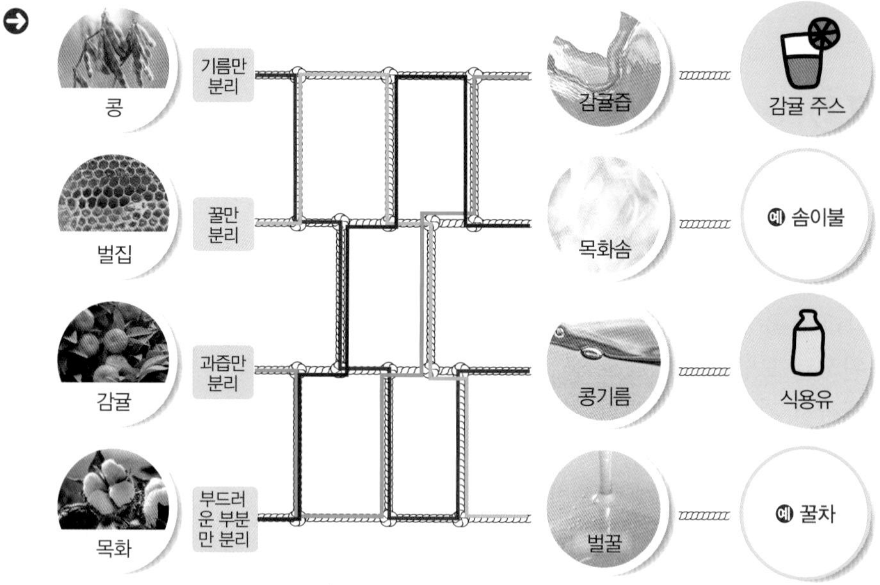

❷ 혼합물을 분리하는 까닭을 토의해 봅시다.

예시 답안 혼합물을 분리하여 원하는 물질을 얻을 수 있기 때문입니다. 혼합물 분리로 얻은 물질을 생활에 필요한 다양한 제품을 만드는 데 활용할 수 있기 때문입니다.

❸ 우리 주변에서 혼합물을 분리하여 얻을 수 있는 것을 더 찾아 이야기해 봅시다.

예시 답안 사탕수수에서 설탕을 얻을 수 있고, 식물의 열매에서 씨를 얻을 수 있고, 꽃이나 식물에서 좋은 향을 얻을 수 있습니다.

교과서 속 핵심 개념

- **혼합물을 분리하는 까닭** 원하는 물질을 얻을 수 있으며, 이 물질을 가공하여 우리 생활에 필요한 다양한 제품을 만들 수 있음.
- **혼합물을 분리하여 얻을 수 있는 것** 콩에서 분리한 콩기름으로 식용유를 만듦. 감귤에서 분리한 감귤즙으로 감귤 주스를 만듦.

정답과 해설 5쪽

도움 ① 폐기물 분리

생활 속에서 찾을 수 있는 혼합물 분리의 예로 폐기물의 분리가 있습니다. 폐기물을 다시 사용하거나 새로운 자원을 만들어 사용하는 방법으로 재사용과 재활용이 있습니다.

- 재사용: 한 번 사용했던 물건을 깨끗이 닦거나 수리하여 다시 사용하는 것을 말합니다. 예를 들어, 고장 난 냉장고, TV 등을 수리하여 다시 사용하는 것입니다.
- 재활용: 쓰고 버린 물건을, 용도를 바꾸거나 가공하여 새로운 물건으로 만들어 사용하는 것을 말합니다. 예를 들어, 우유 팩을 모아 가공해서 휴지를 만들어 사용하는 것입니다. 재활용을 위해 폐기물을 종이, 유리, 플라스틱, 캔, 헌 옷 등으로 구분해서 분리합니다.

도움 ② 벌집

자연에서는 벌이 직접 벌집을 만들어서 벌꿀을 저장하고, 사람이 기르는 벌들은 만들어져 있는 벌집에 벌꿀을 저장합니다. 벌집에서 분리하여 얻은 벌꿀로 꿀차를 만들거나 다양한 음식을 만들어 먹습니다.

도움 ③ 목화

목화씨의 겉껍질은 흰색의 털 모양 섬유로 변합니다. 이것을 모아서 솜을 만듭니다. 고려 시대 말에 문익점은 원나라를 방문했다가 그 나라 사람들이 목화로 옷을 지어 따뜻하게 겨울을 나는 것을 보고 우리나라로 목화씨를 가져왔습니다. 이후에 목화를 심고 널리 퍼트려 솜을 만들고 솜옷과 솜이불 등을 만들어 겨울을 따뜻하게 보낼 수 있었습니다. 지금도 사람들은 목화씨의 부드러운 부분만을 분리하여 옷이나 이불을 만들어 사용합니다.

스스로 확인해요

- **혼합물 분리의 필요성을 말할 수 있어요.**
  도움말 혼합물을 분리하면 좋은 점, 혼합물 분리로 얻을 수 있는 물질과 이를 가공하여 만드는 다양한 제품과 관련하여 이야기합니다.
- **혼합물 분리의 필요성에 대한 토의에서 의견을 제시했어요.**
  도움말 토의에 적극적으로 참여해 의견을 말하고 다른 친구의 의견을 경청합니다.

교과서 개념 확인 문제

1 다음은 혼합물 분리에 대한 설명입니다. 옳은 것은 ○표시를, 옳지 않은 것은 ×표시를 해 봅시다.

(1) 혼합물을 분리하여 원하는 물질을 얻을 수는 없습니다. (　　)

(2) 혼합물을 분리하여 얻은 물질로 생활에 필요한 다양한 제품을 만들 수 있습니다. (　　)

2 다음 혼합물과 그 혼합물을 분리해서 만들 수 있는 제품을 선으로 연결해 봅시다.

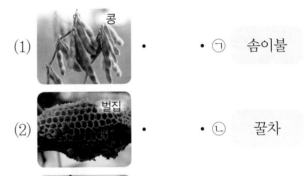

(1) 

• 　 • ㉠ 솜이불

(2) 

• 　 • ㉡ 꿀차

(3) 

• 　 • ㉢ 식용유

3 다음 빈칸에 들어갈 알맞은 말을 각각 써 봅시다.

㉠ (　　　　　　)

㉡ (　　　　　　)

㉢ (　　　　　　)

4 콩, 팥, 좁쌀의 혼합물을 분리해요

과학 106~107쪽

➲ 콩, 팥, 좁쌀의 혼합물 분리하기

궁금해요

여러 가지 고체가 섞여 있는 혼합물을 어떻게 분리할지 생각해 봅시다.

질문 새들의 도움 없이 콩을 골라 낸다면 어떤 방법을 사용하는 것이 좋을까요?

예시 답안
- 체를 사용하여 분리합니다.
- 도구를 사용하여 분리합니다.

탐구 활동 콩, 팥, 좁쌀의 혼합물 분리하기

자세한 해설은 144~145쪽에 있어요.

● **무엇을 준비할까요?**

콩, 팥, 좁쌀의 혼합물, 눈의 크기가 다른 체 2개, 그릇 3개, 실험용 장갑, 실험복 도움①

● **과정을 알아볼까요?**

❶ 콩, 팥, 좁쌀의 혼합물에서 콩, 팥, 좁쌀을 관찰하고 비교해 봅시다.
❷ 체를 사용하여 콩, 팥, 좁쌀의 혼합물을 분리하는 방법을 이야기해 봅시다.
❸ 콩, 팥, 좁쌀의 혼합물을 눈의 크기가 다른 체 2개로 분리할 때 어떤 순서로 분리할지 그림으로 정리해 봅시다.
❹ 혼합물을 분리해 보고 잘된 점과 보완할 점을 이야기해 봅시다.

● **관찰 내용 및 결과를 정리해요**

➲ 눈 크기가 콩보다 작고 팥보다 큰 체를 먼저 사용하면 콩만 체 위에 남아 가장 먼저 분리됩니다.
➲ 눈 크기가 팥보다 작고 좁쌀보다 큰 체를 먼저 사용하면 좁쌀만 체를 통과하여 가장 먼저 분리됩니다.
➲ 콩, 팥, 좁쌀의 혼합물은 알갱이의 크기 차이를 이용하여 분리할 수 있습니다.

교과서 속 핵심 개념

- **알갱이의 크기가 다른 고체 혼합물의 분리:** 도구(체)를 사용하면 쉽게 분리할 수 있음.
  - 분리하고자 하는 알갱이의 크기와 체의 눈 크기 사이의 관계를 생각하여 적절한 체를 선택함.
  - 콩, 팥, 좁쌀의 혼합물은 알갱이의 크기 차이를 이용하여 체 2개로 분리할 수 있음.
- **알갱이의 크기 차이를 이용한 혼합물의 분리 예:** 공사장에서 모래와 자갈을 분리, 곡식에 섞여 있는 모래를 분리, 재첩잡이에서 재첩과 섞여 있는 모래를 분리 도움② 도움③

도움 ① 체

체는 가루를 곱게 치거나 알갱이를 거르는 데 쓰는 기구입니다. 철사, 실 등을 짜서 만든 그물 모양의 눈 크기를 적절하게 사용하면 체를 이용하여 원하는 물질을 분리할 수 있습니다.

▲ 체를 사용한 재첩 분리

도움 ② 생활 속 알갱이의 크기가 다른 혼합물 분리의 예

- 강에서 재첩을 잡을 때: 체의 눈 크기가 재첩보다 작고 흙이나 모래보다 큰 체를 사용하여 재첩만 분리합니다.
- 공사장에서 모래와 자갈을 분리할 때: 체의 눈 크기가 자갈보다 작고 모래보다 큰 체를 사용하여 모래만 분리합니다.
- 과일 선별기: 과일이 옮겨지는 레일의 중간에 작은 구멍과 큰 구멍이 뚫려 있는 롤러가 있습니다. 과일이 이 구멍을 지나갈 때 구멍 크기보다 작은 과일들만 구멍을 빠져나가며 분리됩니다. 이런 방법으로 과일 선별기를 통해 크기가 작은 과일부터 큰 과일까지 크기별로 분리할 수 있습니다.

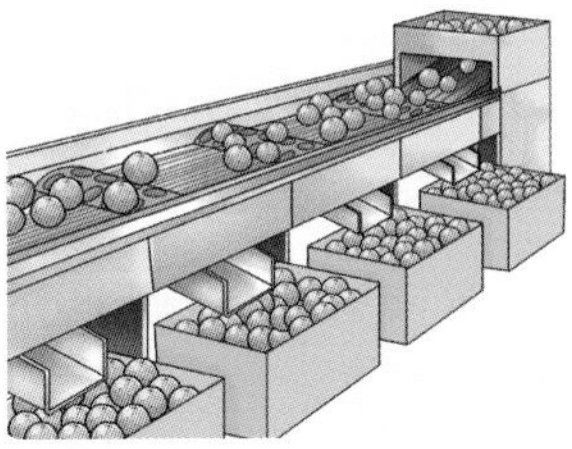
▲ 과일 선별기

도움 ③ 황사 마스크

황사 마스크란 아주 작은 크기의 먼지를 80 % 이상 차단할 수 있는 마스크입니다. 황사 마스크의 먼지 차단 효과가 높은 까닭은 황사 마스크가 일반 마스크에 비해 틈이 더 작아 아주 작은 크기의 먼지를 잘 걸러 내기 때문입니다.

스스로 확인해요

- **알갱이의 크기가 다른 고체 혼합물의 분리 방법을 말할 수 있어요.**
  도움말 도구(체)를 사용하여 분리하는 것이 편리하다는 것을 설명합니다.
- **알갱이의 크기가 다른 고체 혼합물을 분리했어요.**
  도움말 알갱이의 크기에 따라 눈 크기가 적절한 체를 사용하여 혼합물을 분리합니다.

교과서 개념 확인 문제

1 다음은 콩, 팥, 좁쌀의 혼합물을 분리하는 과정에 대한 설명입니다. 옳은 것은 ○표시를, 옳지 않은 것은 ×표시를 해 봅시다.

(1) 콩, 팥, 좁쌀의 혼합물은 도구를 이용하는 것보다 손으로 분리하는 것이 더 편리합니다. (　　　)

(2) 콩, 팥, 좁쌀의 혼합물은 알갱이의 크기 차이를 이용해서 분리할 수 있습니다. (　　　)

2 다음과 같이 콩, 팥, 좁쌀의 혼합물을 분리하였습니다. 체 위에 남은 물질(㉠)과 체를 통과한 물질(㉡)을 각각 써 봅시다. (단, 알갱이의 크기는 콩 > 팥 > 좁쌀임.)

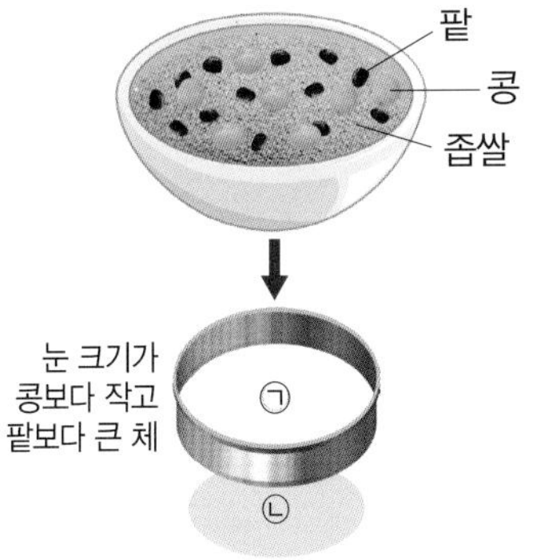

㉠ (　　　　　　)
㉡ (　　　　　　)

3 체를 사용하여 콩, 팥, 좁쌀의 혼합물을 분리할 때, 좁쌀이 가장 먼저 분리되기 위해서는 다음 중 어떤 체를 먼저 사용해야 하는지 ○표시를 해 봅시다. (단, 알갱이의 크기는 콩 > 팥 > 좁쌀임.)

㉠ (　　　　)　　㉡ (　　　　)

실험 관찰

관찰 · 의사소통

실험 관찰 62~63쪽

4 콩, 팥, 좁쌀의 혼합물을 분리해요

탐구 활동 콩, 팥, 좁쌀의 혼합물 분리하기

탐구 활동 도움말

이 탐구 활동은 콩, 팥, 좁쌀의 특징을 관찰하고 분리 방법을 생각해 본 뒤, 직접 분리해 보는 활동입니다.

『실험 관찰』 꾸러미 77쪽 붙임딱지를 붙여요.

콩, 팥, 좁쌀로 장난치지 않아요.

무엇을 준비할까요?

준비물에 ○ 표시를 하면서 확인해 봅시다.

콩, 팥, 좁쌀의 혼합물

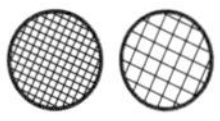

눈의 크기가 다른 체 2개

그릇 3개

실험용 장갑

실험복

도움말

눈 크기가 콩보다 작고 팥보다 큰 체와, 눈 크기가 팥보다 작고 좁쌀보다 큰 체를 준비합니다.

1 콩, 팥, 좁쌀의 혼합물에서 콩, 팥, 좁쌀을 관찰하고 비교해 봅시다.

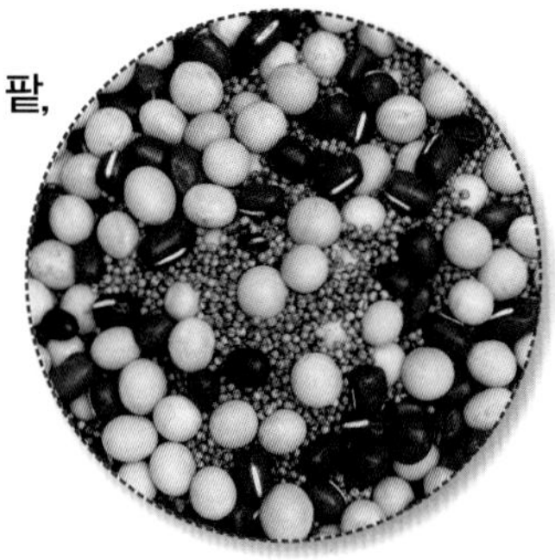

❶ 콩, 팥, 좁쌀의 모양, 색깔, 크기를 비교해서 써 봅시다.

예시 답안

구분	콩	팥	좁쌀
모양	둥근 모양	둥근 모양	둥근 모양
색깔	노란색	붉은색	노란색
크기	가장 큼.	중간 크기임.	가장 작음.

❷ 혼합물을 분리할 때 콩, 팥, 좁쌀의 어떤 성질을 이용할 수 있을지 이야기해 봅시다.

예시 답안

알갱이 크기의 차이를 이용할 수 있습니다.

2 체를 사용하여 콩, 팥, 좁쌀의 혼합물을 분리하는 방법을 이야기해 봅시다.

- 체를 사용하여 콩, 팥, 좁쌀의 혼합물을 분리할 때 필요한 눈의 크기를 생각해 봅시다.

▶ 눈 크기가 콩보다 작고 팥보다 큰 체를 사용하면 [콩] 이/가 가장 먼저 분리됩니다.

▶ 눈 크기가 팥보다 작고 좁쌀보다 큰 체를 사용하면 [좁쌀] 이/가 가장 먼저 분리됩니다.

보충해설

눈 크기가 큰 체를 먼저 사용하면 체 위에 남는 콩을 먼저 분리할 수 있고, 눈 크기가 작은 체를 먼저 사용하면 체를 통과한 좁쌀을 먼저 분리할 수 있습니다.

3 콩, 팥, 좁쌀의 혼합물을 눈의 크기가 다른 체 2개로 분리할 때 어떤 순서로 분리할 지 그림으로 정리해 봅시다.

예시 답안

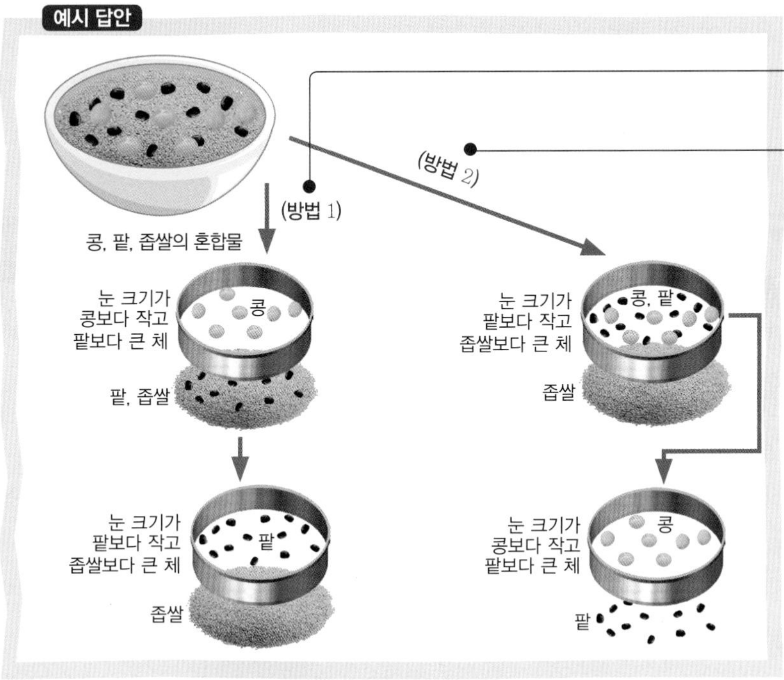

보충해설

(방법 1) 콩, 팥, 좁쌀의 혼합물을 눈 크기가 콩보다 작고 팥보다 큰 체로 걸렀을 때, 콩은 체에 남고 팥과 좁쌀은 체 아래로 빠집니다. 팥과 좁쌀의 혼합물을 눈 크기가 팥보다 작고 좁쌀보다 큰 체로 걸렀을 때, 팥은 체에 남고 좁쌀은 아래로 빠집니다.

보충해설

(방법 2) 콩, 팥, 좁쌀의 혼합물을 눈 크기가 팥보다 작고 좁쌀보다 큰 체로 걸렀을 때, 콩과 팥은 체에 남고 좁쌀은 체 아래로 빠집니다. 콩과 팥의 혼합물을 눈 크기가 콩보다 작고 팥보다 큰 체로 걸렀을 때, 콩은 체에 남고 팥은 아래로 빠집니다.

4 혼합물을 분리해 보고 잘된 점과 보완할 점을 이야기해 봅시다.

예시 답안

- 콩, 팥, 좁쌀을 분리하기에 체의 눈 크기가 적당했습니다.
- 체를 너무 세게 흔들어서 콩이 체 밖으로 튀어나가지 않도록 해야 합니다.
- 체를 사용해 분리하는 과정에서 체를 심하게 흔들거나 손으로 세게 휘젓지 않아야 합니다.

이렇게 OO 정리해요

콩, 팥, 좁쌀의 혼합물을 분리하는 방법을 설명해 봅시다.

콩, 팥, 좁쌀의 혼합물은 알갱이의 [크기] 차이를 이용하여 분리할 수 있습니다.

5 플라스틱과 철의 혼합물을 분리해요

과학 108~109쪽

궁금해요

플라스틱 고리와 철 클립의 혼합물을 어떻게 분리할지 생각해 봅시다.

질문 철 클립을 쉽게 골라낼 방법이 있을까요?

예시 답안 플라스틱 고리가 자석에 붙지 않는 성질과 철 클립이 자석에 붙는 성질을 이용하여 철 클립을 골라냅니다.

➲ 철과 플라스틱 혼합물의 분리

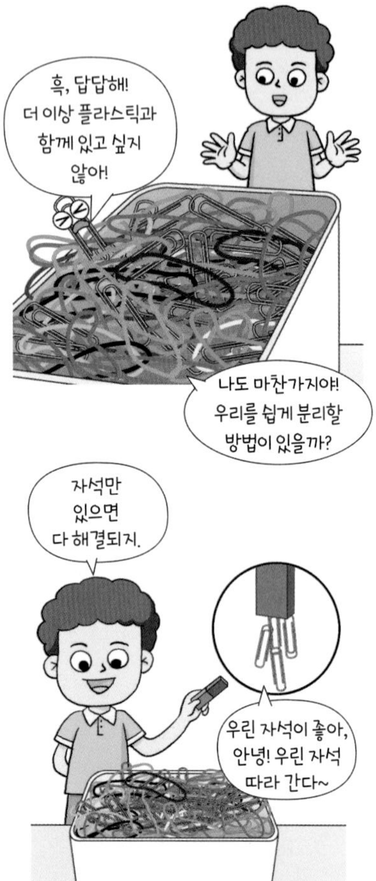

탐구 활동 플라스틱 고리와 철 클립의 혼합물 분리하기

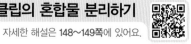

자세한 해설은 148~149쪽에 있어요.

- **무엇을 준비할까요?**

  플라스틱 고리와 철 클립의 혼합물, 막대자석, 그릇 2개, 실험용 장갑, 실험복

- **과정을 알아볼까요?**

❶ 플라스틱 고리와 철 클립의 혼합물에서 플라스틱 고리와 철 클립을 관찰하고 비교해 봅시다.

❷ 플라스틱 고리와 철 클립의 혼합물을 쉽게 분리할 수 있는 방법을 생각해 봅시다.

❸ 자석을 사용하여 플라스틱 고리와 철 클립의 혼합물을 분리해 봅시다.

❹ 우리 주변에서 자석을 사용하여 혼합물을 분리할 수 있는 경우를 찾아봅시다. 도움① 도움②

- **관찰 내용 및 결과를 정리해요**

➲ 플라스틱 고리와 철 클립은 자석을 사용하여 분리할 수 있습니다.

➲ 플라스틱 고리는 자석에 붙지 않고, 철 클립은 자석에 붙습니다.

교과서 속 핵심 개념

- **철로 된 물질**: 자석에 붙는 성질이 있음.
- **자석에 붙는 물질과 붙지 않는 물질의 혼합물**: 자석을 사용하면 자석에 붙는 물질과 붙지 않는 물질을 쉽게 분리할 수 있음.
- **플라스틱 고리와 철 클립의 혼합물**: 플라스틱 고리는 자석에 붙지 않고 철 클립은 자석에 붙는 성질이 있으므로 자석을 사용하여 분리할 수 있음.
- **자석을 이용한 혼합물 분리 예**: 폐차장이나 금속 제품을 재활용하는 곳에서 자석을 사용하여 철을 분리, 광산에서 자석에 붙는 성질이 있는 광물을 분리, 고춧가루에 섞여 있는 철 가루를 자석으로 분리

도움 ① 자석의 성질

자석은 철로 된 것을 끌어당기는 성질을 가지고 있는데, 이러한 성질을 '자성'이라고 합니다. 철은 금속인데 모든 금속이 자석에 붙을까요? 그렇지 않습니다. 알루미늄이나 구리, 백금 등은 자석에 붙지 않습니다.

자석에 클립을 붙여 보면, 자석의 가운데에는 잘 붙지 않고 양쪽 끝에만 클립이 몰려서 붙는 것을 확인할 수 있습니다. 클립이 자석의 양쪽 끝에 많이 달라붙는 까닭은 양쪽 끝이 자석에서 가장 힘이 센 곳이기 때문입니다. 이곳을 '자석의 극'이라고 하며, 자석에는 극이 2개 있습니다. 막대자석에서 볼 수 있는 N극과 S극이 바로 자석의 극입니다.

도움 ② 자석을 이용하는 예

- 고물상에서 이용하는 전자석: 금속 제품을 재활용하는 고물상이나 폐차장에서 철을 분리할 때 전자석을 이용합니다. 전자석은 전류가 흐를 때에만 자성을 띠기 때문에 무거운 철을 전자석에 붙여 원하는 곳으로 이동한 뒤, 자성을 사라지게 하여 철이 전자석에서 떨어지게 합니다.

▲ 전자석으로 철을 분리하는 기계

- 음식 가루에 섞여 있는 철 가루를 분리하는 자석: 고추나 깨, 쌀 등을 기계에 넣고 갈아서 가루를 만들 때 기계가 닳아 철 가루가 음식 가루와 섞이는 경우가 있습니다. 이때 기계에 자석으로 만든 봉을 설치하여 음식 가루에 섞여 있는 철 가루를 분리합니다.

스스로 확인해요

- **철이 섞인 혼합물을 분리할 때 이용하는 물질의 성질을 말할 수 있어요.**

  도움말 철 클립은 자석에 붙는 성질이 있어서 자석을 사용해서 분리할 수 있다는 것을 이야기합니다.

- **플라스틱 고리와 철 클립의 혼합물을 분리했어요.**

  도움말 도구(자석)를 사용하여 혼합물을 분리하는 실험을 해 봅시다.

정답과 해설 5쪽

교과서 개념 확인 문제

1 다음 (   ) 안에 들어갈 알맞은 말에 ○표시를 해 봅시다.

(1) 플라스틱과 철을 분리할 때에는 (플라스틱 , 철)이 자석에 붙는 성질을 이용합니다.

(2) 플라스틱 고리와 철 클립을 분리할 때에는 (자석 , 체)을/를 사용합니다.

2 다음과 같이 각각의 물체에 자석을 가까이 했을 때 나타나는 결과를 선으로 연결해 봅시다.

(1)

플라스틱 고리 •   • ㉠ 붙습니다.

(2)
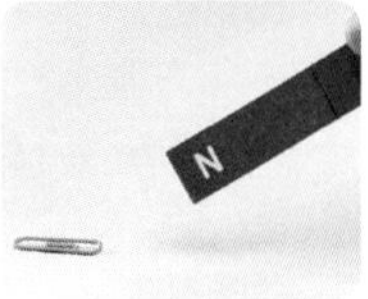

철 클립 •   • ㉡ 붙지 않습니다.

3 우리 주변에서 자석을 사용하여 혼합물을 분리할 수 있는 경우를 한 가지만 써 봅시다.

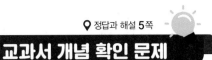

실험 관찰

관찰 분류

실험 관찰 64~65쪽

5 플라스틱과 철의 혼합물을 분리해요

탐구 활동 플라스틱 고리와 철 클립의 혼합물 분리하기

탐구 활동 도움말

이 탐구 활동은 플라스틱 고리와 철 클립을 관찰하고, 자석에 붙는 물질과 붙지 않는 물질을 구분하여 각각을 분리하는 활동입니다.

『실험 관찰』 꾸러미 77쪽 붙임딱지를 붙여요.

자석으로 장난치지 않아요.

무엇을 준비할까요?

준비물에 ○ 표시를 하면서 확인해 봅시다.

도움말

플라스틱 고리와 철 클립은 여러 가지 색깔로 준비합니다.

플라스틱 고리와 철 클립의 혼합물

막대자석

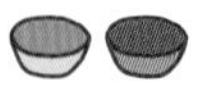

그릇 2개

실험용 장갑

실험복

1 플라스틱 고리와 철 클립의 혼합물에서 플라스틱 고리와 철 클립을 관찰하고 비교해 봅시다.

❶ 플라스틱 고리와 철 클립의 모양, 색깔 등을 관찰하여 써 봅시다.

예시 답안

구분	플라스틱 고리	철 클립
모양	둥근 원 모양	길쭉한 모양
색깔	여러 가지 색	여러 가지 색
크기	100원짜리 동전 크기	약 2 cm~3 cm

❷ 플라스틱 고리와 철 클립에 자석을 가까이 대어 보고 결과를 빈칸에 써넣어 봅시다.

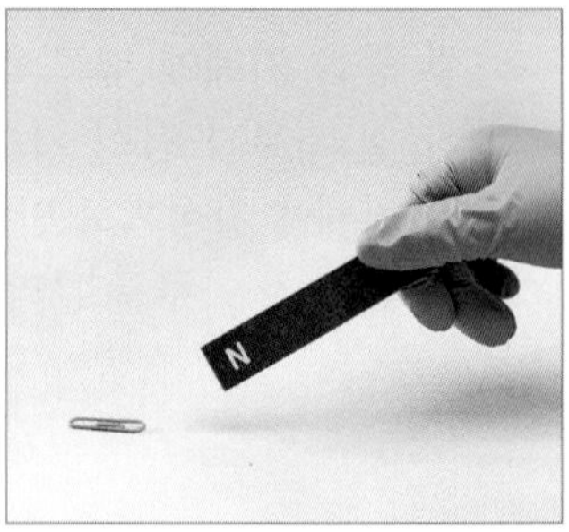

플라스틱 고리	철 클립
자석에 붙지 않습니다 .	자석에 붙습니다 .

2 플라스틱 고리와 철 클립의 혼합물을 쉽게 분리할 수 있는 방법을 생각해 봅시다.

❶ 플라스틱 고리와 철 클립의 혼합물을 분리할 때 이용할 수 있는 성질을 써 봅시다.

예시 답안

플라스틱이 자석에 붙지 않는 성질과 철이 자석에 붙는 성질

❷ 어떤 도구를 사용하여 플라스틱 고리와 철 클립의 혼합물을 분리할지 이야기해 봅시다.

보충해설

자석을 사용하여 플라스틱 고리와 철 클립을 분리할 수 있습니다.

3 자석을 사용하여 플라스틱 고리와 철 클립의 혼합물을 분리해 봅시다.

보충해설

막대자석으로 혼합물을 분리할 때 막대자석을 비닐봉지나 지퍼 백 속에 넣어 사용하면 막대자석에 붙은 철 클립을 제거하기 쉽습니다. 비닐봉지나 지퍼 백에서 막대자석을 꺼내면 비닐봉지나 지퍼 백에 붙어 있던 철 클립이 쉽게 떨어집니다.

4 우리 주변에서 자석을 사용하여 혼합물을 분리할 수 있는 경우를 찾아봅시다.

예시 답안

- 고물상에서 자석을 사용하여 철을 분리합니다.
- 곡물 가루에서 자석을 사용하여 철 가루를 분리합니다.
- 재활용품 분리 레일에서 자석을 사용하여 철 캔을 분리합니다.

이렇게 ○○ 정리해요

플라스틱 고리와 철 클립의 혼합물을 분리하는 방법을 설명해 봅시다.

플라스틱 고리와 철 클립의 혼합물은 철이 [자석]에 붙는 성질을 이용하면 쉽게 분리할 수 있습니다.

6 설탕과 좁쌀의 혼합물을 분리해요

과학 110~111쪽

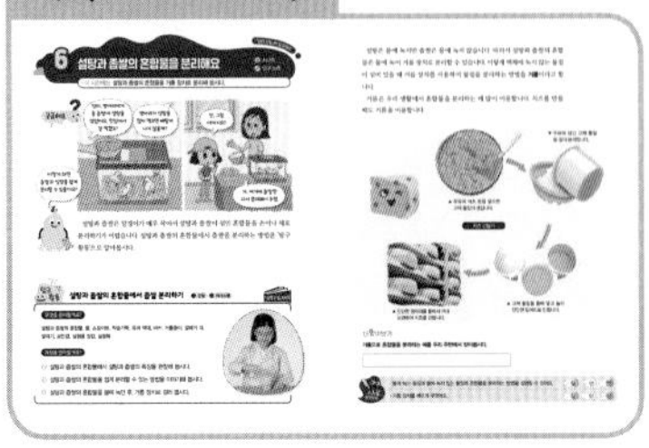

궁금해요

좁쌀과 설탕을 쉽게 분리할 수 있는 방법을 생각해 봅시다.

질문 어떻게 하면 좁쌀과 설탕을 쉽게 분리할 수 있을까요?

예시 답안 설탕과 좁쌀의 혼합물을 물에 녹인 뒤 거름 장치로 분리합니다.

탐구 활동 설탕과 좁쌀의 혼합물에서 좁쌀 분리하기

자세한 해설은 152~153쪽에 있어요.

- **무엇을 준비할까요?**

설탕과 좁쌀의 혼합물, 물, 스포이트, 약숟가락, 유리 막대, 비커, 거름종이, 깔때기 대, 깔때기, 보안경, 실험용 장갑, 실험복 도움①

- **과정을 알아볼까요?**

❶ 설탕과 좁쌀의 혼합물에서 설탕과 좁쌀의 특징을 관찰해 봅시다.

❷ 설탕과 좁쌀의 혼합물을 쉽게 분리할 수 있는 방법을 이야기해 봅시다.

❸ 설탕과 좁쌀의 혼합물을 물에 녹인 후, 거름 장치로 걸러 봅시다. 도움②

- **관찰 내용 및 결과를 정리해요**

➲ 설탕은 물에 녹고, 좁쌀은 물에 녹지 않습니다.

➲ 설탕과 좁쌀의 혼합물을 물에 녹여 거름 장치로 거르면 거름종이에 좁쌀이 남습니다.

더 알아보기

거름으로 혼합물을 분리하는 예를 우리 주변에서 찾아봅시다.

예시 답안 하수구 구멍의 거름망으로 욕실에서 사용한 물에 섞여 있는 머리카락을 거릅니다.

➲ 거름의 예

두부를 만들 때 헝겊으로 거르면 헝겊 위에 두부가 될 부분이 남고, 액체는 헝겊을 빠져나가요.
거름을 이용해서 두부를 만들어요.

치즈를 만들 때 우유에 생긴 고체 물질을 걸러 분리하는 방법도 거름을 이용한 것이에요.

교과서 속 핵심 개념

- **거름**: 액체에 녹지 않는 물질이 섞여 있을 때 거름 장치를 사용하여 물질을 분리하는 방법
- **설탕과 좁쌀의 혼합물**: 설탕은 물에 녹고 좁쌀은 물에 녹지 않는 성질을 이용하여 혼합물을 물에 녹인 뒤 거름 장치로 분리할 수 있음.
- **거름의 이용**: 치즈, 두부, 간장을 만들 때, 커피를 내릴 때 등 우리 생활의 많은 부분에 이용함. 도움③

▲ 거름 장치로 거르기

도움 ① 거름종이
거름종이는 액체에 섞여 있는 작은 알갱이를 거를 수 있는 종이입니다. 거름종이는 식물성 섬유로 되어 있는데, 현미경으로 보면 지름이 0.05 mm 정도 되는 작은 구멍들이 무수하게 서로 엉켜 있습니다. 이 구멍들이 작은 알갱이를 걸러 줍니다.

도움 ② 거름
거름종이나 필터 등을 사용하여 혼합물을 거를 수 있습니다. 고체와 액체의 혼합물을 거름종이 등을 이용하여 거르면, 거름종이를 통과하지 못하는 고체는 거름종이에 남고 액체는 거름종이를 통과하여 고체와 액체가 분리됩니다. 주로 물에 녹는 물질과 물에 녹지 않는 물질이 섞여 있는 혼합물의 분리 방법으로 사용됩니다.

도움 ③ 치즈를 만드는 과정
치즈를 만들 때에는 우유에 식초 등을 넣어 '커드'라고 하는 덩어리가 만들어지게 합니다. 이후 거름 장치를 이용해 커드와 나머지 액체를 분리하여 치즈 덩어리를 만듭니다. 치즈 덩어리를 틀에 넣고 눌러 모양을 만든 뒤, 일정한 조건에서 발효시킵니다.

▲ 우유에 생긴 커드

▲ 커드 걸러 내기

▲ 틀에 넣고 모양 만들기

▲ 발효시키기

스스로 확인해요

- **물에 녹는 물질과 물에 녹지 않는 물질의 혼합물을 분리하는 방법을 설명할 수 있어요.**
  도움말 물질의 성질에 따라 혼합물의 분리 방법이 다양하다는 것을 알고 물에 녹여 분리하는 방법을 설명합니다.
- **거름 장치를 바르게 꾸몄어요.**
  도움말 거름 장치를 알맞게 꾸며 봅시다.

교과서 개념 확인 문제

1 다음 ( ) 안에 들어갈 알맞은 말에 ○표시를 해 봅시다.

> 설탕과 좁쌀을 물에 넣었을 때 설탕은 물에 (녹고 , 녹지 않고), 좁쌀은 물에 (녹습니다 , 녹지 않습니다).

2 설탕과 좁쌀을 물에 넣은 뒤 거름 장치로 걸렀습니다. 이때 각 부분에 있는 물질을 선으로 연결해 봅시다.

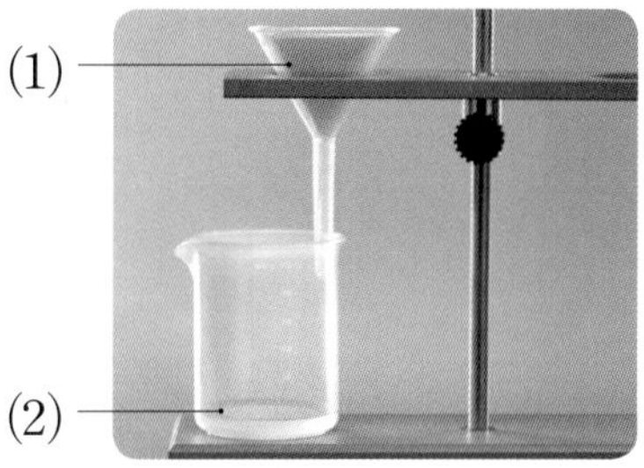

(1) •　　　　• ㉠ 좁쌀

(2) •　　　　• ㉡ 물에 녹은 설탕

3 설탕과 좁쌀의 혼합물을 물에 녹인 후 다음과 같이 분리하는 방법을 무엇이라고 하는지 써 봅시다.

(　　　　　　　　)

실험 관찰

관찰 의사소통

실험 관찰 66~67쪽

6 설탕과 좁쌀의 혼합물을 분리해요

탐구 활동 설탕과 좁쌀의 혼합물에서 좁쌀 분리하기

탐구 활동 도움말

이 탐구 활동은 거름 장치를 꾸미고 설탕과 좁쌀을 물에 녹인 뒤 걸렀을 때, 거름종이에 남는 물질과 빠져나간 물질을 관찰하면서 모둠원과 의견을 나눌 수 있는 활동입니다.

「실험 관찰」 꾸러미 77쪽 붙임딱지를 붙여요.

실험 재료를 함부로 맛보지 않아요.

무엇을 준비할까요?

준비물에 ◯ 표시를 하면서 확인해 봅시다.

- 설탕과 좁쌀의 혼합물
- 물
- 스포이트
- 약숟가락
- 유리 막대
- 비커
- 거름종이
- 깔때기 대
- 깔때기
- 보안경
- 실험용 장갑
- 실험복

도움말

액체에 섞여 있는 고체 물질을 거를 수 있는 종이입니다.

1 설탕과 좁쌀의 혼합물에서 설탕과 좁쌀의 특징을 관찰해 봅시다.

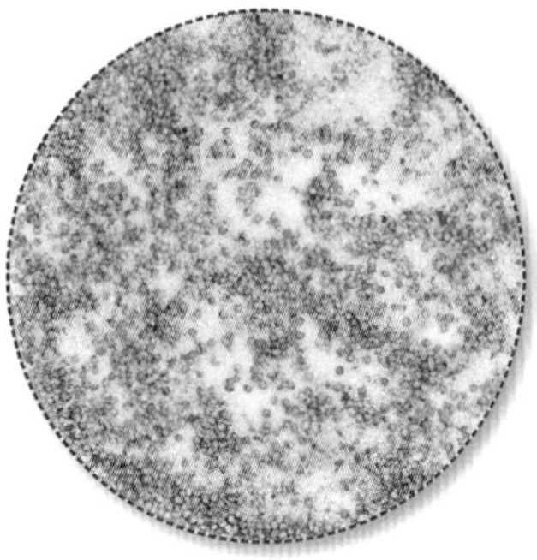

❶ 설탕, 좁쌀의 모양, 색깔, 크기를 관찰해 봅시다.

예시 답안

구분	설탕	좁쌀
모양	둥근 모양	둥근 모양
색깔	흰색	노란색
크기	아주 작음(약 1 mm).	아주 작음(1 mm~2 mm).

❷ 설탕, 좁쌀을 물에 녹이면 어떻게 되는지 알아봅시다.

물에 녹였을 때	설탕	좁쌀
	☑ 녹음. ☐ 녹지 않음.	☐ 녹음. ☑ 녹지 않음.

2 설탕과 좁쌀의 혼합물을 쉽게 분리할 수 있는 방법을 이야기해 봅시다.

예시 답안

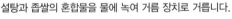

설탕과 좁쌀의 혼합물을 물에 녹여 거름 장치로 거릅니다.

보충해설

설탕과 좁쌀의 혼합물을 체를 사용해서 분리한다고 생각할 수도 있으나, 설탕과 좁쌀은 알갱이의 크기가 둘 다 매우 작아서 체로 분리하기 어렵습니다. 설탕과 좁쌀을 관찰하고 뚜렷하게 구별할 수 있는 성질을 찾아 분리할 수 있는 방법에 대해 이야기해 봅시다.

3 설탕과 좁쌀의 혼합물을 물에 녹인 후, 거름 장치로 걸러 봅시다.

❶ 거름 장치를 꾸미고, 설탕과 좁쌀의 혼합물을 물에 녹여 유리 막대로 천천히 흘려 주면서 관찰해 봅시다.

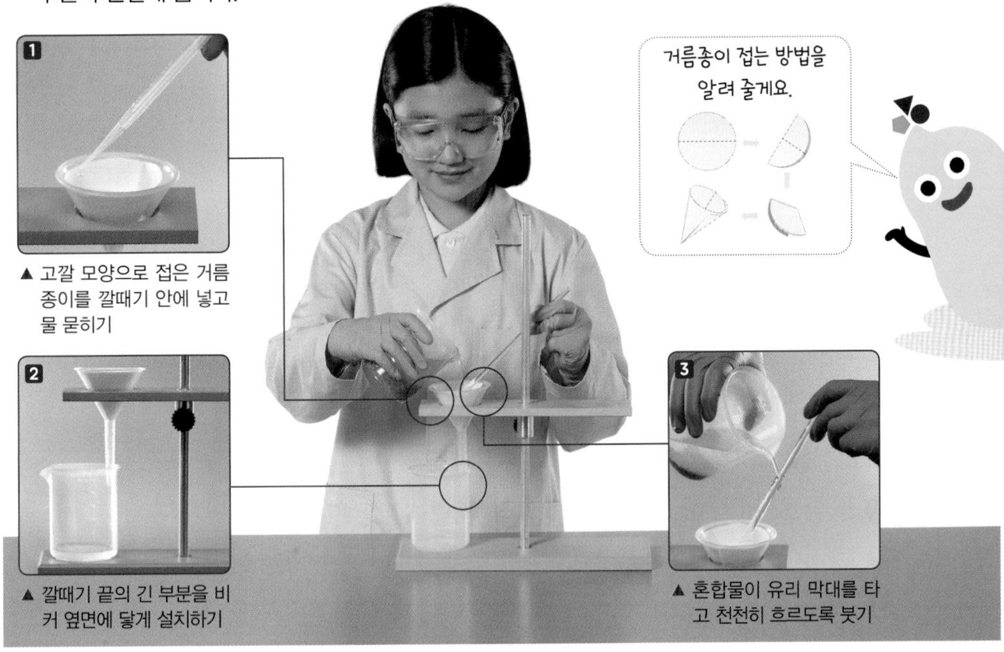

▲ 고깔 모양으로 접은 거름종이를 깔때기 안에 넣고 물 묻히기

▲ 깔때기 끝의 긴 부분을 비커 옆면에 닿게 설치하기

▲ 혼합물이 유리 막대를 타고 천천히 흐르도록 붓기

❷ 거름종이에 남아 있는 물질을 써 봅시다.

좁쌀

❸ 물에 녹는 물질과 녹지 않는 물질을 연결해 봅시다.

거름종이에 남은 물질	물에 녹는 물질
거름종이를 빠져나간 물질	물에 녹지 않는 물질

(거름종이에 남은 물질 — 물에 녹지 않는 물질, 거름종이를 빠져나간 물질 — 물에 녹는 물질)

이렇게 ○○ 정리해요

설탕과 좁쌀의 혼합물을 분리하는 방법을 설명해 봅시다.

설탕과 좁쌀의 혼합물을 물에 녹인 뒤 [거름] 장치로 거르면 좁쌀을 분리할 수 있습니다.

보충해설

물에 녹지 않는 물질은 거름종이에 남고, 물에 녹는 물질은 물과 함께 거름종이를 빠져나와 비커에 담깁니다.

7 소금물에서 소금을 분리해요

과학 112~113쪽

궁금해요

소금 장수 이야기를 보면서 물에 빠진 소금을 얻을 수 있는 방법을 생각해 봅시다.

질문 물에 녹은 소금을 어떻게 분리할 수 있을까요?

예시 답안
- 물을 말립니다.
- 물만 없어지게 합니다.

➲ 증발

어머~ 실수로 각설탕에 뜨거운 물을 부어 다 녹아버렸네요!
햇빛이 있는 곳에 두면 물이 증발해서 설탕만 남아요!

탐구 활동 소금물에서 소금 분리하기

자세한 해설은 156~157쪽에 있어요.

- **무엇을 준비할까요?**

소금, 물, 비커 2개, 페트리 접시, 스마트 기기, 돋보기, 약숟가락, 유리 막대, 보안경, 실험용 장갑, 실험복

- **과정을 알아볼까요?**

❶ 소금을 관찰하고 특징을 정리해 봅시다.
❷ 비커에 물과 소금을 넣고 유리 막대로 저어 소금물을 만들어 봅시다.
❸ 소금물을 페트리 접시에 담아 햇빛이 잘 들고 바람이 잘 통하는 곳에 놓아둡니다.
❹ 페트리 접시에 담긴 소금물의 변화를 돋보기로 관찰하면서 1시간 후, 3시간 후, 1일 후에 스마트 기기로 사진을 찍습니다.

- **관찰 내용 및 결과를 정리해요**

➲ 소금은 물에 녹습니다.
➲ 소금물을 햇빛이 잘 들고 바람이 잘 통하는 곳에 두면 소금만 남습니다.

➲ 소금물에서 물이 증발하고 남은 물질

알갱이 크기는 조금 달라졌고, 색깔은 흰색으로 같아요.
손으로 만졌을 때 까끌까끌해요. 이것은 소금이에요!

교과서 속 핵심 개념

- **물에 소금이 섞여 있는 혼합물**: 소금물에서 물을 증발시켜 물에 녹아 있는 소금을 분리할 수 있음.
- **증발**: 액체가 표면에서 기체로 변하는 현상 도움①
- **소금이 만들어지는 과정**: 바닷물을 모아서 막아 놓으면 햇빛, 바람 등에 의하여 물이 증발하면서 소금이 만들어짐. 도움② 도움③

바닷물을 모아 둠.

물이 증발하면서 소금이 생김.

소금을 모아 저장함.

정답과 해설 5쪽

도움 ① 증발

- 증발이 잘 일어나는 조건: 온도가 높을수록, 바람이 강할수록, 습도가 낮을수록, 면적이 넓을수록 증발이 잘 일어납니다.
- 증발의 예: 젖은 빨래가 마르는 현상, 어항의 물이 시간이 지날수록 줄어드는 현상, 염전에서 바닷물을 증발시켜 소금을 얻는 현상 등

도움 ② 염전에서 소금이 만들어지는 과정

바닷물을 모아 두면 물이 증발하면서 소금이 생깁니다. 이렇게 햇볕과 바람으로 바닷물에서 물을 증발시켜 만든 소금을 천일염이라고 합니다. 천일염을 만들 때는 바닷물을 염전의 저수지, 증발지로 옮겨서 물을 증발시킵니다.

▲ 염전에서 소금을 모으는 모습

▲ 바닷물을 증발시켜 얻은 천일염

도움 ③ 우유니 소금 사막

▲ 우유니 소금 사막

우유니 소금 사막은 소금으로 뒤덮인 사막으로 볼리비아 우유니 서쪽 끝에 있습니다. 세계 최대의 소금 사막으로 우유니 소금 호수라고도 합니다. 과거에 바다였던 곳이 호수가 되었는데, 비가 적고 건조한 기후로 인해 오랜 세월 동안 물은 모두 증발하고 소금 결정만 남게 되어 지금의 소금 사막이 만들어지게 되었습니다.

스스로 확인해요

- **소금물에서 소금을 분리하는 방법을 설명할 수 있어요.**
  도움말 눈에 보이지 않지만 물에 소금이 녹아 있다는 것을 알고 물을 증발시켜 소금을 얻을 수 있음을 설명합니다.
- **증발 실험 과정과 결과를 정리하여 실험 보고서를 썼어요.**
  도움말 증발 과정은 시간이 걸리기 때문에 한 시간 단위로 관찰하여 실험 보고서를 씁니다.

교과서 개념 확인 문제

1 다음 염전에서와 같이 바닷물에서 소금을 얻을 때 나타나는 현상을 무엇이라고 하는지 써 봅시다.

( )

2~3 다음은 소금물에서 소금을 분리하는 실험 과정입니다. 물음에 답해 봅시다.

> ㉠ 비커에 소금을 넣고 물을 붓습니다.
> ㉡ 소금이 완전히 녹지 않을 만큼만 유리 막대로 저어 줍니다.
> ㉢ 소금물을 페트리 접시에 담아 어둡고 밀폐된 곳에 놓아둡니다.
> ㉣ 페트리 접시에 담긴 소금물의 변화를 돋보기로 관찰하면서 1시간 후, 3시간 후, 1일 후에 스마트 기기로 사진을 찍습니다.

2 위 실험 과정에서 옳지 않은 것을 2가지 골라 기호를 써 봅시다.

( )

3 다음은 1일 후 페트리 접시에 남아 있는 물질과 소금을 비교하는 방법입니다. 옳은 것은 ○표시를, 옳지 않은 것은 ×표시를 해 봅시다.

(1) 색깔, 모양, 손으로 만졌을 때의 느낌을 비교합니다. ( )
(2) 맛을 보고 짠맛인지 비교합니다. ( )

실험 관찰

관찰 예상

실험 관찰 68~69쪽

7 소금물에서 소금을 분리해요

탐구 활동 소금물에서 소금 분리하기

탐구 활동 도움말

이 탐구 활동은 물에 녹기 전 소금과 물에 녹았다 다시 만들어진 소금을 관찰하고, 소금물에서 물을 증발시킨 뒤 남는 물질을 예상해 보는 활동입니다.

「실험 관찰」 꾸러미 77쪽 붙임딱지를 붙여요.

스마트 기기는 필요할 때만 사용해요.

보충해설

소금을 관찰하는 과정에서 맛을 보지 않도록 주의합니다. 눈으로 관찰하고 냄새를 맡고 손으로 촉감을 관찰합니다.

무엇을 준비할까요?

준비물에 ◯ 표시를 하면서 확인해 봅시다.

소금

물

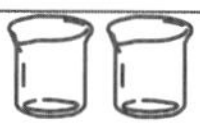
비커 2개

페트리 접시

스마트 기기

돋보기

약숟가락

유리 막대

보안경

실험용 장갑

실험복

1 소금을 관찰하고 특징을 정리해 봅시다.

예시 답안

색깔	모양	손으로 만졌을 때의 느낌
흰색	상자 모양	까슬까슬함. 거칠거칠함.

2 비커에 물과 소금을 넣고 유리 막대로 저어 소금물을 만들어 봅시다.

❶ 비커에 소금 10 숟가락을 넣고 물 50 mL를 붓습니다.

❷ 소금이 완전히 녹을 때까지 유리 막대로 저어 줍니다.

도움말

물 50 mL에 소금 10 숟가락을 완전히 녹여 진한 소금물을 만듭니다. 미지근한 물을 사용하면 소금이 더 쉽게 녹습니다.

3 소금물을 페트리 접시에 담아 햇빛이 잘 들고 바람이 잘 통하는 곳에 놓아둡니다.

❶ 페트리 접시에 소금물을 절반 정도 담습니다.

❷ 페트리 접시를 햇빛이 잘 들고 바람이 잘 통하는 곳에 둡니다.

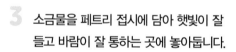

도움말

진한 소금물을 페트리 접시 바닥에 살짝 깔리게 담습니다. 소금물을 너무 많이 담으면 소금이 생기는 데 오랜 시간이 걸립니다.

4 **페트리 접시에 담긴 소금물의 변화를 돋보기로 관찰하면서 1시간 후, 3시간 후, 1일 후에 스마트 기기로 사진을 찍습니다.**

❶ 페트리 접시에 나타난 현상을 쓰고, 스마트 기기로 찍은 사진을 보며 그림으로 정리해 봅시다.

예시 답안

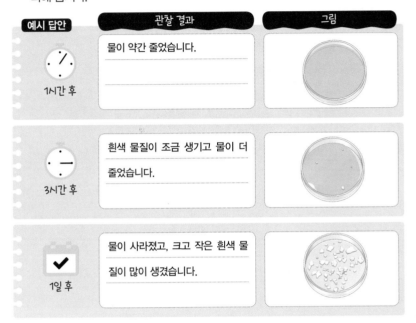

	관찰 결과	그림
1시간 후	물이 약간 줄었습니다.	
3시간 후	흰색 물질이 조금 생기고 물이 더 줄었습니다.	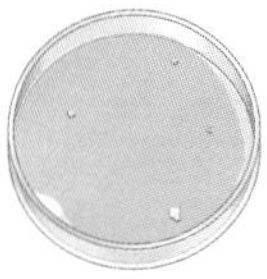
1일 후	물이 사라졌고, 크고 작은 흰색 물질이 많이 생겼습니다.	

❷ 페트리 접시에 남아 있는 물질과 소금을 비교해 봅시다.

❸ 페트리 접시에 담긴 소금물의 변화로 알 수 있는 사실을 이야기해 봅시다.

이렇게 ○○ 정리해요

소금물에서 소금을 분리하는 방법을 설명해 봅시다.

소금물에서 물을 [증발] 시키면 소금을 분리할 수 있습니다.

보충해설

물에 녹기 전 소금과 비교해 소금물에서 물이 증발하여 생긴 소금의 모양이 조금 달라졌어도 색깔과 촉감으로 소금이라는 것을 알 수 있습니다.

보충해설

소금물을 페트리 접시에 담아 두면 물이 증발하여 소금만 남습니다.

최신 과학 과학 더하기

과학 114~115쪽

우주 정거장에서는 마시는 물을 어떻게 얻을까요?

우주에서는 지구에서처럼 물을 쉽게 얻을 수 없어요.
그렇다고 많은 양의 물을 우주선에 싣고 가는 것도 쉬운 일이 아니에요.
그러면 우주인이 사용하는 물은 어떻게 얻을까요?

우주인들은 우주 정거장에서 생활하며 사용하는 물을 대부분 재활용해요. 또 우주인들이 숨을 쉴 때 나오는 수분, 땀으로 나오는 수분 등 사람의 몸에서 나오는 수분을 모아서 마시는 물로 사용해요. 이때 한 번 사용한 물이나 몸에서 나온 수분은 여러 가지 오염 물질이 섞인 혼합물이에요. 이 혼합물에서 오염 물질을 여러 번 걸러 내는 과정을 거쳐야 깨끗한 물이 돼요. 이렇게 우주 정거장에서는 사용했던 물과 사람의 몸에서 나오는 모든 수분을 모아 재활용하는 방법으로 부족한 물을 보충하고 있어요.

과학 더하기 도움말

우주 정거장에서 우주인들이 필요한 물건들을 싣고 가려면 엄청난 돈과 시간이 필요합니다. 따라서 우주인들은 생활하면서 나온 물질들을 재활용하기도 합니다. 그 대표적인 것이 물입니다. 우리가 사용한 물은 오염 물질이 섞인 혼합물입니다. 이 혼합물에서 오염 물질을 분리하면 맑은 물을 얻을 수 있습니다. 혼합물의 분리는 이처럼 우주 정거장에서 매우 유용하게 사용됩니다.

과학 더하기 해설

장기간 우주 공간에 머무르는 국제 우주 정거장(ISS)에서 우주인들이 사용하는 물의 약 93 %는 오염 물질을 제거하는 정수 과정을 거쳐 재활용됩니다. 미국 우주인들은 숨을 쉴 때 나오는 수분이나 땀으로 나오는 수분뿐만 아니라 샤워하고 남은 물, 우주인들의 소변과 실험용 동물의 소변까지도 정수 과정을 거쳐 재활용합니다. 반면 러시아 우주인들은 숨을 쉴 때 나오는 수분이나 땀으로 나오

▲ 우주 정수를 마시는 우주인들
▲ 국제 우주 정거장
우리가 쓰고 버리는 물을 다시 사용할 수 있는 방법을 생각해 보아요.
질문

● **우리가 쓰고 버리는 물을 다시 사용할 수 있는 방법을 생각해 보아요.**

▶ 세수를 하거나 양치할 때 사용한 물을 모아 변기의 물이나 화단의 물로 사용할 수 있습니다.

는 수분은 정수하여 사용하지만, 소변은 재활용하지 않습니다. 그래서 러시아 우주인들의 소변을 미국 우주인들이 가져다가 정수해 식수로 재활용합니다.

• 국제 우주 정거장

국제 우주 정거장은 축구장만한 크기의 구조를 하늘 위 300 km~400 km에서 조립한 것으로, 다양한 우주 실험을 하는 곳입니다. 중력의 영향을 거의 받지 않는 상태에서 단단하면서도 가벼운, 새로운 물질을 개발하기 위해 다양한 실험을 합니다. 국제 우주 정거장에서 먹는 음식을 우주 식품이라고 하는데, 지구에서 먹는 음식과 비슷한 100여 가지의 음식들을 말린 것입니다. 우주 식품은 말린 채로 먹거나 물을 부어 먹습니다. 화장실에 갈 때에는 몸을 벨트로 변기에 고정하고 배설물은 진공 장치로 빨아들입니다. 잠을 잘 때에는 벨트로 몸을 고정하고 수면 마스크를 하고 잡니다. 샤워할 때에는 큰 통 안에 들어가 샤워기를 이용하고 떠다니는 물방울들은 진공 장치로 빨아들입니다.

해당 칸에 『과학』 부록 123쪽 붙임딱지를 붙이세요.

단원 매듭 짓기 ● 그림으로 정리하기 ●

과학 116~117쪽

붙임딱지로 빈칸을 채우며 배운 내용을 정리해 봅시다.

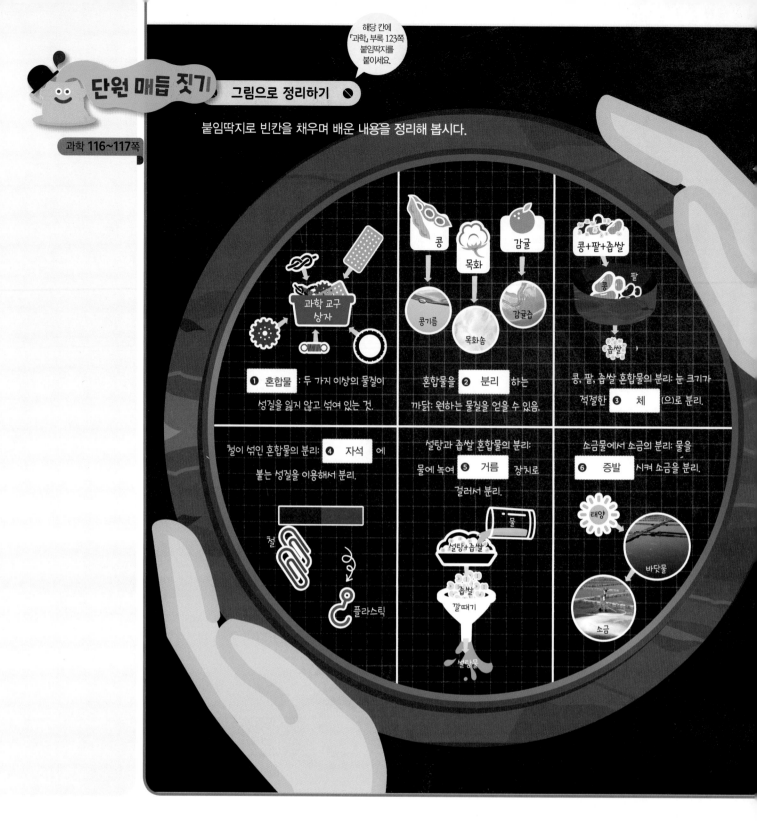

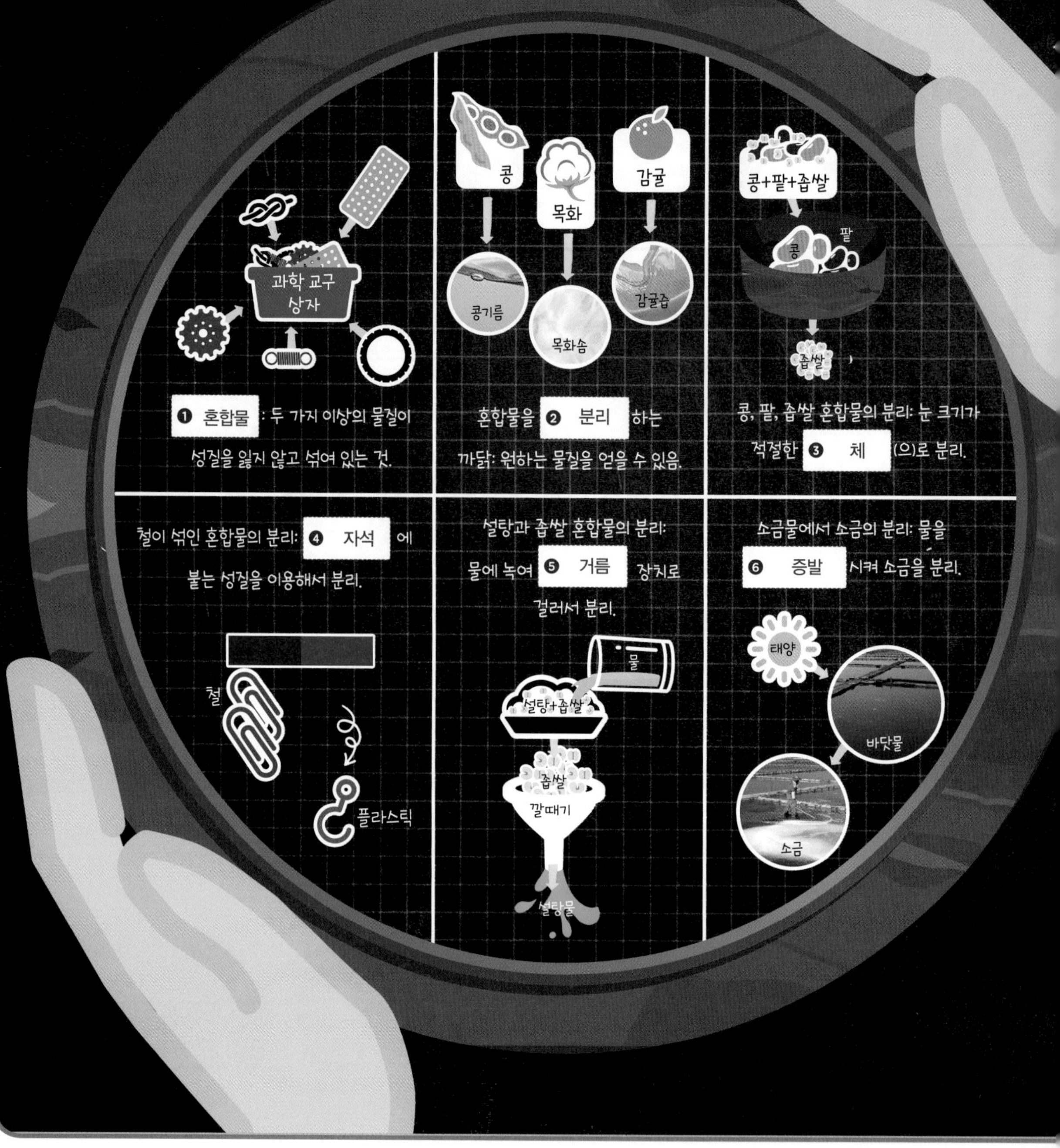

● 그림으로 정리하기 해설 ●

❶ 과학 교구 상자는 철판, 톱니바퀴 등이 성질을 잃지 않고 섞여 있는 혼합물입니다.

❸ 콩, 팥, 좁쌀의 혼합물은 체를 사용하여 분리할 수 있습니다. 이때 분리하는 고체 물질의 알갱이 크기를 고려하여 체의 눈 크기를 적절하게 선택해야 합니다.

❹ 철 클립과 플라스틱 고리가 섞여 있는 혼합물은 자석을 사용하여 혼합물을 쉽게 분리할 수 있습니다. 철 클립에 자석을 가까이 가져가면 철 클립은 자석에 붙습니다. 하지만 플라스틱 고리에 자석을 가까이 가져가면 플라스틱 고리는 자석에 붙지 않습니다.

❺ 물에 녹는 설탕과 물에 녹지 않는 좁쌀이 섞여 있는 혼합물은 물에 녹여 거름 장치로 걸러 분리할 수 있습니다. 설탕과 좁쌀의 혼합물을 물에 녹인 뒤 거름 장치로 거르면 거름종이에 좁쌀이 남고, 설탕은 물과 함께 거름종이를 빠져나갑니다.

❻ 물에 녹아 있는 물질은 물을 증발시켜 얻을 수 있습니다. 소금물에서 물을 증발시키면 소금이 생깁니다.

문제로 확인하기

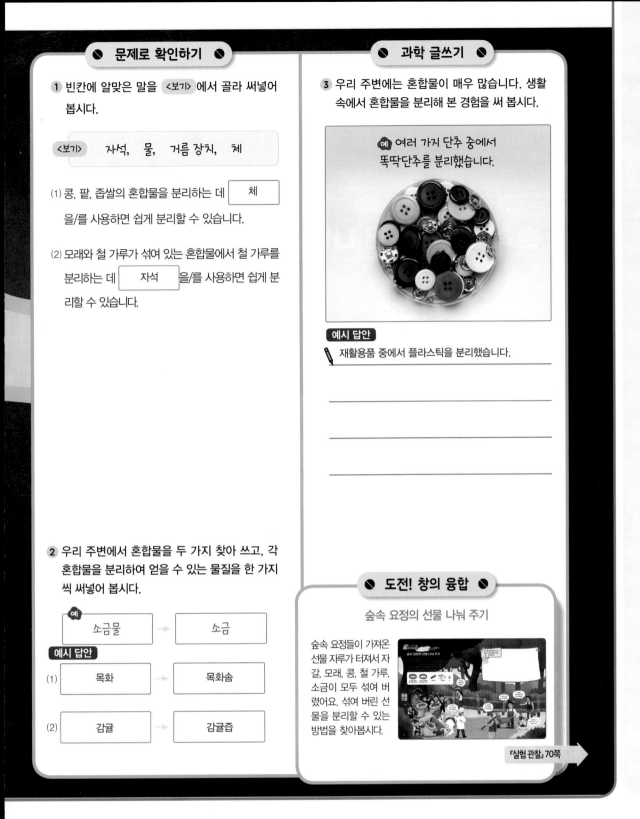

1 빈칸에 알맞은 말을 <보기>에서 골라 써넣어 봅시다.

<보기> 자석, 물, 거름 장치, 체

(1) 콩, 팥, 좁쌀의 혼합물을 분리하는 데 [체] 을/를 사용하면 쉽게 분리할 수 있습니다.

(2) 모래와 철 가루가 섞여 있는 혼합물에서 철 가루를 분리하는 데 [자석] 을/를 사용하면 쉽게 분리할 수 있습니다.

2 우리 주변에서 혼합물을 두 가지 찾아 쓰고, 각 혼합물을 분리하여 얻을 수 있는 물질을 한 가지씩 써넣어 봅시다.

예 소금물 → 소금

예시 답안

(1) 목화 → 목화솜

(2) 감귤 → 감귤즙

과학 글쓰기

3 우리 주변에는 혼합물이 매우 많습니다. 생활 속에서 혼합물을 분리해 본 경험을 써 봅시다.

예 여러 가지 단추 중에서 똑딱단추를 분리했습니다.

예시 답안

재활용품 중에서 플라스틱을 분리했습니다.

도전! 창의 융합

숲속 요정의 선물 나눠 주기

숲속 요정들이 가져온 선물 자루가 터져서 자갈, 모래, 콩, 철 가루, 소금이 모두 섞여 버렸어요. 섞여 버린 선물을 분리할 수 있는 방법을 찾아봅시다.

『실험 관찰』 70쪽

문제로 확인하기 해설

❶ 혼합물을 분리하는 방법을 확인하는 문제입니다.

(1) 알갱이의 크기가 다른 고체 혼합물을 분리할 때 눈 크기가 적절한 체를 선택하여 사용합니다.

(2) 철로 된 물질이 섞인 혼합물을 분리할 때 자석을 사용하여 철로 된 물질이 자석에 붙는 성질을 이용합니다.

❷ 우리 주변에서 다양한 혼합물을 찾고, 그 혼합물을 이용하여 필요한 물질을 얻어내 제품을 만드는 것과 관련된 문제입니다.

- 콩에서 콩기름을 분리하여 식용유를 만듭니다.
- 목화에서 목화솜을 분리하여 솜이불을 만듭니다.
- 과일에서 과즙을 분리하여 과일 주스를 만듭니다.

과학 글쓰기 해설

재활용품을 분리하거나 필통 속 물건을 정리하는 등 일상생활에서 볼 수 있는 혼합물을 생각해 보고, 분리한 경험을 생각해 봅니다.

필통 속 물건들 중에서 연필을 분리했습니다.

실험 관찰

실험 관찰 70~71쪽

도전! 창의 융합 도움말

이 활동은 지금까지 배운 혼합물의 분리 방법들을 모두 종합해 문제를 해결하고, 혼합물 분리와 관련된 직업도 생각해 볼 수 있는 활동입니다.

보충해설

알갱이의 크기 차이를 이용하여 알갱이 크기가 다른 혼합물을 분리합니다.

보충해설

자석에 붙는 성질을 이용하여 철로 된 물질을 분리합니다.

보충해설

물에 녹는 성질과 녹지 않는 성질을 이용하기 위해 혼합물을 물에 녹인 뒤 거름 장치로 걸러 물에 녹지 않는 물질을 분리합니다.

도전! 창의 융합

숲속 요정의 선물 나눠 주기

숲속 요정이 선물 자루를 가지고 왔어요.

그런데 자루가 터져서 자루 속에 있던 자갈, 모래, 콩, 철 가루, 소금이 마구 섞여 버렸어요. 직업에 따라 원하는 물질이 다르네요.

숲속 요정이 어떻게 나누어 줘야 하는지 고민하고 있어요.

아래 도구를 사용해서 여러분들이 도와주세요.

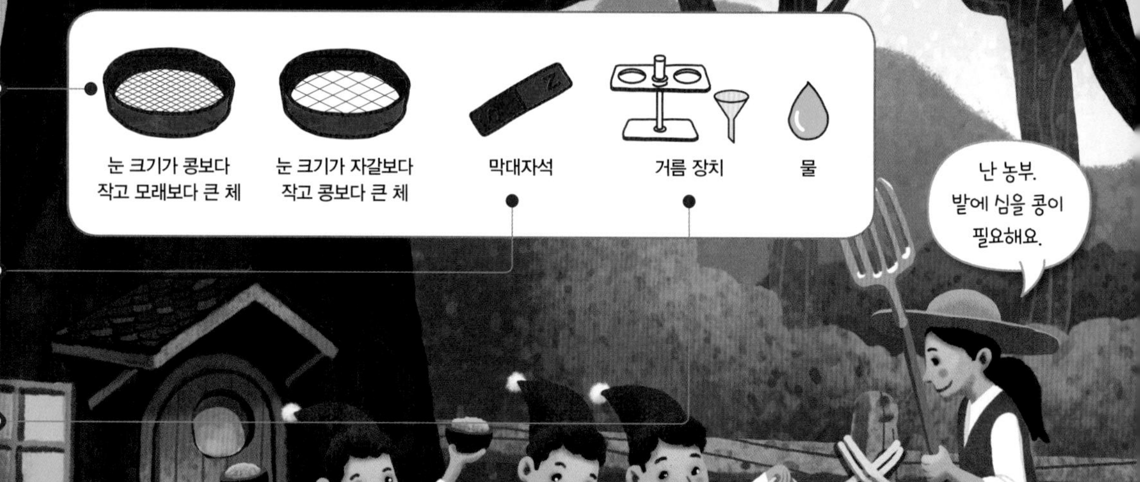

각 도구를 사용해 분리할 수 있는 물질과 그 물질이 필요한 직업을 정리해 봅시다.

예시 답안

사용한 도구	분리할 수 있는 물질	필요한 직업
막대자석	철 가루	대장장이
눈 크기가 자갈보다 작고 콩보다 큰 체	자갈	정원사
눈 크기가 콩보다 작고 모래보다 큰 체	콩	농부
물, 거름 장치	모래	집 짓는 사람
	소금	요리사

도움말

혼합물을 분리하는 방법과 분리 순서를 표로 만들거나 그림으로 그려서 해결해 봅니다.

교과서 평가 문제

1 다음은 혼합물에 대한 설명입니다. 빈칸에 들어갈 알맞은 말을 쓰시오.

> 두 가지 이상의 물질이 (　　)이/가 변하지 않고 서로 섞여 있는 것을 혼합물이라고 합니다.

(　　　　　　　　)

중요

2 다음 중 오른쪽 공에 대한 설명으로 옳지 않은 것은 어느 것입니까? (　　　)

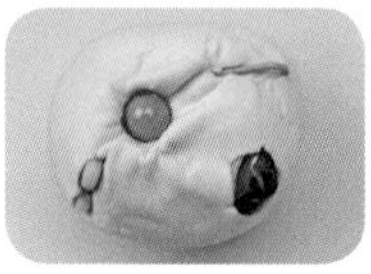

① 공은 구슬, 색점토 등 2가지 이상의 물질이 섞여 있는 혼합물입니다.
② 공에 섞여 있는 구슬은 섞기 전과 후에 촉감이 같습니다.
③ 공에 섞여 있는 클립은 섞기 전과 후에 색깔이 같습니다.
④ 공에 섞여 있는 색점토는 섞기 전과 후에 모양이 달라지기 때문에 공은 혼합물이 아닙니다.
⑤ 공처럼 여러 가지 물질이 각각의 성질을 잃지 않고 서로 섞여 있는 것을 혼합물이라고 합니다.

3 다음과 같은 화단 흙에 섞여 있는 물질을 3가지 쓰시오.

4 다음 보기 에서 알갱이의 크기 차이를 이용하여 분리할 수 있는 혼합물이 아닌 것을 2가지 골라 기호를 쓰시오.

보기
㉠ 콩, 팥, 좁쌀의 혼합물
㉡ 자갈과 모래의 혼합물
㉢ 좁쌀과 설탕의 혼합물
㉣ 크기가 같은 플라스틱 구슬과 철로 된 구슬의 혼합물

(　　　　　　　　)

5 다음 중 혼합물로만 짝 지어진 것은 어느 것입니까? (　　　)

① 설탕 － 팥
② 소금 － 설탕
③ 철 클립 － 소금물
④ 반짝이 풀 － 콘크리트
⑤ 물 － 과학 교구 상자

중요

6 콩, 팥, 좁쌀의 혼합물을 다음과 같이 분리할 때 필요한 도구를 2가지 고르시오. (단, 알갱이의 크기는 콩 > 팥 > 좁쌀임.) (　　,　　)

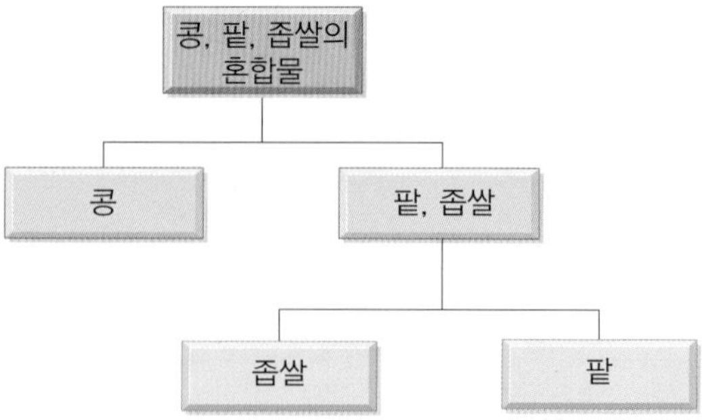

① 눈 크기가 콩보다 큰 체
② 눈 크기가 콩보다 작고 팥보다 큰 체
③ 눈 크기가 좁쌀보다 작은 체
④ 눈 크기가 팥보다 작고 좁쌀보다 큰 체
⑤ 눈 크기가 좁쌀과 같은 체

7 다음 상황에서 혼합물을 분리하기 위한 도구로 적절한 것은 어느 것입니까? (　　　　)

① 체　② 자석
③ 돋보기　④ 페트리 접시
⑤ 거름 장치

중요

8 오른쪽은 거름 장치를 이용해 물에 녹인 설탕과 좁쌀의 혼합물을 분리하는 모습입니다. 거름종이를 빠져나간 물질에 대한 설명으로 옳은 것은 어느 것입니까? (　　　　)

① 짠맛이 납니다.
② 자석에 붙습니다.
③ 알갱이가 보입니다.
④ 물에 녹는 물질입니다.
⑤ 물에 녹지 않는 물질입니다.

9 다음과 같이 염전에서 바닷물을 증발시켜 얻을 수 있는 물질을 쓰시오.

(　　　　　　　　　　)

서술형 문제

10 다음은 감귤이 감귤 주스가 되는 과정입니다. 물음에 답하시오.

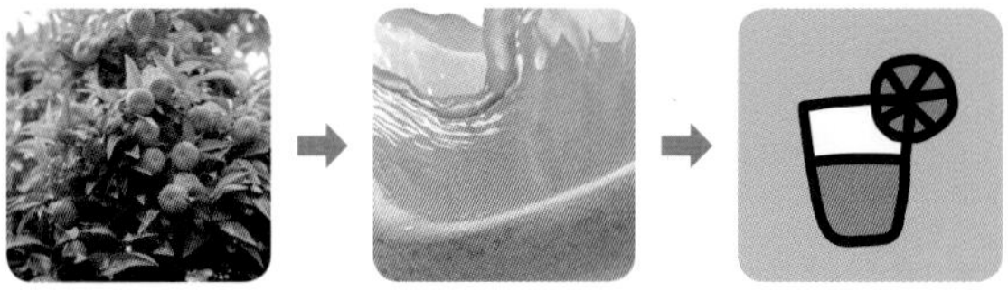

▲ 감귤　▲ 감귤즙　▲ 감귤 주스

(1) 위 과정을 참고하여 혼합물을 분리하는 까닭을 2가지 쓰시오.

(2) 생활 속에서 혼합물을 분리하여 제품을 만드는 예를 2가지 쓰시오.

서술형 문제

11 다음과 같이 소금물을 페트리 접시에 담아 소금을 분리하려고 합니다. 물음에 답하시오.

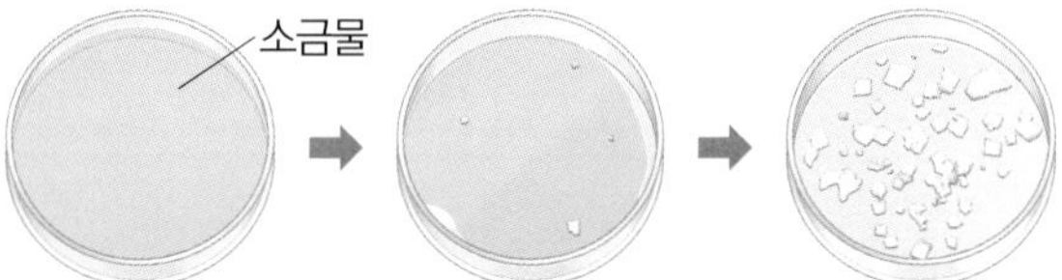

1시간 후　3시간 후　1일 후

(1) 시간이 지나면서 생기는 변화를 2가지 쓰시오.

(2) 위 (1)의 변화가 잘 일어나기 위한 조건을 2가지 쓰시오.

우리학교 시험대비 평가 문제

교과서 핵심 정리

1 지층이 두꺼운 책처럼 보여요

(1) ❶ ______ : 여러 종류의 암석이 층을 이루고 있는 것

(2) 지층의 모양: 수평인 지층, 휘어진 지층, 끊어진 지층 등

2 지층을 만들어 보아요

(1) 지층이 만들어져 발견되는 과정

> 퇴적물이 평평하게 쌓임. ➡ 새로운 퇴적물이 쌓이면서 아래쪽에 쌓여 있던 퇴적물이 오랜 시간에 걸쳐 단단한 암석층이 됨. ➡ 앞의 과정이 반복되면서 계속해서 새로운 층이 만들어짐. ➡ 여러 개의 층으로 이루어진 지층이 땅 위로 올라온 뒤 깎여서 보임.

(2) 지층이 만들어진 순서: 아래에 있는 층이 위에 있는 층보다 ❷ ______ 만들어진 것임.

3 지층을 이루고 있는 암석을 확인해요

(1) ❸ ______ : 자갈, 모래, 진흙 등과 같은 퇴적물이 단단하게 굳어서 만들어진 암석

(2) 퇴적암의 종류: 퇴적물 알갱이의 ❹ ______ 에 따라 분류함.

- ❺ ______ : 진흙과 같은 작은 알갱이가 굳어서 만들어짐.
- ❻ ______ : 주로 모래가 굳어서 만들어짐.
- ❼ ______ : 주로 자갈과 모래 등이 굳어서 만들어짐.

4 모래성도 단단한 암석이 될 수 있을까요?

(1) 퇴적암 모형과 퇴적물 모형의 공통점과 차이점

공통점	모래가 보임. 대부분 모래로 이루어져 있음.
차이점	❽ ______ 모형은 단단하지만, ❾ ______ 모형은 단단하지 않음. 퇴적암 모형은 손가락으로 누르면 들어가지 않지만, 퇴적물 모형은 손가락으로 누르면 들어감.

(2) 퇴적암이 만들어지는 과정

> 물에 의해 운반된 ❿ ______ 이/가 강이나 바다의 바닥에 쌓임. ➡ 먼저 쌓인 퇴적물은 그 위에 쌓이는 퇴적물이 누르는 힘에 의해 알갱이 사이의 공간이 좁아짐. ➡ 물속에 녹아 있는 여러 가지 물질에 의해 퇴적물 알갱이들이 서로 엉겨 붙음. ➡ 이러한 과정이 반복되어 퇴적물이 굳어지면서 퇴적암이 만들어짐.

❶ 지층 ❷ 먼저 ❸ 퇴적암 ❹ 크기 ❺ 이암 ❻ 사암 ❼ 역암 ❽ 퇴적암 ❾ 퇴적물 ❿ 퇴적물

5 옛날에 살았던 생물을 만나 볼까요?

(1) ⑪ ______ : 옛날에 살았던 생물의 몸체나 생활한 흔적이 남아 있는 것

(2) 화석의 분류

- ⑫ ______ 화석: 삼엽충 화석, 물고기 화석, 공룡알 화석, 상어 이빨 화석, 조개 화석 등
- ⑬ ______ 화석: 나뭇잎 화석, 고사리 화석 등

6 화석을 만들어 보아요

(1) 화석이 잘 만들어지기 위한 조건

- 생물의 몸체 위에 퇴적물이 빠르게 쌓여야 함.
- 동물의 뼈, 이빨, 껍데기, 식물의 잎과 줄기 등과 같이 생물의 몸체에 단단한 부분이 있으면 만들어지기 쉬움.

(2) 화석이 만들어져 발견되는 과정

죽은 생물이 강이나 바다로 운반되어 퇴적물과 함께 쌓임. ➡ 강이나 바다 밑에 퇴적물과 함께 쌓인 생물의 몸체 위에 새로운 퇴적물이 쌓임. ➡ 쌓인 퇴적물이 지층으로 만들어지는 과정에서 그 속에 묻힌 생물이 ⑭ ______ 이/가 됨. ➡ 시간이 지나 지층이 올라온 뒤 깎이기 시작함. ➡ 지층이 ⑮ ______ 작용을 받아 더 많이 깎이게 되면 지층 속에 있던 화석이 드러나 발견됨.

7 지구의 과거 환경이 궁금해요

- 화석을 통해 알 수 있는 것: 옛날에 살았던 생물의 ⑯ ______ (이)나 생활하던 모습, 지층이 쌓인 시기, 당시의 환경 등
  - 공룡 발자국 화석: 지층에 남아 있는 공룡 발자국 화석을 살펴보면 옛날에 공룡이 어떻게 움직였는지 짐작할 수 있음.
  - 삼엽충 화석: 삼엽충 화석이 발견되면 그 ⑰ ______ 이/가 언제 쌓였는지 알 수 있음.
  - 산호 화석: 산호 화석이 발견되는 곳은 옛날에는 ⑱ ______ 바다였음을 알 수 있음.

⑪ 화석 ⑫ 동물 ⑬ 식물 ⑭ 화석 ⑮ 침식 ⑯ 생김새 ⑰ 지층 ⑱ 따뜻하고 얕은

정답과 해설 6쪽

1 지층에는 (　　　) 모양, (　　　) 모양, (　　　) 모양이 있습니다.

2 지층에서 (위 , 아래)에 있는 층이 먼저 만들어진 것입니다.

3 지층은 매우 (짧은 , 오랜) 시간에 걸쳐 만들어집니다.

4 퇴적암은 퇴적물 (　　　)의 크기에 따라 분류할 수 있습니다.

5 사암은 주로 (　　　)(으)로 되어 있고 표면을 만져 보면 까슬까슬한 느낌이 듭니다.

6 퇴적물 모형과 다르게 퇴적암 모형은 (약합니다 , 단단합니다).

7 화석은 먼 옛날에 살았던 생물의 (　　　)(이)나 생활한 (　　　) 등이 남아 있는 것을 말합니다.

8 (공룡 , 사람) 발자국은 먼 옛날에 살았던 생물의 흔적이므로 화석이 될 수 있습니다.

9 강이나 바다 밑에서 죽은 생물 위에 퇴적물이 계속해서 쌓이면 단단한 지층이 만들어지고, 그 속에 묻힌 생물이 (　　　)이/가 됩니다.

10 화석을 통해 옛날에 살았던 생물의 생김새, 생활하던 모습, 지층이 쌓인 시기나 당시의 (　　　)을/를 알 수 있습니다.

1 다음은 무엇에 대한 설명인지 쓰시오.

- 여러 종류의 암석이 층을 이루고 있습니다.
- 수평인 모양, 휘어진 모양, 끊어진 모양 등 여러 가지 모양이 있습니다.
- 처음에는 수평으로 만들어지지만, 시간이 지나면서 휘어지거나 끊어지기도 합니다.

( )

2 다음 지층 모습을 보고, 가장 나중에 쌓인 층의 기호를 쓰시오.

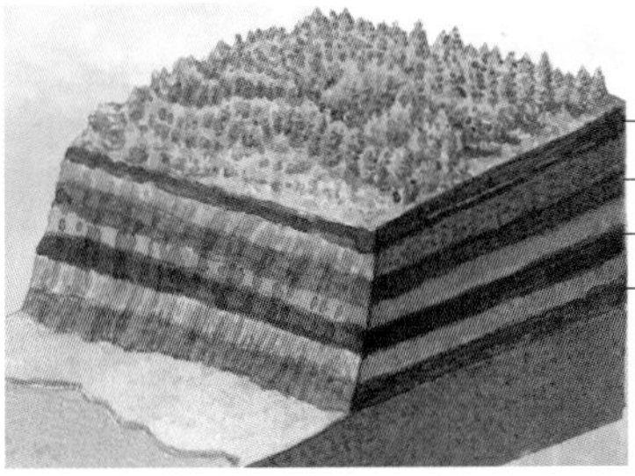

( )

3 퇴적암과 퇴적암을 이루는 물질을 선으로 연결하시오.

(1) 이암 • • ㉠ 자갈, 모래 등

(2) 사암 • • ㉡ 진흙

(3) 역암 • • ㉢ 모래

4 퇴적암 모형과 퇴적물 모형은 이 재료 때문에 단단함이 달라졌습니다. 이 재료는 어느 것입니까? ( )

① 물 ② 컵 ③ 모래
④ 석고 가루 ⑤ 나무 막대

5 다음 중 식물 화석은 어느 것입니까? ( )

① 물고기 화석 ② 나뭇잎 화석
③ 삼엽충 화석 ④ 공룡알 화석
⑤ 공룡 발자국 화석

6 다음은 조개 화석 모형과 실제 조개 화석의 모습입니다.

▲ 조개 화석 모형

▲ 실제 조개 화석

조개 화석 모형과 실제 조개 화석 중 아래와 같은 특징을 갖는 것은 무엇인지 쓰시오.

- 조개의 모양과 같으며, 줄무늬가 보입니다.
- 무늬가 선명하지 않고 덜 단단합니다.
- 만드는 데 걸리는 시간이 짧습니다.

( )

7 다음 중 옛날에 살았던 생물이 어떻게 움직였는지 짐작할 수 있는 화석으로 가장 적절한 것은 어느 것입니까? ( )

① 산호 화석 ② 고사리 화석
③ 공룡알 화석 ④ 나뭇잎 화석
⑤ 공룡 발자국 화석

성취도 평가 문제 1회

1~2 다음은 지층의 모습입니다. 물음에 답하시오.

㉠

㉡

㉢

1 위 지층의 공통점은 무엇입니까? (　　　　)

① 수평인 지층입니다.
② 퇴적물이 같습니다.
③ 줄무늬가 보입니다.
④ 층의 두께가 같습니다.
⑤ 층의 색깔이 같습니다.

2 위 지층의 모양을 옳게 짝 지은 것은 어느 것입니까? (　　　　)

	㉠	㉡	㉢
①	수평인	휘어진	끊어진
②	수평인	끊어진	휘어진
③	휘어진	수평인	끊어진
④	휘어진	끊어진	수평인
⑤	끊어진	휘어진	수평인

중요

3 퇴적암을 이암, 사암, 역암으로 분류할 수 있는 기준은 어느 것입니까? (　　　　)

① 발견된 장소
② 알갱이의 크기
③ 만들어진 시기
④ 알갱이의 색깔
⑤ 만드는 데 걸린 시간

4~5 다음은 지층 모형과 실제 지층의 모습입니다. 물음에 답하시오.

▲ 지층 모형

▲ 실제 지층

4 다음은 지층 모형과 실제 지층 중 어느 것에 대한 설명인지 쓰시오.

- 단단합니다.
- 만들어지기까지 오랜 시간이 걸립니다.

(　　　　　　　　　　)

중요

5 다음 중 지층 모형과 실제 지층의 공통점을 2가지 고르시오. (　　,　　)

① 단단합니다.
② 단단하지 않습니다.
③ 여러 개의 층으로 이루어져 있습니다.
④ 아래에 있는 층부터 먼저 쌓인 것입니다.
⑤ 만들어지는 데 시간이 오래 걸리지 않습니다.

6 퇴적암이 만들어지는 과정에 대한 설명으로 옳지 않은 것을 보기에서 골라 기호를 쓰시오.

보기

㉠ 만들어지는 데 오랜 시간이 걸립니다.
㉡ 퇴적물이 강이나 바다에 쌓여 만들어집니다.
㉢ 물속에 녹아 있는 여러 가지 물질이 퇴적물 알갱이들을 흩어지게 합니다.
㉣ 먼저 쌓인 퇴적물 위로 쌓이는 퇴적물에 의해 알갱이 사이의 공간이 좁아집니다.

(　　　　　　　　　　)

7 화석에 대한 설명으로 옳은 것은 ○표시를, 옳지 않은 것은 ×표시를 하시오.

(1) 화석은 짧은 시간에 걸쳐 만들어집니다. ( )

(2) 사람 발자국, 토기 등과 같이 사람이 생활한 흔적도 화석입니다. ( )

(3) 화석은 생물의 몸체에 단단한 부분이 있으면 쉽게 만들어집니다. ( )

8 다음은 어떤 화석을 보고 관찰한 내용입니다. 이 화석은 무엇입니까? ( )

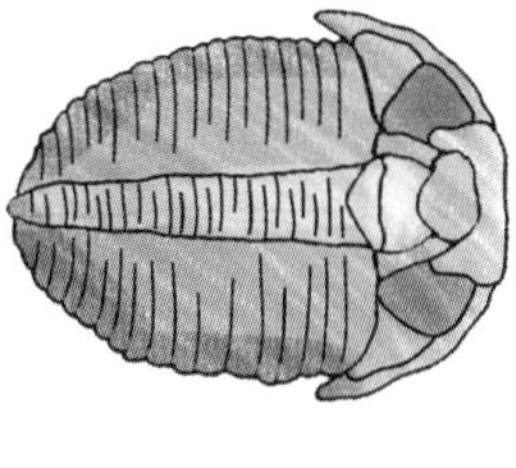

- 마디가 많은 벌레처럼 보입니다.
- 전체적으로 회색, 검은색으로 보입니다.

① 곤충 화석 ② 고사리 화석
③ 공룡알 화석 ④ 삼엽충 화석
⑤ 상어 이빨 화석

9 조개 화석 모형과 실제 조개 화석이 만들어지는 과정에서 관련이 있는 것끼리 선으로 연결하시오.

(1)	찰흙 반대기	㉠	지층
(2)	조개 껍데기	㉡	화석
(3)	조개 화석 모형	㉢	옛날에 살았던 생물

중요

10 다음 중 조개 화석 모형과 실제 조개 화석을 비교한 내용으로 옳은 것은 어느 것입니까? ( )

① 조개 화석 모형이 실제 조개 화석보다 단단합니다.

② 조개 화석 모형은 금방 만들지만, 실제 조개 화석은 만들어지는 데 오래 걸립니다.

③ 조개 화석 모형은 조개 모양이지만, 실제 조개 화석은 조개처럼 생기지 않았습니다.

④ 조개 화석 모형은 조개의 줄무늬가 없지만, 실제 조개 화석은 조개의 줄무늬가 있습니다.

⑤ 조개 화석 모형은 조개가 있어야 만들지만, 실제 조개 화석은 조개 없이도 만들어집니다.

중요

11 다음 화석이 발견된 지역의 옛날 환경으로 알맞은 것은 어느 것입니까? ( )

▲ 산호 화석

① 춥고 얕은 바다
② 춥고 깊은 바다
③ 따뜻하고 얕은 바다
④ 따뜻하고 깊은 바다
⑤ 따뜻하고 넓은 육지

12 다음 중 화석을 통해 알 수 있는 것이 아닌 것은 어느 것입니까? ( )

① 지층이 쌓인 시기
② 옛날 생물의 생김새
③ 그 지역의 옛날 환경
④ 옛날 생물이 생활하던 모습
⑤ 옛날 생물의 정확한 종류의 수

1 지층에 대한 설명으로 옳은 것은 ○표시를, 옳지 않은 것은 ×표시를 하시오.

(1) 지층은 한 가지의 암석으로 이루어져 있습니다. (　　　)
(2) 지층은 여러 가지 모양이 있습니다. (　　　)
(3) 지층에서 층의 색깔이 다른 까닭은 지층을 이루고 있는 퇴적물 알갱이의 종류와 색깔 등이 다르기 때문입니다. (　　　)

2 다음 중 지층을 관찰할 수 있는 장소로 가장 적절한 곳은 어디입니까? (　　　)

① 목장
② 평평한 들판
③ 바닷가 절벽
④ 대도시 지역
⑤ 잔잔한 저수지

3 다음 지층에서 가장 먼저 쌓인 층의 기호를 쓰시오.

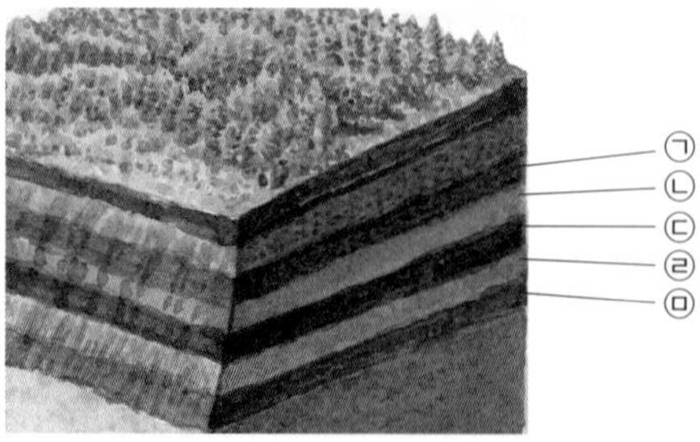

(　　　　　)

중요

4 다음 중 지층의 특징에 대한 설명으로 옳지 않은 것은 어느 것입니까? (　　　)

① 줄무늬가 보입니다.
② 금방 만들어집니다.
③ 여러 층으로 쌓여 있습니다.
④ 단단하게 이루어져 있습니다.
⑤ 보통 처음에는 수평으로 만들어지지만, 시간이 지나면 휘어지거나 끊어지기도 합니다.

5~6 다음 퇴적암을 보고, 물음에 답하시오.

▲ 이암　▲ 사암　▲ 역암

중요

5 알갱이의 크기를 기준으로 퇴적암을 분류할 때, 알갱이가 제일 큰 암석부터 차례대로 쓰시오.

(　　　) – (　　　) – (　　　)

6 다음 설명에 해당하는 암석의 이름을 각각 쓰시오.

(1) 손으로 만졌을 때 부드럽습니다. (　　　)
(2) 자갈과 같은 큰 알갱이가 보입니다. (　　　)
(3) 주로 모래로 이루어져 있습니다. (　　　)

7~8 다음은 퇴적암 모형과 퇴적물 모형 만들기 실험 과정입니다. 물음에 답하시오.

> ㉠ 투명한 컵 2개에 각각 모래를 $\frac{1}{3}$ 정도 넣고, 석고 가루를 조금씩 넣습니다.
> ㉡ 과정 ㉠의 두 컵에 물을 조금씩 넣고, 나무 막대로 각각 섞습니다.
> ㉢ 투명한 컵 2개에 들어 있는 물질을 빈 투명한 컵으로 각각 위에서 누릅니다.
> ㉣ 10분 정도 지난 뒤에 투명한 컵 2개에 들어 있는 물질을 비교해 봅니다.

7 실험 과정 ㉠~㉣ 중 잘못된 과정을 고르시오.

( )

8 위의 잘못된 실험 과정을 고쳐서 올바르게 실험을 하였더니, 퇴적암 모형과 퇴적물 모형이 만들어졌습니다. 다음에서 이 두 모형의 공통점에는 '공', 차이점에는 '차'라고 쓰시오.

(1) 알갱이의 종류 ( )
(2) 모형의 단단한 정도 ( )
(3) 손으로 눌렀을 때 들어가는 정도 ( )

중요

9 다음 화석을 동물 화석과 식물 화석으로 분류하여 쓰시오.

> 고사리 화석, 삼엽충 화석, 곤충 화석, 공룡 화석, 나뭇잎 화석

동물 화석	식물 화석

10 다음 중 화석이 주로 땅속에서 발견되는 까닭으로 가장 적절한 것은 어느 것입니까? ( )

① 땅속에서 생활하던 동물이 많아서
② 생물이 땅을 파 땅속으로 옮겨 놓아서
③ 옛날에 살던 생물들을 무덤을 만들어 묻어 주어서
④ 옛날 사람들이 중요한 화석들을 땅속에 묻어 놓아서
⑤ 생물의 몸체 위에 퇴적물이 쌓여 화석이 만들어지므로

중요

11 다음은 화석이 잘 만들어지기 위한 조건입니다. 빈칸에 들어갈 알맞은 말을 쓰시오.

> • 동물의 뼈나 이빨, 식물의 잎이나 줄기처럼 생물에 (㉠) 부분이 있어야 합니다.
> • 죽은 생물의 몸체 위에 퇴적물이 (㉡) 쌓여야 합니다.

㉠ ( ) ㉡ ( )

12 다음 중 공룡 발자국 화석을 보고 추리한 내용으로 적절하지 않은 것은 어느 것입니까? ( )

① 발이 큰 공룡이 처음에는 걸어가다가 갑자기 뛰었을 것입니다.
② 발이 큰 공룡과 작은 공룡이 몸싸움을 벌였을 것입니다.
③ 몸싸움의 승자는 발이 큰 공룡일 것입니다.
④ 발이 큰 공룡은 왔던 길로 되돌아갔을 것입니다.
⑤ 발이 큰 공룡이 발이 작은 공룡을 입에 물고 갔을 것입니다.

서술형 · 사고력 문제

1 다음은 퇴적암을 분류하는 활동 모습입니다. 물음에 답하시오. 총 10점

(가) (나) (다)

(1) 퇴적암을 (가), (나) 활동을 통해 분류하고자 합니다. 어떤 기준으로 분류하고 있는지 쓰시오. 5점

(2) (다)에서 퇴적암을 돋보기로 관찰하는 까닭을 쓰시오. 5점

도움말
- 활동에서 손이 무엇을 하고 있는지 살펴봅니다.
- 돋보기로 크게 확대하여 봅니다.

2 다음은 퇴적암 모형과 퇴적물 모형 만들기 실험입니다. 물음에 답하시오. 총 10점

❶ 투명한 컵 2개에 각각 모래를 $\frac{1}{3}$ 정도 넣고, 석고 가루를 조금씩 넣습니다.
❷ 한쪽의 투명한 컵에만 물을 조금 넣고, 투명한 컵 2개에 들어 있는 물질을 각각 나무 막대로 섞습니다.
❸ 투명한 컵 2개에 들어 있는 물질을 빈 투명한 컵으로 각각 위에서 누릅니다.
❹ 10분 정도 지난 뒤 투명한 컵 2개에 들어 있는 물질을 비교해 봅니다.

▲ 물을 넣음.

▲ 물을 넣지 않음.

(1) 물을 넣은 컵과 물을 넣지 않은 컵에 든 물질은 어떤 차이가 생겼는지 쓰시오. 5점

(2) 위 (1)의 답과 같은 차이가 생긴 까닭을 쓰시오. 5점

도움말
- 퇴적암이 만들어질 때 퇴적물을 서로 엉겨 붙게 하는 물질이 필요합니다.

3 화석을 분류 기준을 정하여 분류하였습니다. 물음에 답하시오. 총 10점

그렇습니다.	분류 기준	그렇지 않습니다.
삼엽충 화석 물고기 화석 상어 이빨 화석 조개 화석		나뭇잎 화석 고사리 화석

(1) 위와 같이 분류할 수 있는 분류 기준을 쓰시오. 5점

(2) (1)에서 답한 분류 기준으로 분류할 때, "그렇습니다."에 들어갈 수 있는 화석 2가지를 더 쓰시오. 5점

도움말
• "그렇습니다."에 속한 화석과 "그렇지 않습니다."에 속한 화석 각각의 공통점을 찾아봅니다.

4 다음 공룡 발자국 화석을 보고, 물음에 답하시오. 총 10점

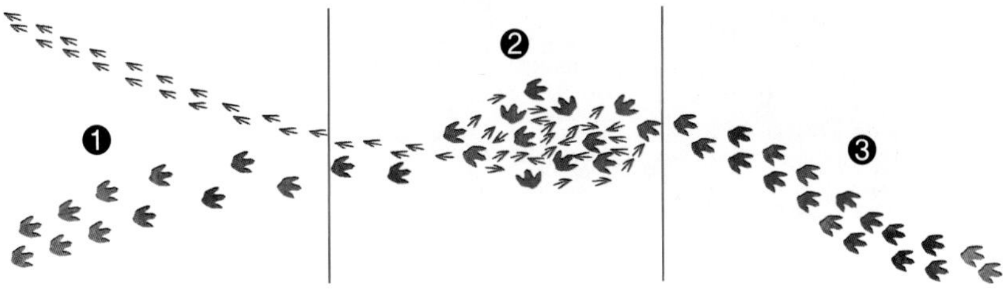

(1) 다음은 공룡 발자국 화석 모습 ❶~❸ 중 어느 것을 보고 기록한 것인지 쓰시오. 2점

작은 발자국이 사라졌습니다.

( )

(2) 이 화석을 보고 추리할 수 있는 것 2가지를 쓰시오. 8점

도움말
• 공룡 발자국 화석을 통해 화석이 발견된 지역에서 옛날에 일어났던 일을 짐작할 수 있습니다.

수행 평가

1 스마트 기기로 지층의 모습을 3가지 이상 찾고, 그림으로 나타내 봅시다.

도움말
• 지층의 다양한 모습을 스마트 기기로 찾고, 지층 모양의 특징을 살펴봅니다.

2 다음은 지층 모형과 실제 지층의 모습입니다.

▲ 지층 모형

▲ 실제 지층

• 지층 모형과 실제 지층은 층층이 쌓여 있습니다.

(1) 지층 모형과 실제 지층의 공통점 2가지를 써 봅시다.

(2) 지층 모형에서는 서로 다른 재료로 쌓아 줄무늬가 보입니다. 실제 지층에서도 이와 비슷한 줄무늬가 보이는 까닭을 써 봅시다.

정답과 해설 7쪽

3 다음 화석을 보고, 관찰 보고서를 써 봅시다.

▲ 삼엽충 화석

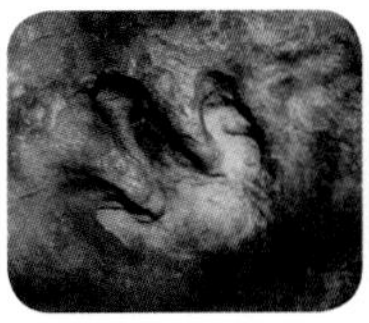
▲ 공룡 발자국 화석

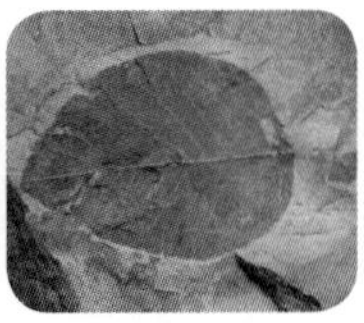
▲ 나뭇잎 화석

▲ 물고기 화석

▲ 고사리 화석

관찰 보고서

한 가지 화석을 선택하여 그림으로 표현하기	
내가 선택한 화석의 특징 정리하기	
5가지 화석을 분류해 보기	〈분류 기준〉

도움말

- 화석 속 생물의 모습을 자세히 관찰합니다.
- 분류 기준은 누구나 분류하더라도 같은 결과가 나와야 합니다.

교과서 핵심 정리

1 싹이 트려면

(1) 씨가 싹 트는 데 물이 미치는 영향 알아보기

- 같게 할 조건: 씨의 종류, 온도, 탈지면, 플라스틱 컵, 공기 등
- 다르게 할 조건: ❶ ______

(2) 씨가 싹 트는 데 온도가 미치는 영향 알아보기

- 같게 할 조건: 씨의 종류, 물, 탈지면, 플라스틱 컵, 공기 등
- 다르게 할 조건: ❷ ______

(3) 씨가 싹 트는 조건: 알맞은 양의 ❸ ______, 적당한 온도

물이 미치는 영향의 결과		온도가 미치는 영향의 결과	
물을 주지 않음.	물을 줌.	얼음을 넣지 않은 보랭 컵에 넣음.	얼음을 넣은 보랭 컵에 넣음.
	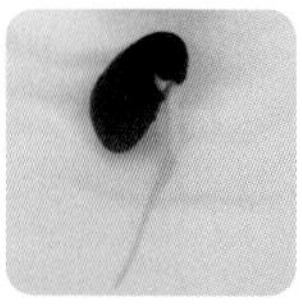	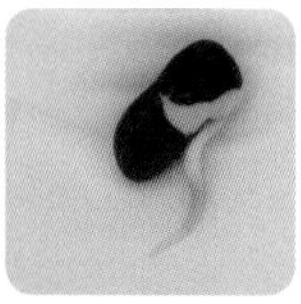	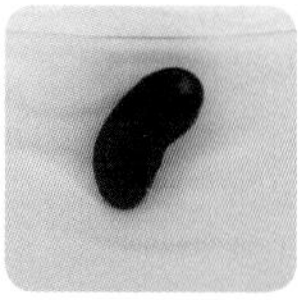

2 식물의 한살이 관찰 계획을 세워요

(1) 식물의 한살이: 식물의 씨에서 싹이 트고 자라 꽃이 피고 열매를 맺어 다시 ❹ ______ 을/를 만드는 과정

(2) 식물의 한살이를 관찰하기에 좋은 식물의 특징: 한살이 기간이 ❺ ______, 잎, 줄기, 꽃, 열매 등을 관찰하기 ❻ ______ 식물

예 강낭콩, 옥수수, 나팔꽃, 완두 등

(3) 관찰 계획서에 써야 할 내용: 관찰할 사람, 관찰할 식물, 씨를 심을 곳, 관찰 방법, 관찰 내용 등

3 싹 싹 싹이 났어요

(1) 강낭콩이 싹 트는 과정: 씨가 부품. ➡ 뿌리가 나옴. ➡ 껍질이 벗겨지면서 ❼ ______ 이/가 2장 나옴. ➡ ❼ ______ 사이로 본잎이 나옴. ➡ 떡잎은 시들고 본잎은 커짐.

(2) 옥수수가 싹 트는 과정: 씨가 부품. ➡ 뿌리가 나옴. ➡ ❽ ______ 이/가 나옴. ➡ ❽ ______ 사이로 ❾ ______ 이/가 나옴.

❶ 물 ❷ 온도 ❸ 물 ❹ 씨 ❺ 짧고 ❻ 쉬운 ❼ 떡잎 ❽ 떡잎싸개 ❾ 본잎

4 식물이 잘 자라려면

(1) 식물이 자라는 데 물이 미치는 영향 알아보기

- 같게 할 조건: 식물의 종류와 크기, 화분의 크기, 온도, 빛, 영양분 등 물을 제외한 조건
- 다르게 할 조건: ⑩
- 결과: 물을 적당히 준 화분의 강낭콩만 잘 자람.

(2) 식물이 잘 자라기 위한 조건: 물, 햇빛, 온도 등이 필요함.

5 쑥쑥, 식물이 잘 자라요

(1) 강낭콩의 잎과 줄기의 변화 측정 방법: 잎의 ⑪ 세기, 잎의 길이 재기, 줄기의 길이와 굵기 재기

(2) 강낭콩의 잎과 줄기가 자라는 모습

- 잎: 개수가 ⑫ 지고, 길이가 길어짐.
- 줄기: 길이가 길어지고, 굵기가 굵어짐.

6 꽃이 피고, 열매가 맺혀요

(1) 식물의 꽃과 열매: 식물은 어느 정도 자라면 꽃이 피고, 꽃이 지면 ⑬ 을/를 맺음. 열매 속에는 씨가 들어 있음.

(2) 식물이 씨를 만드는 까닭: 다음 ⑭ 을/를 이어 가기 위해서임.

7 식물에 따라 한살이가 달라요

(1) ⑮ 식물: 한 해 동안 한살이 과정을 거치고 죽는 식물

예 나팔꽃, 강낭콩, 옥수수, 강아지풀, 봉선화, 해바라기 등

(2) ⑯ 식물: 여러 해를 살면서 한살이 과정의 일부를 되풀이 하는 식물

예 비비추, 민들레, 괭이밥, 무궁화, 사과나무, 감나무 등

(3) 여러 가지 식물의 한살이의 공통점과 차이점

- 공통점: 씨가 싹 트고 자라 꽃이 피고 열매를 맺으며 다시 ⑰ 을/를 만들어서 다음 세대를 이어 감.
- 차이점: 한해살이 식물은 한 해 동안 한살이 과정을 거치고 죽지만, 여러해살이 식물은 여러 해를 살면서 한살이 과정의 일부를 되풀이함.

⑩ 물 ⑪ 개수 ⑫ 많아 ⑬ 열매 ⑭ 세대 ⑮ 한해살이 ⑯ 여러해살이 ⑰ 씨

쪽지 시험

2 식물의 한살이

정답과 해설 8쪽

1 씨는 껍질이 있고 (단단합니다 , 부드럽습니다).

2 씨가 싹 트는 데 필요한 조건은 알맞은 양의 물과 적당한 (　　　　)입니다.

3 식물의 한살이는 식물의 (　　　　)이/가 싹 트고 자라 꽃이 피고 열매를 맺어 다시 씨를 만드는 과정입니다.

4 식물의 한살이를 관찰하기에 좋은 식물로 (강낭콩 , 감나무)이/가 있습니다.

5 강낭콩이 싹 틀 때는 먼저 뿌리가 나오고, 껍질이 벗겨지면서 (　　　　) 2장이 나오며, 그 사이로 (　　　　)이/가 나옵니다.

6 식물이 자라는 데 (　　　　), 빛, 온도가 필요합니다.

7 식물이 자라는 정도를 측정하는 방법으로는 잎의 개수 세기, 잎의 길이 재기, (　　　　)의 길이와 굵기 재기 등이 있습니다.

8 강낭콩은 어느 정도 자라면 꽃이 피고, 꽃이 지면 (　　　　)이/가 생깁니다.

9 열매 속에는 (꼬투리 , 씨)가 들어 있습니다.

10 한해살이 식물과 여러해살이 식물 모두 다음 (　　　　)을/를 이어 가기 위해서 씨를 만듭니다.

기초 확인 문제

1 강낭콩이 싹 틀 때 물이 미치는 영향을 알아보려고 합니다. 이때 다르게 해야 할 조건을 다음 보기에서 골라 기호를 쓰시오.

보기
㉠ 온도 ㉡ 물 ㉢ 플라스틱 컵 ㉣ 빛

( )

2 다음은 식물의 한살이를 관찰하기 좋은 식물의 특징입니다. ( ) 안에 들어갈 알맞은 말에 ○표시를 하시오.

한살이 기간이 (길고 , 짧고), 기르기 쉬우며 잎, 줄기, 꽃, 열매 등을 관찰하기 (어려운, 쉬운) 식물이어야 합니다.

3 다음은 강낭콩이 싹 트는 과정을 순서에 관계없이 나타낸 것입니다. 순서에 맞게 기호를 나열하시오.

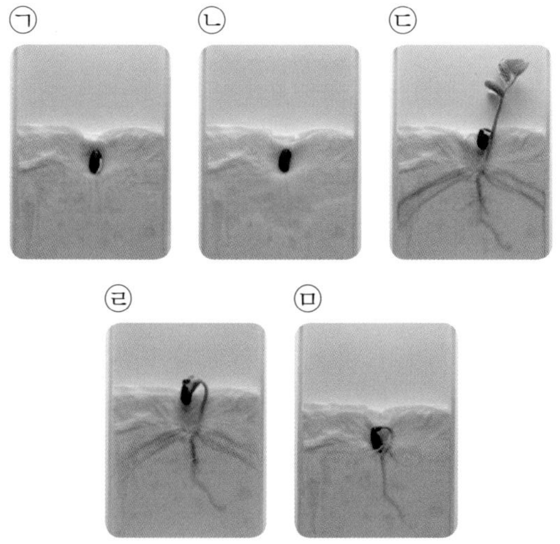

( )−( )−( )−( )−( )

4 식물이 자라는 데 반드시 필요한 조건을 다음 보기에서 모두 골라 기호를 쓰시오.

보기
㉠ 물 ㉡ 빛 ㉢ 습도
㉣ 온도 ㉤ 화분의 크기

( )

5 꽃과 열매의 변화를 관찰하는 방법으로 옳은 것을 다음 보기에서 모두 골라 기호를 쓰시오.

보기
㉠ 새로 난 꽃의 개수를 샙니다.
㉡ 새로 난 열매의 개수를 샙니다.
㉢ 꽃이 변하는 과정의 사진을 찍습니다.
㉣ 꽃이 진 자리는 더 이상 관찰하지 않습니다.
㉤ 열매가 일정 크기로 자라면 따서 자세히 관찰합니다.

( )

6 다음 보기의 식물을 한해살이 식물과 여러해살이 식물로 분류하여 각각 기호를 쓰시오.

보기
㉠ 비비추 ㉡ 나팔꽃 ㉢ 봉선화
㉣ 사과나무 ㉤ 무궁화 ㉥ 해바라기

(1) 한해살이 식물: ( )
(2) 여러해살이 식물: ( )

성취도 평가 문제 1회

1~2 씨가 싹 트는 데 필요한 조건을 알아보기 위해 다음과 같이 장치한 뒤, 5일 동안 강낭콩의 변화를 관찰하였습니다. 물음에 답하시오.

> [실험 1]
> (가) 2개의 플라스틱 컵에 탈지면을 넣고 강낭콩을 넣습니다.
> (나) 한쪽 플라스틱 컵에만 물을 넣습니다.
> [실험 2]
> (가) 2개의 플라스틱 컵에 탈지면을 넣고 강낭콩을 넣은 뒤 물을 넣습니다.
> (나) 2개의 보랭 컵 중 한쪽 보랭 컵에만 얼음을 넣습니다.
> (다) (나)의 보랭 컵에 (가)의 강낭콩이 든 플라스틱 컵을 각각 넣은 뒤 뚜껑을 닫습니다.

중요

1 실험 1에서 다르게 한 조건과 실험 2에서 다르게 한 조건이 무엇인지 각각 쓰시오.

실험 1: (　　　　　)
실험 2: (　　　　　)

중요

2 5일 뒤 강낭콩의 변화로 옳은 것을 2가지 고르시오. (　　,　　)

① 실험 1에서는 물을 넣은 강낭콩만 싹이 텄습니다.
② 실험 1에서는 물을 넣지 않은 강낭콩만 싹이 텄습니다.
③ 실험 2에서는 얼음을 넣은 보랭 컵 속 강낭콩만 싹이 텄습니다.
④ 실험 2에서는 얼음을 넣지 않은 보랭 컵 속 강낭콩만 싹이 텄습니다.
⑤ 모든 강낭콩의 싹이 트지 않았습니다.

3 식물의 한살이를 관찰하기에 적합한 식물과 그 까닭에 대한 설명이 옳게 짝 지어진 것은 어느 것입니까? (　　　　)

① 감나무 — 기르기 쉽습니다.
② 강낭콩 — 한살이 기간이 짧습니다.
③ 사과나무 — 씨를 구하기 쉽습니다.
④ 해바라기 — 한 살이 기간이 깁니다.
⑤ 민들레 — 꽃과 열매를 관찰하기 좋습니다.

4 다음 중 강낭콩을 심을 때 유의할 사항으로 옳지 않은 것은 어느 것입니까? (　　　　)

① 흙을 화분의 $\frac{4}{5}$ 정도 넣습니다.
② 씨를 배꼽이 위로 향하게 넣습니다.
③ 화분 바닥의 구멍을 망으로 막습니다.
④ 씨 크기의 2배 정도 깊이에 씨를 심습니다.
⑤ 화분의 구멍으로 물이 조금 새어 나올 만큼 물을 줍니다.

5 다음 중 뿌리가 나온 강낭콩의 모양을 관찰한 결과로 옳은 것은 어느 것입니까? (　　　　)

① 뿌리가 자라 씨 밖으로 나왔습니다.
② 뿌리가 나오기 전보다 딱딱해졌습니다.
③ 뿌리가 나오기 전보다 크기가 작아졌습니다.
④ 뿌리가 나오기 전보다 어린잎이 작아졌습니다.
⑤ 뿌리가 나오기 전보다 뿌리가 가늘고 길어졌습니다.

6~7 다음과 같이 비슷한 크기로 자란 강낭콩 화분 2개 중 하나에는 물을 주고, 다른 하나에는 물을 주지 않으면서 5일 동안 관찰하였습니다. 물음에 답하시오.

(가) 물을 줌. (나) 물을 주지 않음.

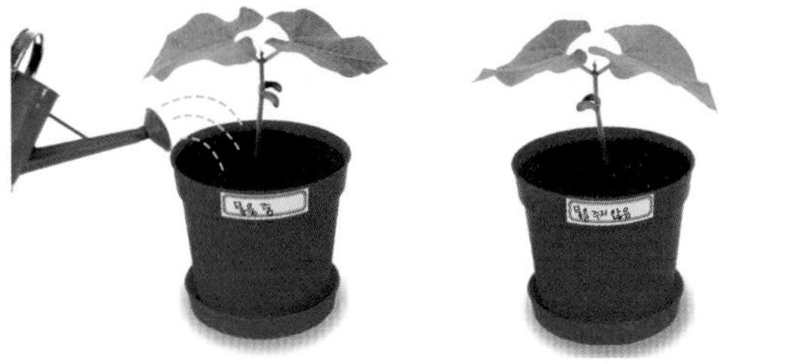

6 (가)와 (나) 중 5일 뒤 강낭콩이 잘 자라지 못한 화분은 어느 것인지 기호를 쓰시오.

( )

중요

7 다음 중 위 실험을 할 때 다르게 해야 할 조건은 어느 것입니까? ( )

① 빛 ② 물
③ 온도 ④ 식물의 종류
⑤ 화분의 종류

8 다음 중 잎과 줄기가 자란 정도를 측정하는 방법으로 적절하지 않은 것은 어느 것입니까? ( )

① 끈을 이용하여 잎의 크기를 잽니다.
② 일정 크기 이상인 잎의 개수만 셉니다.
③ 잎의 길이를 잴 때 자와 함께 사진을 찍습니다.
④ 잎의 길이를 잴 때 항상 같은 방법으로 측정해야 합니다.
⑤ 줄기의 길이를 측정할 때는 흙에서부터 잎자루가 갈라지는 부분까지의 길이를 잽니다.

9 다음 빈칸에 들어갈 알맞은 말을 각각 쓰시오.

> 대부분의 식물은 자라면 꽃이 핍니다. 꽃이 진 자리에 (㉠)이/가 맺히고, (㉠) 속에는 (㉡)이/가 들어 있습니다.

㉠ ( ) ㉡ ( )

중요

10 다음 중 식물의 한살이에 대한 설명으로 옳은 것은 어느 것입니까? ( )

① 풀은 모두 한해살이 식물입니다.
② 여러해살이 식물은 모두 나무입니다.
③ 여러해살이 식물은 씨로만 겨울을 납니다.
④ 강낭콩과 나팔꽃은 한살이 과정이 비슷합니다.
⑤ 한해살이 식물은 겨울에 죽지 않고 살아남습니다.

11 오른쪽 식물에 대한 설명으로 옳지 않은 것은 어느 것입니까? ( )

▲ 사과나무

① 씨가 싹 터서 자랍니다.
② 몇 년 동안 자라서 적당한 크기가 되면 꽃이 핍니다.
③ 씨가 싹 터서 자라 그해 열매를 맺고 죽습니다.
④ 꽃이 피고 열매를 맺는 과정을 여러 해 동안 반복합니다.
⑤ 겨울이 되면 잎을 떨어뜨리고 다음 해에 나뭇가지에서 새잎이 납니다.

1~2 다음은 씨가 싹 트는 데 필요한 조건을 알아보는 실험의 결과입니다. 물음에 답하시오.

구분	물이 미치는 영향 알아보기		온도가 미치는 영향 알아보기	
다르게 한 조건	(가)	(나)	(다)	(라)
실험 결과		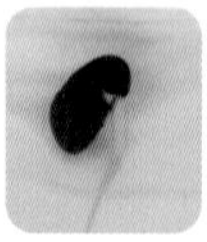	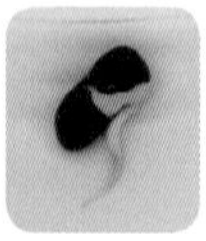	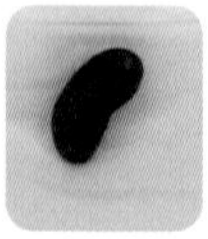

1 (가)~(라)에서 각각 강낭콩의 조건을 어떻게 다르게 하였는지 다음 보기에서 각각 골라 기호를 쓰시오.

보기
- ㉠ 물을 줌.
- ㉡ 물을 주지 않음.
- ㉢ 얼음을 넣은 보랭 컵에 넣음.
- ㉣ 얼음을 넣지 않은 보랭 컵에 넣음.

(가) (　　　　) (나) (　　　　)
(다) (　　　　) (라) (　　　　)

중요

2 위 실험 결과를 통해 알 수 있는 씨가 싹트는 데 필요한 조건 2가지는 무엇인지 쓰시오.

(　　　　,　　　　)

3 다음 중 식물의 한살이 관찰 계획서에 써야 할 내용이 아닌 것은 어느 것입니까? (　　　　)

① 관찰 방법 ② 관찰할 식물
③ 관찰할 사람 ④ 화분의 색깔
⑤ 씨를 심을 날짜

중요

4 다음은 강낭콩이 싹 트는 과정의 일부분입니다. 빈칸의 과정에서 일어나는 일에 대한 설명으로 옳은 것은 어느 것입니까? (　　　　)

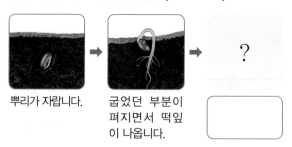

뿌리가 자랍니다.
→
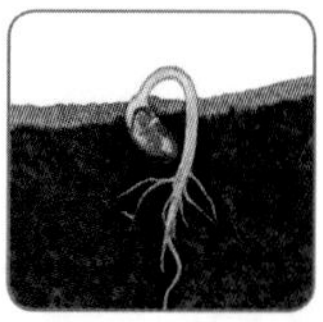
굽었던 부분이 펴지면서 떡잎이 나옵니다.
→ ?
[　　　　]

① 떡잎이 시듭니다.
② 줄기가 갈라집니다.
③ 강낭콩이 부풉니다.
④ 떡잎싸개가 나옵니다.
⑤ 떡잎 사이로 본잎이 나옵니다.

중요

5 다음 중 강낭콩이 잘 자랄 수 있는 환경으로 옳은 것은 어느 것입니까? (　　　　)

① 물을 줌, 낮은 온도, 햇빛 없음.
② 물을 줌, 적당한 온도, 햇빛 있음.
③ 물을 줌, 적당한 온도, 햇빛 없음.
④ 물을 주지 않음, 낮은 온도, 햇빛 있음.
⑤ 물을 주지 않음, 적당한 온도, 햇빛 없음.

6 다음 중 식물이 자라는 데 물이 미치는 영향을 알아보는 실험을 할 때 실험 조건으로 옳지 않은 것을 2가지 고르시오. (　　,　　)

① 두 화분의 크기는 비슷해야 합니다.
② 두 화분 모두 적당한 온도에 둡니다.
③ 식물은 크기와 종류가 같아야 합니다.
④ 같은 양의 물을 같은 시간에 주어야 합니다.
⑤ 한 화분은 그늘에 두고, 다른 화분은 햇빛이 잘 비치는 곳에 둡니다.

7 다음은 강낭콩이 자라는 정도를 측정하여 결과를 정리한 것입니다. 세로축 ㉠에 들어갈 내용으로 옳지 <u>않은</u> 것은 어느 것입니까?

( )

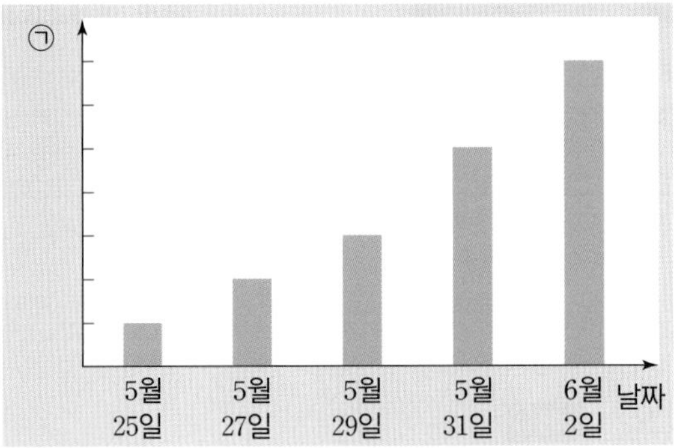

① 잎의 개수
② 잎의 길이
③ 꽃의 색깔
④ 줄기의 길이
⑤ 열매의 길이

8 다음은 강낭콩의 꽃이 피고 열매가 맺히는 과정을 순서에 관계없이 나타낸 것입니다. 가장 처음에 볼 수 있는 모습을 보기 에서 골라 기호를 쓰시오.

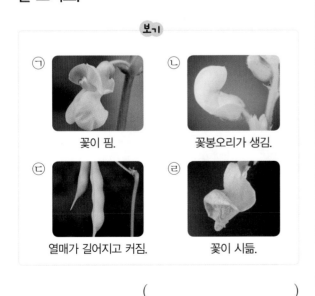

보기

㉠

꽃이 핌.

㉡
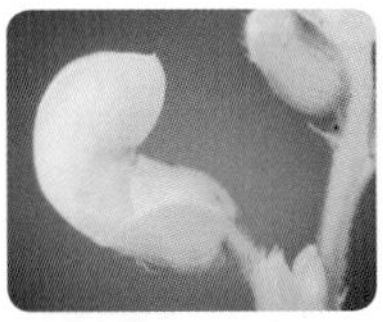
꽃봉오리가 생김.

㉢
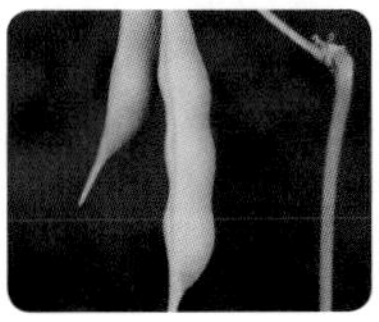
열매가 길어지고 커짐.

㉣

꽃이 시듦.

( )

중요

9 다음 중 식물이 씨를 만드는 까닭으로 옳은 것은 어느 것입니까? ( )

① 식물이 물을 저장하기 위해서
② 식물이 빠르게 생장하기 위해서
③ 식물이 영양분을 저장하기 위해서
④ 식물이 다음 세대를 이어 가기 위해서
⑤ 해충으로부터 자신을 보호하기 위해서

10 다음은 나팔꽃의 한살이 과정을 나타낸 것입니다.

이와 비슷한 한살이 과정을 거치는 식물은 어느 것입니까? ( )

① 비비추
② 민들레
③ 소나무
④ 사과나무
⑤ 강아지풀

11 다음 중 비비추의 한살이에 대한 설명으로 옳은 것을 보기 에서 모두 골라 기호를 쓰시오.

보기

㉠ 싹 트고 잎이 자랍니다.
㉡ 씨가 싹 튼 해에 꽃이 핍니다.
㉢ 땅속 부분과 땅 위 줄기가 살아남아 겨울을 납니다.
㉣ 여러 해 동안 꽃이 피고 열매 맺는 과정을 반복합니다.

(,)

2 단원

서술형 · 사고력 문제

1 씨가 싹 트는 데 필요한 조건을 알아보기 위해 강낭콩으로 오른쪽과 같이 장치하였습니다. 물음에 답하시오. 총 12점

▲ 얼음을 넣지 않은 보랭 컵 ▲ 얼음을 넣은 보랭 컵

(1) 이 실험에서 같게 한 조건과 다르게 한 조건이 무엇인지 쓰시오. 4점

• 같게 한 조건: ______

• 다르게 한 조건: ______

(2) 위 실험 결과 강낭콩이 어떻게 될지 예상하여 쓰시오. 4점

______

(3) 위 실험 결과로부터 알 수 있는 사실을 쓰시오. 4점

______

도움말

• 씨가 싹 트는 데 온도가 미치는 영향을 알아보기 위해서는 온도만 다르게 하고 다른 조건은 모두 같게 해야 합니다.

2 식물의 한살이 관찰 계획을 세우고, 씨를 심으려고 합니다. 물음에 답하시오. 총 10점

(1) 식물의 한살이를 관찰하기 좋은 식물의 특징을 2가지 쓰시오. 4점

______

(2) 다음 준비물을 모두 사용하여 화분에 씨를 심는 방법을 쓰시오. 6점

______

______

도움말

• 계획한 기간 동안 식물의 한살이를 관찰할 수 있어야 합니다.

3 오른쪽은 강낭콩의 꽃과 열매가 변하는 과정의 한 부분입니다. 물음에 답하시오. 총 6점

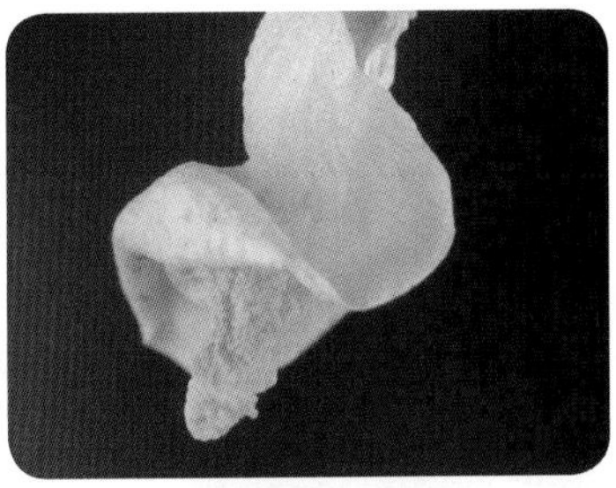
▲ 꽃이 시드는 모습

(1) 위 과정 다음에 일어날 일을 쓰시오. 2점

(2) 식물이 꽃과 열매를 만드는 까닭을 쓰시오. 4점

도움말
- 식물은 어느 정도 자라면 꽃이 피고, 꽃이 지면 열매를 맺습니다.

2 단원

4 다음은 식물을 한살이의 특징에 따라 분류한 것입니다. 물음에 답하시오.

총 12점

(가)	(나)
강낭콩, 나팔꽃, 민들레, 강아지풀, 닭의장풀, 봉선화	비비추, 제비꽃, 해바라기, 딸기, 무궁화, 사과나무, 감나무

(1) (가)와 (나)에 들어갈 분류 내용을 각각 쓰시오. 4점

(2) 위에서 잘못 분류한 식물 2가지를 찾아 이름을 쓰시오. 4점

(3) (가) 식물 무리와 (나) 식물 무리가 갖는 공통점을 쓰시오. 4점

도움말
- 한 해 동안 한살이 과정을 거치는 식물을 한해살이 식물이라고 하며, 여러 해를 살면서 한살이 과정의 일부를 되풀이하는 식물을 여러해살이 식물이라고 합니다.

수행 평가

1 다음은 식물이 자라는 데 물이 미치는 영향을 알아보는 실험에 대한 실험 보고서를 써 봅시다.

▲ 물을 줌. ▲ 물을 주지 않음.

도움말

- 물을 주는 강낭콩 화분에는 겉의 흙이 마르면 물을 줍니다.
- 물을 줄 때는 화분의 흙을 흠뻑 적시고 화분 밑으로 물이 약간 흘러나올 정도로 줍니다.
- 물을 조금씩 자주 주면 뿌리 쪽의 흙까지 젖지 않아 뿌리가 마를 수 있고, 물을 많이 주면 뿌리가 썩을 수 있습니다.

실험 보고서

실험 주제	식물이 자라는 데 물이 미치는 영향을 알아봅시다.
실험 결과 예상	
실험 준비물	
실험 조건	• 같게 할 조건: • 다르게 할 조건:
실험 결과 및 정리	

정답과 해설 10쪽

2 강낭콩이 자라는 동안 잎과 줄기의 변화를 관찰하면서 자란 정도를 측정해 봅시다.

(1) 강낭콩이 자란 정도를 측정하는 방법을 써 봅시다.

- 잎: ______________________
- 줄기: ______________________

(2) 강낭콩의 잎과 줄기가 자란 정도를 측정하여 정리해 봅시다.

측정한 날짜	잎의 개수(개)	잎의 길이(cm)	줄기의 길이(cm)
월 일			
월 일			
월 일			
월 일			
월 일			

(3) (2)에서 측정한 자료를 띠 골판지를 이용하여 나타내 봅시다.

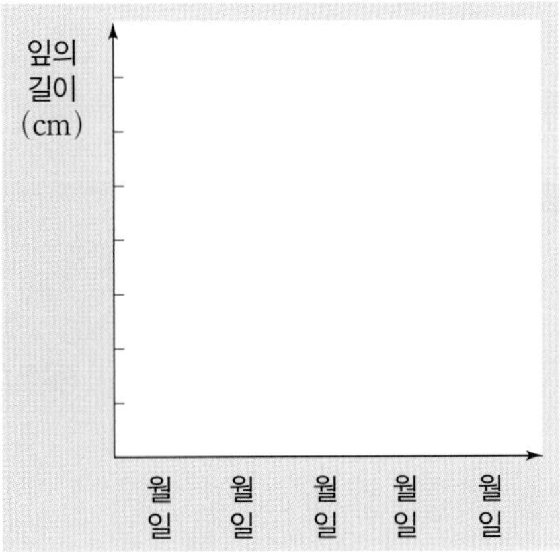

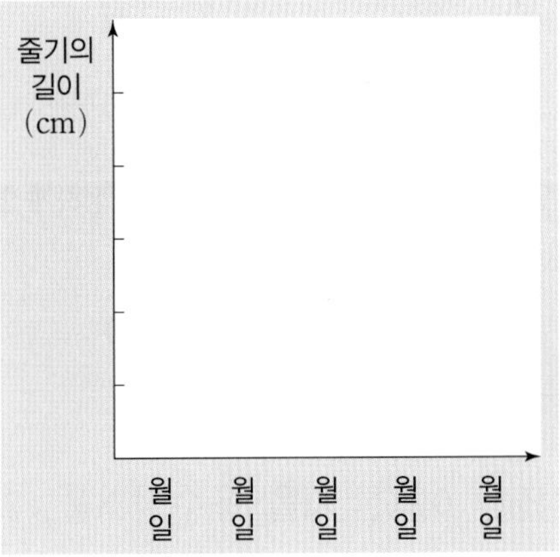

도움말

- 모둠별로 측정하고자 하는 내용과 측정할 사람을 정하고, 규칙적으로 측정할 시간을 정하도록 합니다.
- 잎의 길이나 줄기의 길이를 측정할 때 잎이나 줄기에 상처가 나지 않도록 주의합니다.
- 잎의 길이를 측정할 때 계속해서 같은 잎을 측정해야 하므로 잎에 간단한 표시를 해 두는 것이 좋습니다.

교과서 핵심 정리

1 무게는 어떤 경우에 측정할까요?

● 무게를 측정하는 경우
- 상점에서 채소를 사고팔 때
- 몸무게를 알아볼 때
- 공항에서 여행 가방의 무게를 알아볼 때 등

2 무게를 왜 측정해야 할까요?

(1) 물체의 무게를 저울로 측정하는 까닭
- 사람마다 물체의 무게를 ❶ ＿＿＿＿ 느끼기 때문
- 물체의 무게를 ❷ ＿＿＿＿ 하게 알기 위해서임.

(2) 무게를 정확하게 측정하지 않았을 때의 불편한 점
- 음식 맛이 달라짐.
- 상점에서 상품값을 정하기 어려움.

3 무게란 무엇일까요?

(1) 무게: ❸ ＿＿＿＿ 이/가 물체를 끌어당기는 힘의 크기

(2) 무게를 나타내는 단위: ❹ ＿＿＿＿, kg중(킬로그램중) 등

4 무게에 따라 용수철이 늘어난 길이는?

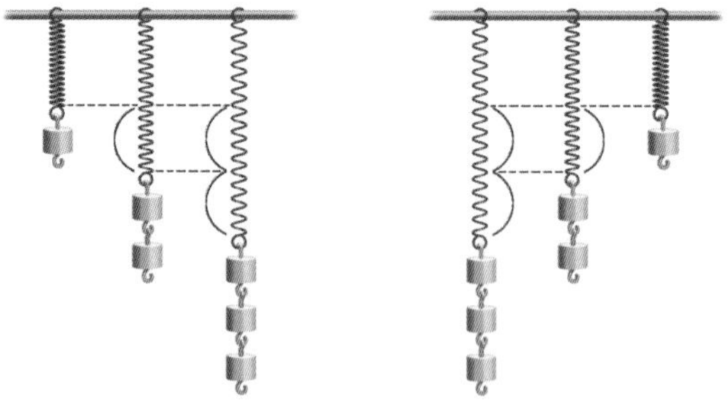

▲ 용수철이 일정하게 늘어남. ▲ 용수철이 일정하게 줄어듦.

(1) 용수철의 성질: ❺ ＿＿＿＿ 은/는 물체의 ❻ ＿＿＿＿ 변화에 따라 일정하게 늘어나거나 줄어듦.

(2) ❼ ＿＿＿＿ 의 성질을 이용한 저울: 용수철저울, 가정용 저울, 손저울 등

❶ 다르게 ❷ 정확 ❸ 지구 ❹ g중(그램중) ❺ 용수철 ❻ 무게 ❼ 용수철

5 용수철저울로 무게를 측정해 보아요

- 용수철저울로 물체의 무게를 측정하는 방법
  ① 용수철저울로 측정할 수 있는 최대 무게와 저울에 표시된 눈금 한 칸이 나타내는 무게 확인하기
  ② 용수철저울을 스탠드에 매달기
  ③ ⑧ [ ] 을/를 돌려 표시 자를 용수철저울의 눈금 '0'에 맞추기
  ④ 용수철저울의 고리에 물체 매달기
  ⑤ 표시 자와 ⑨ [ ] 을/를 맞추고, 표시 자가 가리키는 눈금의 숫자를 단위와 함께 읽기

6 수평을 잡아 보아요

무게가 같은 두 물체로 수평 잡기	무게가 다른 두 물체로 수평 잡기

두 물체를 각각 받침점으로부터 ⑩ [ ] 거리만큼 떨어진 곳에 올려놓아야 함.	무거운 물체를 가벼운 물체보다 받침점에 더 ⑪ [ ] 놓아야 함.

7 양팔저울로 무게를 비교해 보아요

(1) 방법 1: 양팔저울의 받침점으로부터 ⑫ [ ] 거리만큼 떨어진 저울접시에 각각 물체를 올려놓았을 때 저울대가 어느 쪽으로 기울었는지를 보고 비교함.

(2) 방법 2: 한쪽 저울접시에 물체를 올려놓고, 다른 쪽 저울접시에 클립과 같이 ⑬ [ ] 이/가 일정한 물체를 저울대가 ⑭ [ ] 이/가 될 때까지 올려놓은 다음, 클립의 개수를 세어 비교함.

8 간단한 저울을 만들어 보아요

(1) 용수철저울: ⑮ [ ] 이/가 일정하게 늘어나는 성질을 이용함.

(2) 양팔저울: ⑯ [ ] 의 원리를 이용함.

3 단원

⑧ 영점 조절 나사 ⑨ 눈높이 ⑩ 같은 ⑪ 가까이 ⑫ 같은 ⑬ 무게 ⑭ 수평 ⑮ 용수철 ⑯ 수평 잡기

정답과 해설 10쪽

1 사람마다 물체의 무게를 다르게 느끼기 때문에 (   )을/를 사용해 무게를 측정합니다.

2 (   )을/를 정확하게 측정하지 않으면 상점에서 상품값을 정하기 어렵습니다.

3 무게는 (   )이/가 물체를 끌어당기는 힘의 크기입니다.

4 용수철은 물체의 (   ) 변화에 따라 일정하게 늘어나거나 줄어드는 성질이 있습니다.

5 용수철에 매단 추의 무게가 무거울수록 용수철은 (적게 , 많이) 늘어납니다.

6 용수철저울, 가정용 저울, 손저울은 모두 (   )의 성질을 이용하여 무게를 측정하는 저울입니다.

7 용수철저울에서 눈금은 (   )이/가 가리키는 부분으로, 물체의 무게를 나타냅니다.

8 몸무게가 다른 두 사람이 시소의 양쪽에 탈 때, 몸무게가 많이 나가는 사람이 시소의 받침점에 가까이 앉아야 수평을 잡을 수 있습니다. (○ , ×)

9 양팔저울은 수평 잡기의 원리를 이용하여 만든 저울입니다. (○ , ×)

10 양팔저울로 물체의 무게를 비교할 때 클립 대신에 무게가 일정한 동전을 사용하여 물체의 무게를 비교할 수 있습니다. (○ , ×)

정답과 해설 10쪽

1 다음 중 무게와 관련된 설명으로 옳은 것은 ○표시를, 옳지 않은 것은 ×표시를 하시오.

(1) 사람마다 느끼는 물체의 무게가 다를 수 있습니다. ( )

(2) 용수철에 추를 한 개씩 매달수록 용수철의 길이가 더 적게 늘어납니다. ( )

(3) 용수철저울로 물체의 무게를 측정하기 위하여 눈금을 읽을 때, 표시 자와 눈높이를 맞춥니다. ( )

2 다음 설명을 읽고, ( ) 안에 들어갈 알맞은 말에 ○표시를 하시오.

(1) 용수철에 추를 1개 매달았을 때보다 2개 매달았을 때 용수철의 길이가 더 (많이 , 적게) 늘어납니다.

(2) 용수철에 매단 추의 무게가 무거울수록 지구가 추를 끌어당기는 힘의 크기가 (커집니다, 작아집니다).

3 다음 중 무게의 단위인 것을 2가지 고르시오. (,)

① g중 ② cm ③ mm
④ km ⑤ kg중

4 오른쪽은 용수철저울로 물체의 무게를 측정했을 때 눈금 부분입니다. 용수철저울에 매단 물체의 무게는 얼마입니까? ( )

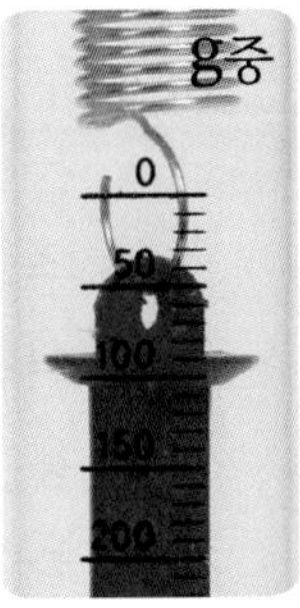

① 40 g중 ② 50 g중
③ 90 g중 ④ 100 g중
⑤ 150 g중

5 다음과 같이 나무판자의 가운데에 받침점을 놓고 실험을 하였습니다.

(가) 두 물체를 같은 거리만큼 떨어진 곳에 놓았더니 수평을 이루었습니다.

(나) 두 물체를 같은 거리만큼 떨어진 곳에 놓았더니 오른쪽으로 기울었습니다.

(가)와 (나)의 경우에 대한 설명으로 옳은 것을 다음 보기 에서 각각 골라 기호를 쓰시오.

보기
㉠ 왼쪽 인형이 더 무겁습니다.
㉡ 오른쪽 인형이 더 무겁습니다.
㉢ 왼쪽 인형과 오른쪽 인형의 무게가 같습니다.

(가) ( ) (나) ( )

6 다음은 양팔저울의 양쪽 저울접시 위에 가위와 지우개를 올려놓은 모습입니다. 가위와 지우개 중 더 가벼운 물체의 이름을 쓰시오.

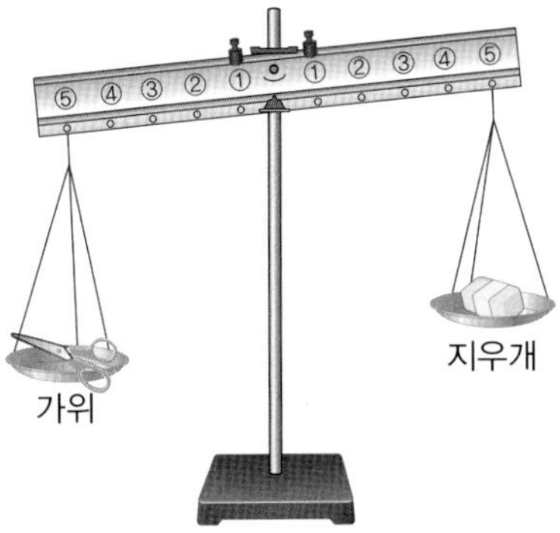

( )

3 단원

성취도 평가 문제 1회

1 마트에서 사과를 살 때 가장 무거운 것을 사려고 손으로 들어 보았습니다. 사람마다 다른 사과를 고르는 까닭은 어느 것입니까? (   )

① 사과의 길이가 다르기 때문입니다.
② 사과마다 맛이 다르기 때문입니다.
③ 사과마다 색깔이 다르기 때문입니다.
④ 사과마다 단단함이 다르기 때문입니다.
⑤ 사람마다 느끼는 무게가 다르기 때문입니다.

중요

2 다음 중 물체의 무게를 정확하게 측정해야 하는 경우를 3가지 고르시오. (,   ,   )

① 도서관에 가서 책을 빌릴 때
② 병원에 가서 몸무게를 측정할 때
③ 운동장에서 친구들과 공놀이를 할 때
④ 젤리 가게에서 무게에 맞춰 가격을 정할 때
⑤ 씨름에서 선수들의 몸무게에 따라 체급을 정할 때

3 다음은 무게가 다른 과일들입니다. 지구가 끌어당기는 힘의 크기가 가장 큰 것과 가장 작은 것을 옳게 연결한 것은 어느 것입니까?

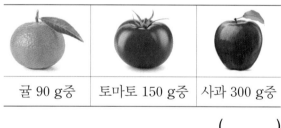

귤 90 g중	토마토 150 g중	사과 300 g중

(   )

	가장 큰 것	가장 작은 것
①	귤	토마토
②	귤	사과
③	토마토	사과
④	토마토	귤
⑤	사과	귤

4 다음 중 물체의 무게에 대한 설명으로 옳지 않은 것은 어느 것입니까? (   )

① 물체의 무게는 모든 물체가 일정합니다.
② 지구가 물체를 끌어당기는 힘의 크기입니다.
③ 단위에는 'g중(그램중)', 'kg중(킬로그램중)' 등이 있습니다.
④ 물체의 무게가 무거울수록 지구가 물체를 끌어당기는 힘이 커집니다.
⑤ 물체의 무게가 가벼울수록 지구가 물체를 끌어당기는 힘이 작아집니다.

5~6 다음은 용수철에 무게가 20 g중인 추를 1개씩 매달았을 때, 추의 무게에 따라 용수철이 늘어난 길이를 나타낸 표입니다. 물음에 답하시오.

추의 무게(g중)	0	20	40	(㉠)	80
용수철이 늘어난 길이(cm)	0	3	6	9	12

5 ㉠에 들어갈 알맞은 수를 쓰시오.

(   )

중요

6 위의 실험에 대한 설명으로 옳지 않은 것은 어느 것입니까? (   )

① 추의 무게가 달라지면 용수철이 늘어난 길이도 달라집니다.
② 무게가 20 g중인 추가 4개일 때 용수철이 늘어난 길이는 12 cm입니다.
③ 추의 무게가 100 g중이라면 용수철이 늘어난 길이는 15 cm일 것입니다.
④ 용수철에 매단 추의 무게가 무거울수록 용수철의 길이가 적게 늘어납니다.
⑤ 20 g중 추가 1개씩 늘어날 때마다 용수철의 길이는 3 cm씩 일정하게 늘어납니다.

7 다음은 용수철저울로 무게를 측정할 때의 설명입니다. 빈칸에 들어갈 알맞은 말을 쓰시오.

> 물체의 무게를 측정하기 전에 용수철저울의 표시 자를 눈금 '0'에 오도록 조절하는 장치를 (   )(이)라고 합니다.

(   )

중요

8 나무판자를 사용하여 두 물체 중 어느 것이 더 무거운지 알아보려고 합니다. ㉠ 나무토막을 왼쪽 ④번에 놓는다면, ㉡ 나무토막은 어느 위치에 놓아야 하는지 쓰시오.

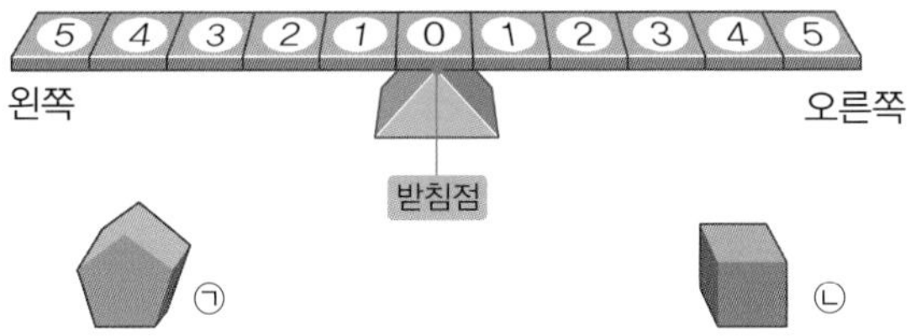

(   )쪽, (   )번

중요

9 다음은 양팔저울의 사용 방법을 순서에 관계없이 나타낸 것입니다. 사용 순서에 맞게 기호를 나열하시오.

> ㉠ 저울대가 수평을 잡을 때까지 다른 쪽 저울접시에 클립을 올려놓습니다.
> ㉡ 수평 조절 장치로 저울대의 수평을 잡습니다.
> ㉢ 양팔저울의 한쪽 저울접시에 측정하려는 물체를 올려놓습니다.
> ㉣ 클립의 개수를 셉니다.

(   ) – (   ) – (   ) – (   )

10 다음 중 양팔저울에 대한 설명으로 옳지 않은 것은 어느 것입니까? (   )

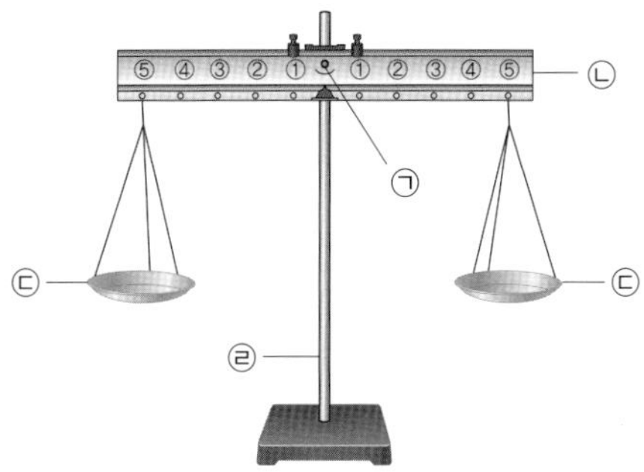

① 두 물체의 무게를 비교할 수 있습니다.
② 수평 잡기의 원리를 이용하여 만든 저울입니다.
③ 양쪽의 ㉢은 ㉠으로부터 같은 거리만큼 떨어져 있습니다.
④ ㉠은 받침점, ㉡은 저울대, ㉢은 받침대, ㉣은 저울접시입니다.
⑤ 왼쪽 ㉢에 연필을 놓고, 오른쪽 ㉢에 클립을 놓아 연필의 무게가 클립 몇 개의 무게에 해당하는지 측정할 수 있습니다.

11 다음은 여러 가지 저울의 모습입니다. 각 저울에 이용된 성질이나 원리를 선으로 연결하시오.

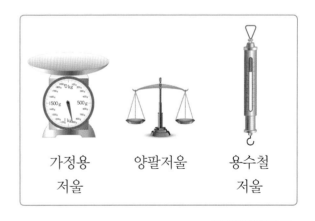

(1) 가정용 저울 •
(2) 양팔저울 •
(3) 용수철저울 •

• ㉠ 용수철의 성질
• ㉡ 수평 잡기의 원리

1 다음 대화에서 두 친구가 가장 무겁다고 말한 과일이 서로 다른 까닭으로 옳은 것은 어느 것입니까? (　　　　)

① 수진이의 힘이 더 세기 때문입니다.
② 과일들의 색깔이 다르기 때문입니다.
③ 과일들의 단단함이 다르기 때문입니다.
④ 지원이의 몸무게가 더 크기 때문입니다.
⑤ 두 친구가 과일의 무게를 다르게 느끼기 때문입니다.

2 다음 중 일상생활에서 저울을 사용하여 물체의 무게를 정확하게 측정하는 예로 옳지 않은 것은 어느 것입니까? (　　　　)

① 상점에서 채소를 사고팔 때
② 놀이터에서 미끄럼틀을 탈 때
③ 우체국에서 우편물의 무게를 측정할 때
④ 공항에서 여행 가방의 무게를 알아볼 때
⑤ 운동 경기에서 체급을 정하기 위해 몸무게를 측정할 때

중요

3 다음 중 물체의 무게에 대한 설명으로 옳은 것을 2가지 고르시오. (　　,　　)

① 단위에는 'm', 'km' 등이 있습니다.
② 단위에는 'g중', 'kg중' 등이 있습니다.
③ 우주가 물체를 끌어당기는 힘의 크기입니다.
④ 지구가 물체를 끌어당기는 힘의 크기입니다.
⑤ 무게는 용수철저울로는 측정할 수 없고, 전자저울로 측정할 수 있습니다.

4 다음과 같이 용수철에 추를 1개, 2개 매달면서 용수철이 늘어난 길이를 측정하였습니다. 이 실험에서 알 수 있는 것이 아닌 것을 보기 에서 골라 기호를 쓰시오.

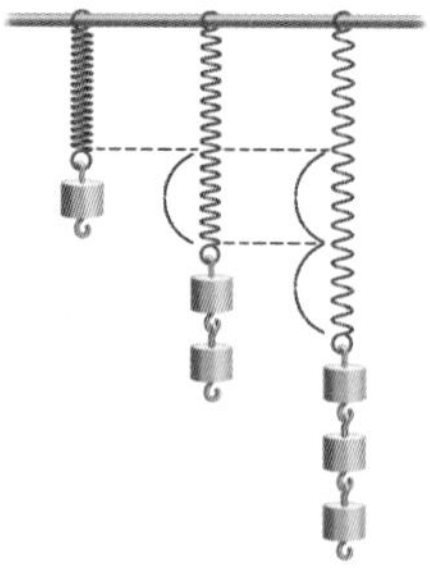

보기
㉠ 용수철에 추를 많이 매달수록 용수철이 많이 늘어납니다.
㉡ 용수철에 매단 물체의 크기가 클수록 용수철이 더 많이 늘어납니다.
㉢ 용수철에 매단 물체의 무게가 무거울수록 용수철이 더 많이 늘어납니다.

(　　　　　　　　)

5 용수철저울에 대한 설명으로 옳은 것을 다음 보기 에서 골라 기호를 쓰시오.

보기
㉠ 용수철저울은 용수철저울의 고리에 매달 수 있는 모든 물체의 무게를 측정할 수 있습니다.
㉡ 용수철저울은 용수철이 무게에 따라 늘어나는 정도가 다른 성질을 이용하여 만든 저울입니다.
㉢ 용수철저울의 눈금을 읽을 때는 표시 자를 살짝 위에서 내려다보며 눈금의 숫자를 단위와 함께 읽어야 합니다.

(　　　　　　　　)

6 오른쪽과 같은 가정용 저울에서 이용한 성질은 무엇입니까? (　　　)

① 무게에 따라 색깔이 변하는 성질
② 무게가 무거우면 용수철의 길이가 줄어드는 성질
③ 무게에 따라 용수철이 늘어나거나 줄어드는 성질
④ 양쪽의 받침대에 올라간 두 개의 물체가 같을 경우 수평을 이루는 성질
⑤ 받침점으로부터 같은 거리에 무게가 다른 두 물체를 올려놓으면 무거운 쪽으로 기울어지는 성질

7~8 다음 그림과 같이 나무판자 위 왼쪽 ②번에 나무토막 1개를 올려두었더니 왼쪽으로 기울어졌습니다. 물음에 답하시오.

중요

7 위 나무판자에 같은 무게의 나무토막 1개를 올려놓아 수평을 잡으려고 합니다. 나무토막 1개를 놓을 알맞은 위치에 ○표시를 하시오.

(왼쪽 , 오른쪽) (① , ② , ③ , ④ , ⑤)

중요

8 위 나무판자에 같은 무게의 나무토막 2개를 겹쳐 올려놓아 수평을 잡으려고 합니다. 나무토막 2개를 놓을 알맞은 위치에 ○표시를 하시오.

(왼쪽 , 오른쪽) (① , ② , ③ , ④ , ⑤)

9 다음은 양팔저울로 풀과 가위의 무게를 비교한 모습입니다. 풀과 가위 중 어느 물체가 더 무거운지 쓰시오.

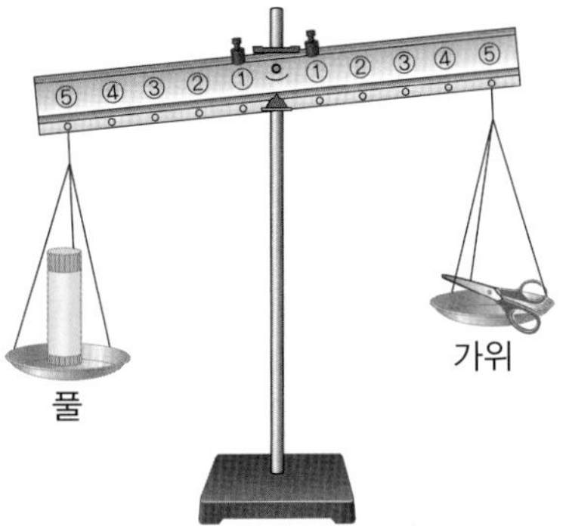

(　　　　　　　　　)

10 다음 중 양팔저울에 대한 설명으로 옳지 않은 것은 어느 것입니까? (　　　)

① 수평 잡기의 성질을 이용한 것입니다.
② 양팔저울로 한 번에 3가지 물체의 무게는 비교할 수 없습니다.
③ 양팔저울이 수평을 이루어야 물체의 무게를 비교할 수 있습니다.
④ 물체의 무게를 측정하기 전 수평 조절 장치로 수평을 잡아 주어야 합니다.
⑤ 양쪽 저울접시에 물체를 각각 올려놓았을 때 기울어진 쪽의 물체가 더 무겁습니다.

11 양팔저울로 물체의 무게를 비교할 때 클립을 사용할 수 있습니다. 다음 중 클립 대신 사용할 수 있는 물체가 아닌 것은 어느 것입니까? (　　　)

① 금액이 같은 동전
② 색깔과 크기가 같은 공
③ 크기와 무게가 같은 단추
④ 크기와 무게가 같은 장구핀
⑤ 크기와 무게가 같은 나무 블록

1 다음의 재료를 이용하여 식빵을 만들려고 합니다. 물음에 답하시오. 총 8점

(1) 저울이 고장 나서 사용할 수 없습니다. 재료의 무게를 저울로 측정하지 않고 어림하여 식빵을 만들었을 때 어떤 일이 일어날지 쓰시오. 4점

(2) (1)의 답을 참고하여 물체의 무게를 저울로 측정해야 하는 까닭을 쓰시오. 4점

도움말
• 사람마다 손으로 물체를 들어 보면 물체의 무게를 다르게 느낍니다. 따라서 물체의 무게를 정확하게 측정하기 위해서는 저울을 사용해야 합니다.

2 추의 무게에 따라 용수철이 늘어난 길이를 알아보았습니다. 물음에 답하시오. 총 8점

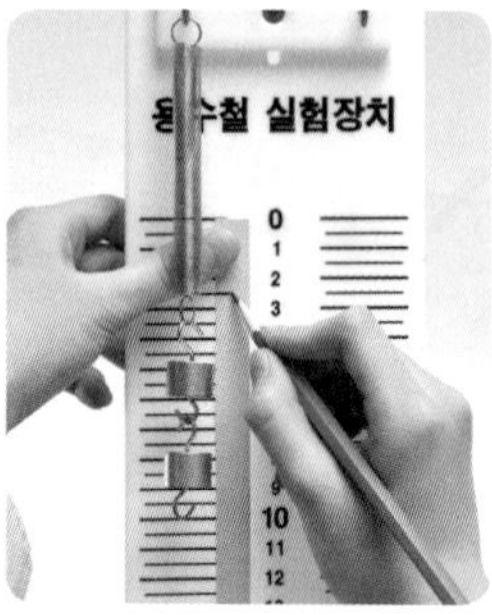

추의 무게(g중)	0	20	40	60	80	100
용수철이 늘어난 길이(cm)	0	2	4	6	8	10

(1) 용수철에 매단 추의 무게와 용수철이 늘어난 길이 사이의 관계에 대해 쓰시오. 4점

(2) 용수철에 매단 추의 무게가 140 g중일 경우 늘어난 용수철의 길이가 몇 cm가 될지 쓰고, 그 까닭도 함께 쓰시오. 4점

• 늘어난 용수철의 길이: (　　　　　　) cm

• 까닭:

도움말
• 용수철은 물체의 무게 변화에 따라 용수철이 일정하게 늘어나거나 줄어드는 성질이 있습니다.

3 아띠는 혜윰이, 오빠와 각각 시소를 탔습니다. 물음에 답하시오. 총 8점

(1) 아띠와 혜윰이가 받침점으로부터 같은 거리만큼 떨어진 곳에 앉았더니 시소가 수평을 이루었습니다. 아띠와 오빠도 받침점으로부터 같은 거리만큼 떨어진 곳에 앉았더니 시소가 오빠 쪽으로 기울었습니다. 아띠, 혜윰, 오빠 중 가장 무거운 사람을 쓰시오. 4점

( )

(2) 아띠와 오빠가 수평을 잡으려면 어떻게 해야 할지 쓰시오. 4점

도움말
- 무게가 같은 두 물체로 수평을 잡으려면 두 물체를 각각 받침점으로부터 같은 거리만큼 떨어진 곳에 놓아야 합니다.
- 무게가 다른 두 물체로 수평을 잡으려면 무거운 물체를 가벼운 물체보다 받침점에 더 가까이 놓아야 합니다.

3 단원

4 양팔저울로 여러 가지 물체의 무게를 비교하려고 합니다. 왼쪽 저울접시에 테이프를 올려놓고, 오른쪽 저울접시에 저울대가 수평이 될 때까지 클립을 올려놓았습니다. 물음에 답하시오. 총 8점

(1) 양팔저울은 어떤 원리를 이용한 것인지 쓰시오. 4점

(2) 오른쪽 저울접시에 올려놓은 클립 대신 사용할 수 있는 물체의 조건과 그 예를 1가지 쓰시오. 4점

- 조건:
- 예:

도움말
- 클립 대신 사용할 수 있는 물체는 클립과 같이 크기와 무게가 일정해야 하고 저울접시 위에 여러 개를 올릴 수 있을 정도로 작아야 합니다.

수행 평가

1 **오른쪽과 같이 무게가 같은 추를 개수를 달리하여 용수철에 매달았습니다.**

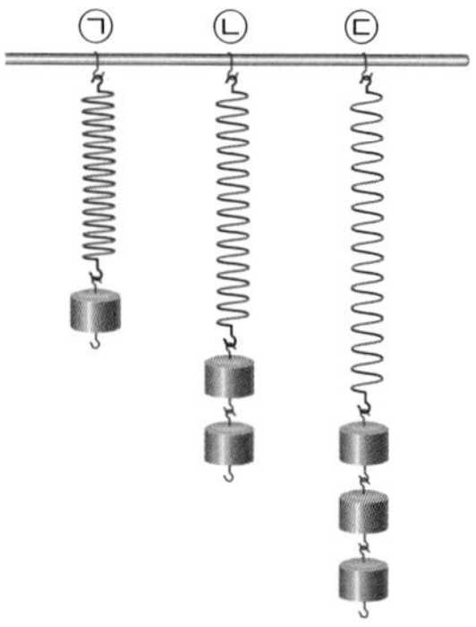

(1) ㉠, ㉡, ㉢ 용수철 중 매달린 추의 무게가 가장 무거운 것을 골라 봅시다. (　　　　)

(2) 무게의 뜻을 써 봅시다.

____

(3) (1)과 (2)의 답을 참고하여 용수철이 늘어난 길이가 각각 다른 까닭을 무게의 뜻과 관련지어 설명해 봅시다.

____

2 **나무판자의 가운데에 받침대를 놓고, 나무판자의 양쪽에 나무토막을 올려놓아 수평을 잡는 실험을 하였습니다. 다음 실험 보고서의 빈칸을 완성해 봅시다.**

<table>
<tr><td>(1) 무게가 같은 경우 수평 잡기</td><td>• (가) 나무토막을 왼쪽 ④번에 놓았을 때 수평을 잡으려면, (나) 나무토막은 ______________
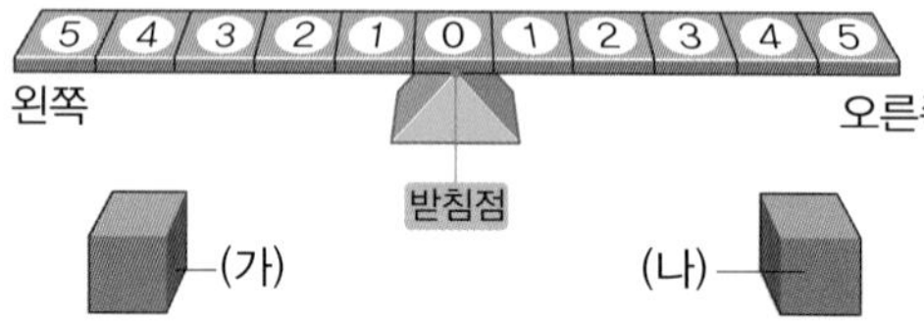

• 무게가 같은 경우 수평을 잡는 방법
______________________________</td></tr>
<tr><td>(2) 무게가 다른 경우 수평 잡기</td><td>• (가) 나무토막을 왼쪽 ④번에 놓았을 때 수평을 잡으려면, (나) 나무토막은 ______________
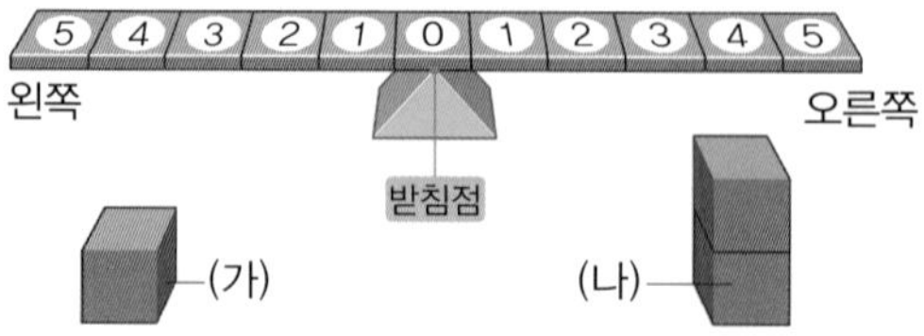

• 무게가 다른 경우 수평을 잡는 방법
______________________________</td></tr>
</table>

도움말

• 무게의 뜻을 알아야 합니다.

• 용수철에 매단 추의 무게와 용수철이 늘어난 길이와의 관계를 알아야 합니다.

• 수평 잡기의 원리를 무게가 같은 경우와 무게가 다른 경우로 구분하여 설명해야 합니다.

3 **양팔저울로 물체의 무게를 비교하는 방법은 아래와 같이 2가지가 있습니다.**

양팔저울로 물체의 무게를 비교하는 방법
(가) 물체 2개를 직접 비교하는 방법
(나) 수평 잡기의 원리를 이용하여 비교하는 방법

(1) 양팔저울로 가위와 풀의 무게를 비교하려고 합니다. 위의 방법 중 (가)를 이용하여 물체의 무게를 비교하는 방법을 써 봅시다.

(2) 양팔저울로 지우개와 풀의 무게를 비교하려고 합니다. 위의 방법 중 (나)를 이용하여 물체의 무게를 비교하는 방법을 써 봅시다.

도움말
- 양팔저울로 수평 잡기의 원리를 이용하여 무게를 비교해야 합니다.

4 **보기의 재료를 사용하여 간단한 저울을 만들려고 합니다. 빈칸을 완성해 봅시다.**

보기
바지걸이, 작은 빨래 건조대, 주머니, 옷걸이, 우유갑, 블록, 종이컵, 나무 판자, 30 cm 자, 셀로판테이프, 용수철, 생활 속에서 쉽게 구할 수 있는 재료 등

(1) 이용한 원리: (　　　　　　　　)
(2) 사용할 재료: (　　　　　　　　　　　　　　)
(3) 간단한 그림

- 수평 잡기의 원리 또는 용수철의 성질 등을 이용하여 어떤 저울을 만들 수 있을지 생각해 보아야 합니다.

3 단원

교과서 핵심 정리

1 뒤죽박죽 섞여도 변하지 않아요

(1) ❶ (　　　　): 두 가지 이상의 물질이 각각의 성질을 잃지 않고 서로 섞여 있는 것

(2) 혼합물의 특징: 각각의 재료가 섞여 있어도 원래의 색깔이나 촉감, 단단한 정도가 변하지 않음.

2 혼합물에 어떤 물질이 섞여 있을까요?

(1) 혼합물의 예: 저금통 속 동전, 천연 방향제, 콘크리트, 화단 흙, 흙탕물 등

(2) 콘크리트에 섞여 있는 물질

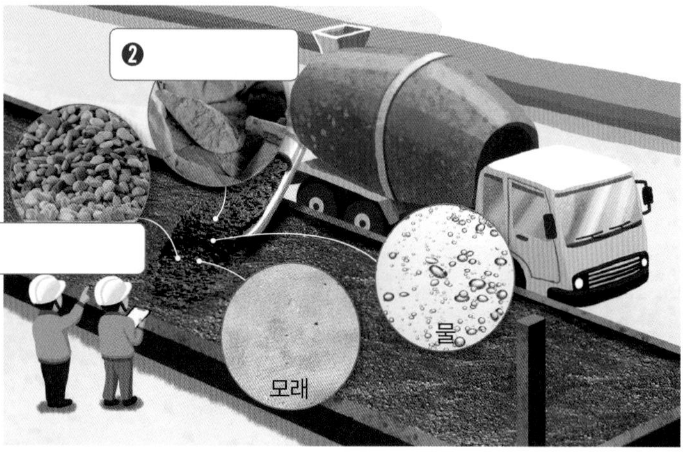

3 혼합물을 왜 분리할까요?

(1) 혼합물을 분리하는 까닭

- 원하는 물질을 얻을 수 있음.
- 혼합물로부터 얻은 물질로 다양한 제품을 만들 수 있음.

(2) 혼합물을 분리하여 얻을 수 있는 것

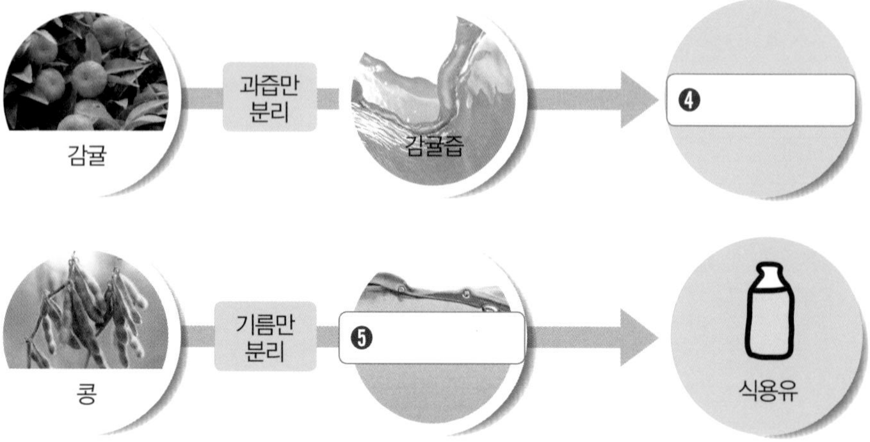

❶ 혼합물 ❷ 시멘트 ❸ 자갈 ❹ 감귤 주스 ❺ 콩기름

4 콩, 팥, 좁쌀의 혼합물을 분리해요

(1) 콩, 팥, 좁쌀의 혼합물 분리: 알갱이의 ❻ [ ] 차이를 이용해서 분리함.

(2) 알갱이의 크기가 다른 고체 혼합물의 분리: ❼ [ ] 을/를 사용해서 분리함.

5 플라스틱과 철의 혼합물을 분리해요

(1) 철이 섞인 혼합물 분리: ❽ [ ] 을/를 사용해서 분리함.

(2) 철 캔과 알루미늄 캔의 분리: 자동 분리기에 넣으면 자석이 들어 있는 이동판에는 ❾ [ ] 만 달라붙어 분리됨.

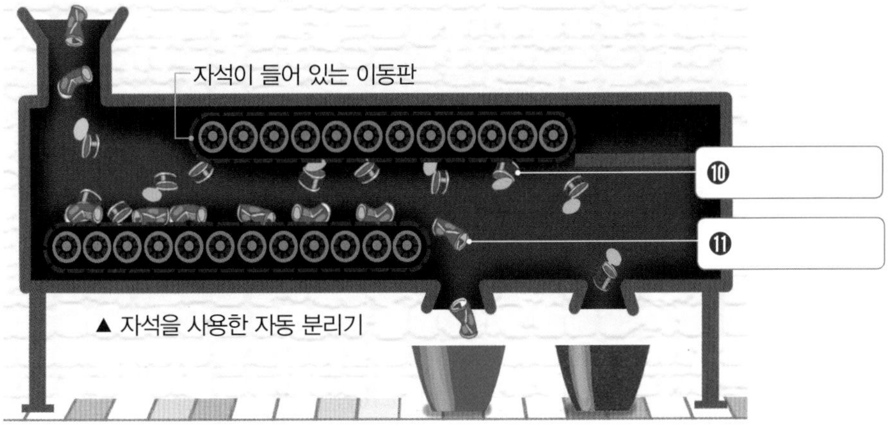

▲ 자석을 사용한 자동 분리기

6 설탕과 좁쌀의 혼합물을 분리해요

(1) 설탕과 좁쌀의 혼합물 분리: 설탕이 ⓬ [ ] 성질과 좁쌀이 물에 녹지 않는 성질을 이용함.

(2) ⓭ [ ] : 액체에 녹지 않는 물질이 섞여 있을 때 거름 장치를 사용하여 물질을 분리하는 방법

7 소금물에서 소금을 분리해요

(1) 소금물에서 소금 분리: 소금물을 그릇에 담아 놓으면 액체인 물은 기체인 수증기로 변하여 날아가고 ⓮ [ ] 만 남게 됨.

(2) ⓯ [ ] : 액체가 표면에서 기체로 변하는 현상

❻ 크기
❼ 체
❽ 자석
❾ 철 캔
❿ 철 캔
⓫ 알루미늄 캔
⓬ 물에 녹는
⓭ 거름
⓮ 소금
⓯ 증발

4 단원

쪽지 시험 4 혼합물의 분리

정답과 해설 14쪽

1 두 가지 이상의 물질이 각각의 성질을 잃지 않고 서로 섞여 있는 것을 (　　　　)(이)라고 합니다.

2 여러 가지 재료를 섞어 혼합물을 만들었을 때, 섞기 전과 후의 색깔과 촉감 등 각각의 성질에는 차이가 (있습니다 , 없습니다).

3 알갱이의 크기가 다른 고체 혼합물을 분리할 때에는 (　　　　)을/를 사용합니다.

4 체를 사용하여 콩, 팥, 좁쌀의 혼합물을 분리할 때 눈 크기가 콩보다 작고 팥보다 큰 체를 사용하면 (콩 , 좁쌀)이 가장 먼저 분리됩니다.

5 철이 섞인 혼합물을 분리할 때에는 (　　　　)을/를 사용합니다.

6 액체에 녹지 않는 물질이 섞여 있을 때 거름 장치를 사용하여 분리하는 방법을 (　　　　)(이)라고 합니다.

7 설탕과 좁쌀의 혼합물을 물에 넣어 거름 장치로 분리할 때 거름종이에 남아 있는 물질은 (좁쌀 , 설탕)입니다.

8 액체가 표면에서 기체로 변하는 현상을 (　　　　)(이)라고 합니다.

9 소금물을 넣은 페트리 접시를 바람이 잘 통하는 곳에 두었을 때 페트리 접시에 생기는 물질은 (　　　　)입니다.

정답과 해설 14쪽

1 다음 설명 중 옳은 것은 ○표시를, 옳지 <u>않은</u> 것은 ×표시를 하시오.

(1) 두 가지 이상의 물질이 각각의 성질이 변화된 채 섞여 있는 것을 혼합물이라고 합니다. (　　　)

(2) 혼합물을 분리하면 원하는 물질을 얻어 다양한 제품을 만들 수 있습니다. (　　　)

(3) 우리 주변에서 찾을 수 있는 혼합물에는 천연 방향제, 콘크리트 등이 있습니다. (　　　)

2 혼합물과 그 혼합물에서 분리한 물질을 선으로 연결하시오.

(1) 

• 　　• ㉠ 벌꿀

(2) 

• 　　• ㉡ 목화솜

(3) 

• 　　• ㉢ 콩기름

3 다음 보기 중 혼합물을 분리할 때 이용하는 성질이 <u>다른</u> 하나를 골라 기호를 쓰시오.

보기
㉠ 모래와 자갈의 혼합물
㉡ 콩, 팥, 좁쌀의 혼합물
㉢ 철 가루와 모래의 혼합물
㉣ 크기가 다른 구슬의 혼합물
㉤ 모래와 작은 조개의 혼합물

(　　　　　　　　　)

4 수지가 다음 혼합물을 분리할 방법을 찾아냈습니다. 빈칸에 들어갈 알맞은 말을 쓰시오.

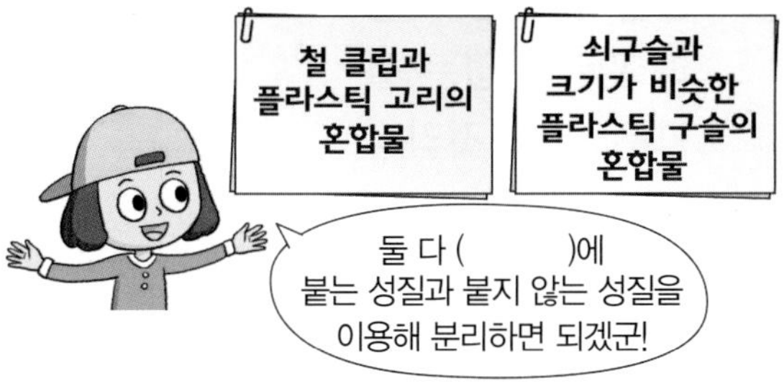

(　　　　　　　　　)

5 다음은 치즈를 만들 때 혼합물을 분리하는 방법입니다. 이와 같은 방법으로 분리할 수 있는 혼합물을 보기 에서 골라 기호를 쓰시오.

우유에 생긴 고체 물질을 걸러 분리해요.

보기
㉠ 물에 녹인 설탕과 좁쌀의 혼합물
㉡ 소금물
㉢ 철 가루와 모래의 혼합물
㉣ 모래와 작은 조개의 혼합물

(　　　　　　　　　)

6 설탕과 좁쌀의 혼합물을 물에 녹인 후 거름 장치로 걸렀을 때 관련된 것끼리 선으로 연결하시오.

(1) 거름종이에 남은 물질 • 　　• ㉠ 물에 녹는 물질

(2) 거름종이를 빠져나간 물질 • 　　• ㉡ 물에 녹지 않는 물질

4 단원

성취도 평가 문제 1회

1 다음 중 마블링 물감으로 오른쪽 작품을 만드는 과정과 관련이 없는 설명은 어느 것입니까? (　　　)

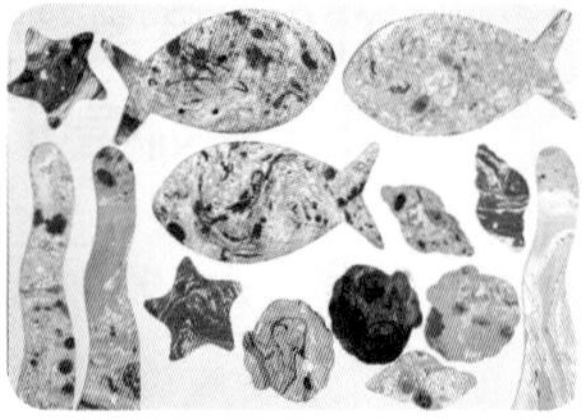

① 마블링 물감은 물 위에 뜹니다.
② 물에 다양한 색깔의 마블링 물감을 풀어 줍니다.
③ 마블링 물감을 푼 물에 종이를 덮습니다.
④ 물에 푼 마블링 물감이 종이에 묻어납니다.
⑤ 마블링 물감이 물과 잘 섞이는 성질을 이용합니다.

2 다음 빈칸에 들어갈 알맞은 말을 쓰시오.

> 두 가지 이상의 물질이 각각의 성질을 잃지 않고 서로 섞여 있는 것을 (　　　)(이)라고 합니다.

(　　　　　　　　　)

3 다음 중 혼합물로만 짝 지은 것은 어느 것입니까? (　　　)

① 소금 – 설탕
② 설탕 – 소금물
③ 물 – 과학 교구 상자
④ 소금 – 반짝이 풀
⑤ 천연 방향제 – 소금물

4 다음 빈칸에 들어갈 알맞은 말이 아닌 것은 어느 것입니까? (　　　)

> 클립, 구슬, 색점토를 섞어서 만든 공에서 각각의 재료는 섞기 전과 후에 (　　　)이/가 변하지 않습니다.

① 색깔　　② 촉감　　③ 모양
④ 냄새　　⑤ 성질

중요

5 다음 중 혼합물을 분리하는 까닭으로 가장 적절한 것을 2가지 고르시오. (　　,　　)

① 혼합물을 분리하면 물질이 무거워지기 때문입니다.
② 혼합물을 분리하면 물질의 종류가 많아지기 때문입니다.
③ 혼합물을 분리하면 원하는 물질을 얻을 수 있기 때문입니다.
④ 혼합물을 분리하여 얻은 물질로 다양한 제품을 만들 수 있기 때문입니다.
⑤ 혼합물을 분리하면 원래 섞인 물질 외에 새로운 물질을 얻을 수 있기 때문입니다.

중요

6 다음은 콩, 팥, 좁쌀의 혼합물을 분리하는 과정입니다. 빈칸에 들어갈 알맞은 말을 보기 에서 각각 골라 기호를 쓰시오. (단, 알갱이의 크기는 콩 > 팥 > 좁쌀임.)

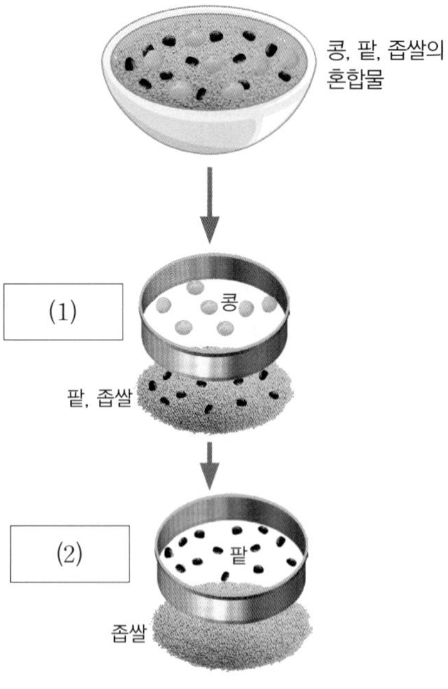

보기

> ㉠ 눈 크기가 팥보다 작고 좁쌀보다 큰 체
> ㉡ 눈 크기가 콩보다 작고 팥보다 큰 체

(1) (　　　　)　　(2) (　　　　)

7~8 마스크는 알갱이의 크기 차이를 이용하여, 숨을 쉴 때 해로운 물질이 몸속에 들어오지 못하게 걸러 줍니다. 물음에 답하시오.

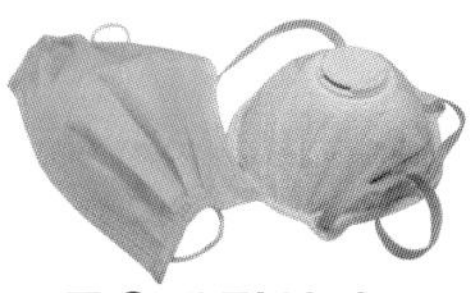

7 다음 보기의 도구를 사용해서 혼합물을 분리할 때 혼합물을 분리하는 방법이 마스크와 같은 것을 골라 쓰시오.

보기

자석, 집게, 체, 페트리 접시

(　　　　　　)

8 다음 중 알갱이의 크기 차이를 이용하여 분리할 수 있는 혼합물은 어느 것입니까? (　　　)

① 소금과 좁쌀의 혼합물
② 모래와 철 가루의 혼합물
③ 설탕물
④ 크기가 다른 구슬의 혼합물
⑤ 철 캔과 알루미늄 캔의 혼합물

9~10 다음은 설탕과 좁쌀의 혼합물을 물에 녹인 후, 거름 장치를 이용하여 분리하는 모습입니다. 물음에 답하시오.

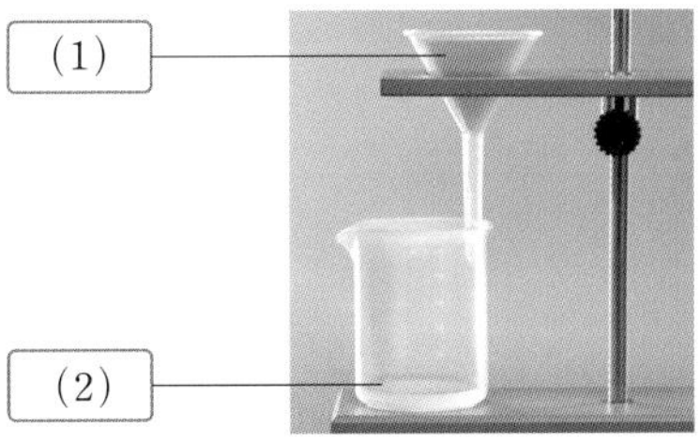

9 다음 ㉠~㉣을 실험 순서에 맞게 나열하시오.

㉠ 물에 녹인 혼합물을 천천히 붓기
㉡ 거름종이를 고깔 모양으로 접기
㉢ 거름종이를 깔때기에 넣고 물 묻히기
㉣ 깔때기 끝의 긴 부분을 비커 옆면에 닿게 하기

(　　)−(　　)−(　　)−(　　)

중요

10 설탕, 좁쌀 중 앞의 (1), (2)에 남는 물질을 각각 쓰시오.

(1) (　　　　　　)
(2) (　　　　　　)

11~12 다음은 소금물을 만들어서 소금을 분리해 보는 실험 과정을 순서 없이 나열한 것입니다. 물음에 답하시오.

11 위 ㉠~㉣을 실험 순서에 맞게 나열하시오.

(　　)−(　　)−(　　)−(　　)

12 위 실험에서 결과가 잘 나올 수 있는 조건을 보기에서 2가지 골라 기호를 쓰시오.

보기

㉠ 그늘진 곳
㉡ 햇빛이 잘 드는 곳
㉢ 바람이 잘 통하는 곳
㉣ 바람이 잘 통하지 않는 곳

(　　　　　　)

4 단원

중요

1 다음 중 혼합물에 대한 설명으로 옳지 않은 것은 어느 것입니까? (　　　　)

① 두 가지 이상의 물질로 이루어져 있습니다.
② 클립과 색점토로 만든 공은 혼합물입니다.
③ 여러 가지 물질을 섞어 혼합물을 만들면 각각의 성질이 변합니다.
④ 혼합물에 섞여 있는 물질의 색깔은 섞기 전과 후에 같습니다.
⑤ 혼합물을 분리하면 원하는 물질을 얻을 수 있습니다.

2 오른쪽 감귤에서 분리하여 얻을 수 있는 물질과, 그 물질로 만들 수 있는 제품을 순서대로 고르시오.

(　,　)

① 소금　② 감귤즙　③ 벌꿀
④ 목화솜　⑤ 감귤 주스

중요

3 다음 중 혼합물의 분리에 대한 설명으로 옳지 않은 것은 어느 것입니까? (　　　　)

① 혼합물을 분리하면 각 재료의 성질이 달라집니다.
② 재활용품 분리 배출도 혼합물의 분리에 포함됩니다.
③ 혼합물을 분리하면 원하는 물질을 얻을 수 있습니다.
④ 혼합물을 분리하여 얻은 물질로 다양한 제품을 만들 수 있습니다.
⑤ 콩에서 기름만 분리하여 얻은 콩기름으로 식용유를 만들 수 있습니다.

4 다음 두 가지 혼합물을 분리할 때 공통으로 이용할 수 있는 도구를 보기에서 골라 기호를 쓰시오.

- 콩, 팥, 좁쌀의 혼합물
- 모래와 자갈의 혼합물

보기
㉠ 자석　㉡ 체　㉢ 거름 장치

(　　　　　　　　)

5~6 다음은 자석을 이용해서 알루미늄 캔과 철 캔을 분리하는 장치입니다. 물음에 답하시오.

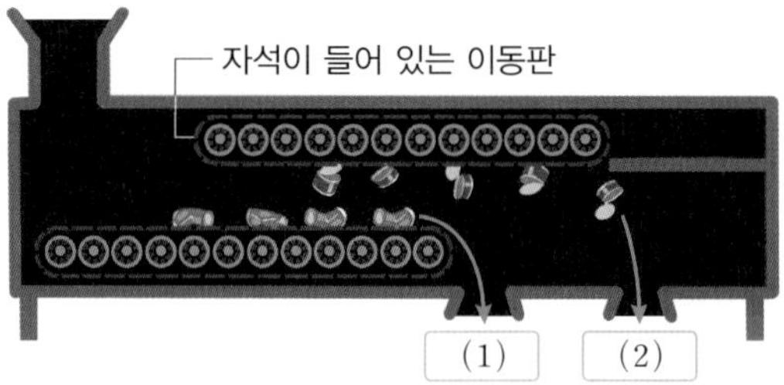

5 위 (1), (2)에서 분리되는 캔의 종류를 각각 쓰시오.

(1) (　　　　　　)　(2) (　　　　　　)

6 위 장치의 분리 방법과 같은 원리로 분리할 수 있는 혼합물을 2가지 고르시오. (　,　)

① 좁쌀과 설탕의 혼합물
② 모래와 자갈의 혼합물
③ 콩, 모래, 자갈의 혼합물
④ 철 클립과 플라스틱 고리의 혼합물
⑤ 크기가 비슷한 철 구슬과 플라스틱 구슬의 혼합물

중요

7 다음은 콩, 팥, 좁쌀의 혼합물을 분리하는 과정입니다. (1)~(3)에서 분리되는 물질을 각각 쓰시오. (단, 알갱이의 크기는 콩 > 팥 > 좁쌀임.)

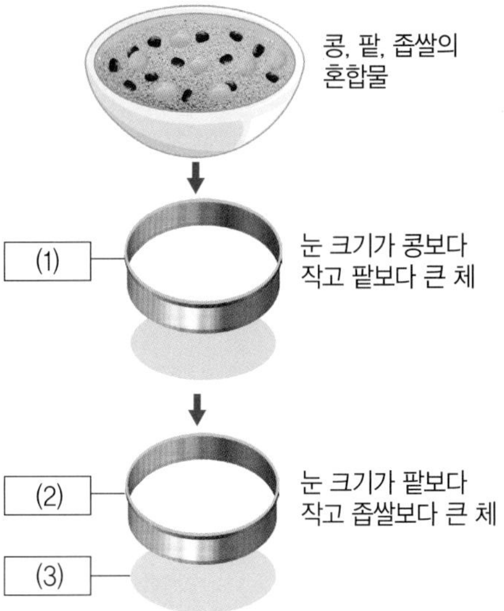

(1) (   ) (2) (   ) (3) (   )

8~9 오른쪽은 물에 녹인 혼합물을 거름 장치로 분리하는 모습입니다. 물음에 답하시오.

중요

8 위 실험 장치를 꾸미는 방법에 대한 설명으로 옳지 않은 것은 어느 것입니까? (   )

① 거름종이를 고깔 모양으로 접습니다.
② 거름종이를 깔때기 안에 넣고 물을 묻힙니다.
③ 깔때기 끝의 긴 부분이 비커의 중앙에 오게 설치합니다.
④ 물에 녹인 혼합물이 유리 막대를 타고 천천히 흐르도록 붓습니다.
⑤ 물에 녹인 혼합물을 깔때기에 부을 때 넘치거나 튀지 않게 주의합니다.

9 다음은 앞 실험에서 사용한 원리에 대한 설명입니다. 빈칸에 들어갈 알맞은 말을 쓰시오.

> 액체에 녹지 않는 물질이 섞여 있을 때 거름 장치를 사용하여 물질을 분리하는 방법을 (   )(이)라고 합니다.

(   )

10 치즈를 만드는 다음 과정에서 혼합물을 분리할 때 이용하는 성질은 어느 것입니까? (   )

우유에 생긴 고체 물질 거르기

① 색깔
② 촉감
③ 알갱이의 무게
④ 물에 녹는 성질과 녹지 않는 성질
⑤ 자석에 붙는 성질과 붙지 않는 성질

11 다음 빈칸에 들어갈 알맞은 말을 쓰시오.

> 바닷물을 모아서 막아 놓으면 햇빛, 바람 등에 의하여 물이 (   )하면서 소금이 만들어집니다.

(   )

4 단원

서술형 · 사고력 문제

1 다음은 재활용품을 분리하는 모습입니다. 물음에 답하시오. 총 8점

(1) 생활 속 주변에서 찾을 수 있는 혼합물을 4가지 쓰시오. 4점

(2) 위 그림과 같이 혼합물을 분리하는 까닭을 2가지 쓰시오. 4점

도움말

• 재활용품을 물질별로 분리하면 필요한 물질을 다시 사용할 수 있습니다.

2 오른쪽과 같은 콩, 팥, 좁쌀의 혼합물을 분리하려고 합니다. 물음에 답하시오. 총 6점

(1) 콩, 팥, 좁쌀의 혼합물을 분리할 때 어떤 성질을 이용해야 하는지 쓰시오. 2점

(2) 콩, 팥, 좁쌀의 혼합물을 모두 분리하기 위해서 필요한 체를 2가지 쓰시오. (단, 알갱이의 크기는 콩 > 팥 > 좁쌀임.) 4점

도움말

• 콩, 팥, 좁쌀의 혼합물은 알갱이의 크기가 다릅니다. 이들을 분리하기 위해서는 눈 크기가 다른 2가지 체가 필요합니다.

정답과 해설 15쪽

3 **다음은 거름 장치를 꾸미는 과정입니다. 물음에 답하시오.** 총 6점

고깔 모양으로 접은 거름종이를 깔때기에 넣고, 물을 묻힙니다.

깔때기 끝의 긴 부분을 비커 옆면에 닿게 설치합니다.

(㉠)

(1) 위 ㉠에 해당하는 실험 과정을 쓰시오. 2점

(2) 거름 장치로 분리할 수 있는 혼합물을 2가지 쓰시오. 4점

도움말

• 거름 장치를 이용하여 분리할 수 있는 혼합물은 물에 녹는 물질과 물에 녹지 않는 물질이 섞인 혼합물입니다.

4 **오른쪽은 염전에 있는 소금을 모으는 모습입니다. 물음에 답하시오.** 총 10점

(1) 다음에서 설명하는 현상을 무엇이라고 하는지 쓰시오. 2점

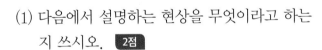

> 바닷물을 모아 두면 액체인 물은 수증기가 되어 날아가고 소금만 남게 됩니다. 이와 같이 액체가 표면에서 기체로 변하는 현상을 말합니다.

( )

(2) 위 (1)의 현상이 잘 일어날 수 있는 조건을 2가지 쓰시오. 4점

(3) 다음은 염전에서 소금이 만들어지는 과정입니다. 빈칸에 들어갈 알맞은 내용을 쓰시오. 4점

바닷물을 모아 둡니다. ➡ ( ) ➡ 소금을 모아 저장합니다.

도움말

• 바닷물에서 물을 증발시켜 소금을 분리할 수 있습니다. 온도가 높고 바람이 강할수록, 건조할수록 증발이 잘 일어납니다.

수행 평가

1 다음은 목화에서 부드러운 부분만 분리하여 솜이불을 만드는 과정을 나타낸 것입니다. 이와 같이 혼합물을 분리하는 까닭을 2가지 써 봅시다.

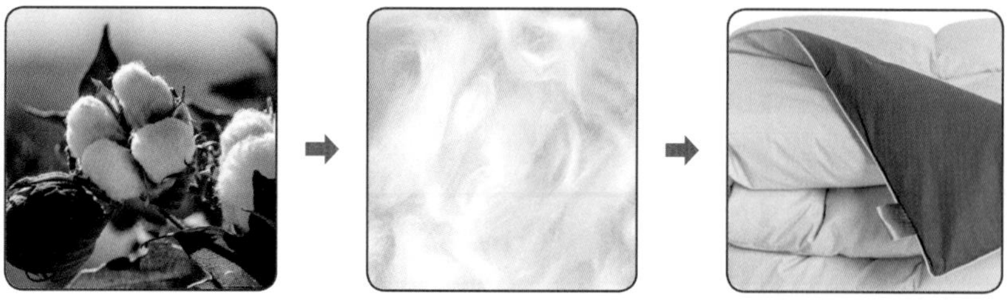

▲ 목화 ▲ 부드러운 부분만 분리 ▲ 솜이불

•

•

2 다음은 2가지 종류의 체를 이용하여 콩, 팥, 좁쌀의 혼합물을 분리하는 과정입니다. (단, 알갱이의 크기는 콩＞팥＞좁쌀임.)

(1) 빈칸에 콩, 팥, 좁쌀을 알맞게 써 봅시다.

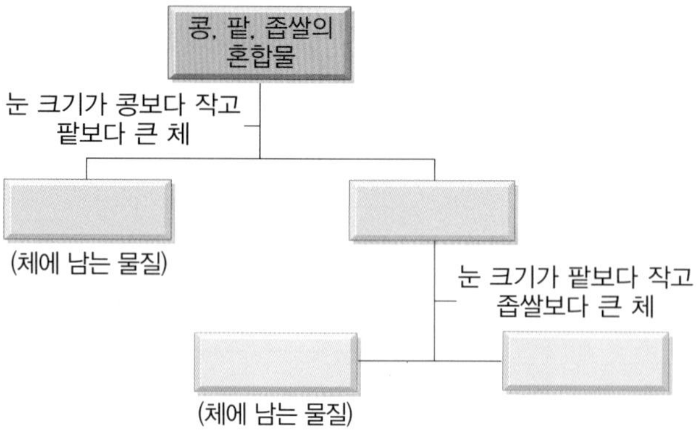

(2) 위 (1)의 분리 과정에서 콩, 팥, 좁쌀 혼합물의 어떤 성질을 이용했는지 써 봅시다.

도움말

• 혼합물을 분리하는 까닭을 알고 있어야 합니다.

• 체를 이용한 혼합물의 분리 과정과, 이때 이용한 혼합물의 성질을 알고 있어야 합니다.

3 **다음은 좁쌀과 설탕의 혼합물을 물에 녹인 후, 거름 장치로 분리하는 모습입니다.**

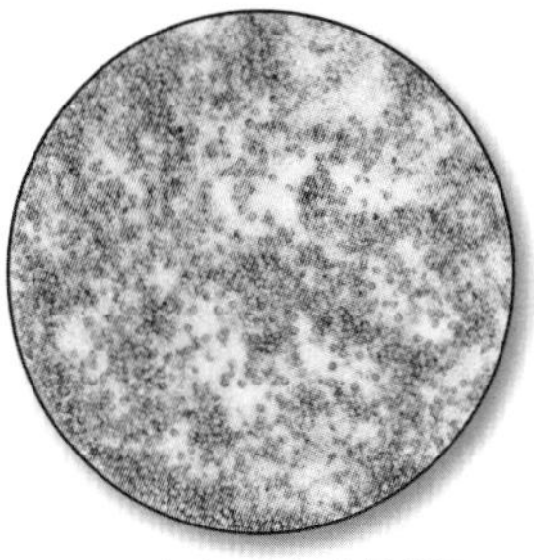

▲ 좁쌀과 설탕의 혼합물

(1) 다음은 실험 과정을 순서 없이 나열한 것입니다. 실험 순서에 맞게 기호를 써 봅시다.

(가)

(나)

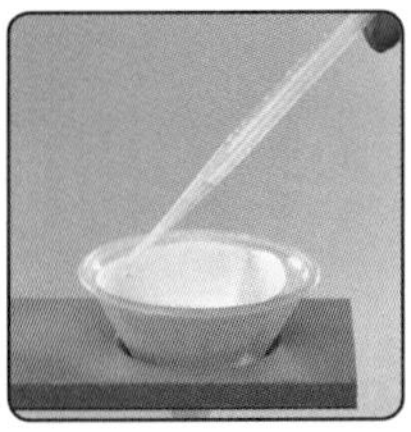

(다)

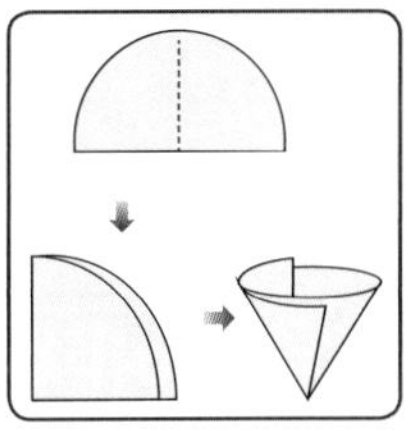

(라)

(　　　)－(　　　)－(　　　)－(　　　)

(2) 다음 표는 위 실험 결과를 정리한 것입니다. 표를 완성해 봅시다.

	물질	물질을 물에 녹였을 때
거름종이에 남은 물질		
거름종이를 빠져나간 물질		

(3) 위 실험 후 거름종이를 빠져나간 물에 녹은 물질을 페트리 접시에 담고 물을 증발시키려고 합니다. 증발이 잘 일어나기 위한 조건을 2가지 써 봅시다.

• ______________________________

• ______________________________

도움말

• 거름 장치를 꾸밀 수 있어야 합니다.

• 실험 결과와 이 실험에 이용한 물질의 성질을 알고 있어야 합니다.

• 증발이 잘 일어나는 조건을 알고 있어야 합니다.

미로 중간에 있는 플라스틱 재활용품을 찾아서 미로 끝에 놓인 분리수거함에 담아보아요. 중간에 사다리가 없거나 길이 막혀 있으면 다시 되돌아와서 다른 길을 찾아보세요.

재미있는 미로 찾기 문제

플라스틱 재활용품을 분리하려고 해요.
그런데 미로 중간에 여러 가지 재활용품이 놓여 있네요.
어떻게 하면 모든 플라스틱 재활용품을 분리할 수 있을까요?
미로 찾기를 하며 분리수거를 해 볼까요?

정답 ▲

출발!
도착!

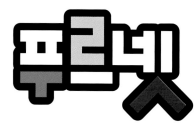

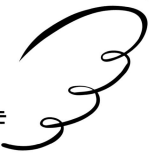

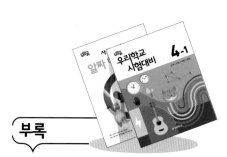

실험 관찰

초등 과학
자습서&평가문제집

4-1

정답과 해설

금성출판사

실험 관찰

초등 과학
자습서&평가문제집

4-1

정답과 해설

금성출판사

과학자처럼 탐구해 볼까요?

교과서 개념 확인 문제 9쪽

1 추리 **2** ④

1 지층과 화석

교과서 개념 확인 문제 21쪽

1 (1) ㉠ (2) ㉢ (3) ㉡ **2** ㉠ ○, ㉡ △, ㉢ △, ㉣ ○
3 ㉠ 종류, ㉡ 색깔

교과서 개념 확인 문제 23쪽

1 (1) 아래 (2) 긴 **2** ㉣, ㉢, ㉡, ㉠
3 (1) 지층 (2) 모형 (3) 모형 (4) 지층

교과서 개념 확인 문제 27쪽

1 ㉠ 이암, ㉡ 사암, ㉢ 역암 **2** (1) ㉠ (2) ㉢ (3) ㉡
3 ㉠ 퇴적암, ㉡ 크기

교과서 개념 확인 문제 31쪽

1 (1) ㉡ (2) ㉢ (3) ㉠ **2** ㉡, ㉣
3 ㉣, ㉠, ㉡, ㉢

교과서 개념 확인 문제 33쪽

1 ㉡ **2** ㉠ 동물, ㉡ 식물, ㉢ 동물
3 (1) ○ (2) ○ (3) ×

교과서 개념 확인 문제 37쪽

1 성수 **2** ㉣, ㉤, ㉢, ㉡ **3** ㉠ 퇴적물, ㉡ 단단한

교과서 개념 확인 문제 41쪽

1 산호 화석 **2** (1) ㉠ (2) ㉢ (3) ㉡
3 ㉠, ㉡, ㉢, ㉣

교과서 평가 문제 48쪽

1 끊어진 **2** ③ **3** ②, ⑤ **4** 이암
5 퇴적물 **6** ① **7** ⑤ **8** ④
9 ⑤ **10** 해설 참조 **11** 해설 참조

1 지층의 가운데 부분이 끊어진 것을 볼 수 있습니다.

2 가장 아래에 있는 재료가 가장 먼저 쌓은 것입니다.

3 지층 모형과 실제 지층 모두 줄무늬가 보이며, 아래에 있는 층부터 먼저 만들어졌습니다.

4 이암은 진흙과 같이 작은 알갱이로 이루어져 있어 눈에 잘 보이지 않으며, 표면이 부드럽습니다. 색깔은 다양합니다.

5 퇴적암은 퇴적물이 쌓이고 단단해져 만들어진 것입니다.

6 화석 속 생물을 오늘날에 살고 있는 생물과 비교하여 동물 화석과 식물 화석으로 분류할 수 있습니다.

7 사람이 남긴 흔적은 오래 전에 살았던 생물이 남긴 것이 아니므로 화석이 아닙니다.

8 실제 조개 화석은 만들어지는 데 오랜 시간이 걸리며 옛날에 살았던 조개가 화석이 된 것입니다. 실제 조개 화석은 조개 화석 모형과 달리 사람이 만들 수 없습니다.

9 화석으로 옛날에 살았던 생물이 태어난 날은 알기 힘듭니다.

10 예시 답안

(1) 창민
(2) 지층도 케이크처럼 퇴적물이 차례대로 여러 층으로 쌓여 만들어진 것이기 때문입니다.

평가 항목	채점 기준	배점
(1) 지층이 만들어지는 과정 추측	추측한 친구를 옳게 쓴 경우	2
(2) 지층이 만들어지는 과정	지층이 만들어지는 과정과 케이크 만들어지는 과정을 연관 지어 쓴 경우	6
	일부 내용만 쓴 경우	2

11 예시 답안

(1) 오른쪽
(2) 큰 발자국 공룡과 작은 발자국 공룡이 서로 싸웠을 것입니다.
(3) 큰 발자국 공룡이 작은 발자국 공룡을 입에 물고 이동하였을 것입니다.

평가 항목	채점 기준	배점
과거에 있었던 일 추리하기	(1) 이동 방향을 옳게 쓴 경우	2
	(2) 두 공룡의 행동을 추리하여 쓴 경우	3
	(3) 큰 발자국 공룡만 남게 된 것에 대해 추리하여 쓴 경우	3

2 식물의 한살이

교과서 개념 확인 문제
55쪽

1 ㉠ 씨의 종류, 온도, 공기, 빛, 탈지면, ㉡ 물
2 ㉠ 씨의 종류, 공기, 물, 빛, 탈지면, ㉡ 온도
3 ㉠ 트지 않음., ㉡ 틈., ㉢ 틈., ㉣ 트지 않음., ㉤ 물, ㉥ 온도

교과서 개념 확인 문제
59쪽

1 식물의 한살이 **2** ㉠ 짧고, ㉡ 쉬워야
3 ㉠, ㉢, ㉣, ㉤, ㉡

교과서 개념 확인 문제
63쪽

1 ㉡, ㉠, ㉢, ㉣ **2** 떡잎
3 ㉠, ㉣, ㉢, ㉡

교과서 개념 확인 문제
67쪽

1 ㉠ 식물의 종류와 크기, 온도, 공기, 빛, 흙, ㉡ 물
2 온도, 물, 빛 **3** 물

교과서 개념 확인 문제
71쪽

1 ㉠, ㉡, ㉣, ㉤ **2** ㉢, ㉡, ㉠
3 ②

교과서 개념 확인 문제
75쪽

1 (1) ○ (2) × (3) ○ **2** ㉡, ㉣, ㉠, ㉢
3 꼬투리

교과서 개념 확인 문제
79쪽, 81쪽

1 (1) ○ (2) ○ (3) × **2** ㉠, ㉢, ㉣ **3** ㉠, ㉣
4 ④ **5** ① **6** ㉠ 꽃, ㉡ 열매, ㉢씨

교과서 평가 문제
90쪽

1 ① **2** ①, ④ **3** 한살이 **4** ②, ③
5 ①, ④ **6** ② **7** ③ **8** ㉡, ㉣
9 해설 참조 **10** 해설 참조

1 씨가 싹 트는 데 필요한 조건을 알아보기 위해 (가)와 (나)는 물이 필요한지 알아보는 실험이고, (다)와 (라)는 적당한 온도가 필요한지 알아보는 실험입니다. (가)와 (나)는 물을 제외한 나머지 조건은 모두 같게 해야 하고, (다)와 (라)는 온도를 제외한 나머지 조건은 모두 같게 해야 합니다.

2 강낭콩이 싹 트는 데 필요한 조건은 알맞은 양의 물과 적당한 온도입니다.

4 식물의 한살이를 관찰할 때는 씨를 심어 다시 씨가 만들어지는 과정을 관찰해야 합니다. 관찰 방법과 관찰 시간을 구체적으로 정하고, 정한 방법과 시간에 맞춰 자세히 관찰하고 정확히 기록해야 합니다.

5 강낭콩이 싹 트는 과정은 처음 강낭콩이 부풀어 오른 뒤 먼저 뿌리가 나오고 껍질이 벗겨지면서 떡잎이 나오고, 그 사이로 본잎이 나옵니다.

6 2개의 화분 중 한 화분에만 물을 주고 관찰하였으므로 식물이 자라는 데 물이 미치는 영향을 알아보고자 하는 것입니다.

7 식물은 점점 자라면서 잎의 개수가 많아지고 잎의 크기가 커집니다. 줄기는 굵어지면서 뻗어나가는 줄기의 개수가 점점 많아집니다.

8 풀 중 강낭콩, 해바라기 등은 한해살이 식물이고, 비비추, 민들레, 괭이밥 등은 여러해살이 식물입니다.

9 **예시 답안**
(1) ㉢
(2) 강낭콩이 자라 꽃이 피고, 꽃이 지면 열매가 생깁니다. 열매는 길어지고 커집니다.

평가 항목	채점 기준	배점
꽃과 열매의 변화	(1) 세 번째 순서의 기호를 옳게 쓴 경우	4
	(2) 꽃, 열매의 변화를 모두 쓴 경우	4
	(2) 꽃, 열매 중 1가지 변화만 쓴 경우	2

10 **예시 답안**
(1) 옥수수는 한 해 동안 한살이 과정을 거치고 죽지만, 사과나무는 여러 해를 살면서 한살이 과정의 일부를 되풀이합니다.
(2) 씨가 싹 트고 자라 꽃이 피고 열매를 맺으며, 다시 씨를 만들어 다음 세대를 이어 갑니다.

평가 항목	채점 기준	배점
(1) 차이점	한해살이 식물과 여러해살이 식물의 차이점을 쓴 경우	4
(2) 공통점	한해살이 식물과 여러해살이 식물의 공통점을 쓴 경우	4

3 물체의 무게

교과서 개념 확인 문제 97쪽

1 주윤 **2** 무게 **3** (1) ㉠ (2) ㉢ (3) ㉡

교과서 개념 확인 문제 99쪽

1 (1) × (2) × **2** (1) 다르게 (2) 무게, 정확하게
3 (1) ㉠ (2) ㉡

교과서 개념 확인 문제 103쪽

1 (1) ○ (2) × (3) ○ **2** (1) 많이 (2) 가볍습니다
3 ⑤

교과서 개념 확인 문제 105쪽

1 (1) ○ (2) ○ **2** (1) 일정하게 (2) 일정하게
3 ㉠

교과서 개념 확인 문제 109쪽

1 (1) ○ (2) × (3) ○
2 (1) ㉢ (2) ㉣ (3) ㉤ (4) ㉠ (5) ㉥ (6) ㉡

교과서 개념 확인 문제 113쪽

1 (1) ○ (2) ○ (3) × (4) × (5) ○ **2** 오른, ③

교과서 개념 확인 문제 117쪽

1 ㉠ 수평 조절 장치, ㉡ 저울대, ㉢ 저울접시, ㉣ 받침대, ㉤ 받침점
2 (1) ○ (2) ○ **3** ①, ⑤

교과서 개념 확인 문제 121쪽

1 (1) ○ (2) ○ **2** (1) ㉡ (2) ㉠ **3** ①

교과서 평가 문제 130쪽

1 ⑤ **2** ③ **3** (1) 무게 (2) kg중
4 ① **5** 1 cm **6** ㉠ 손잡이, ㉡ 영점 조절 나사, ㉢ 용수철, ㉣ 표시 자, ㉤ 눈금, ㉥ 고리
7 오른, ① **8** 오른, ① **9** 해설 참조 **10** 해설 참조

1 무게가 무거울수록 지구가 물체를 끌어당기는 힘의 크기가 커집니다. 토마토의 무게가 150 g중, 사과의 무게가 300 g중이기 때문에 사과가 토마토보다 더 무겁고, 지구가 사과를 토마토보다 더 큰 힘으로 끌어당깁니다.

2 손으로 어림하여서는 무게를 정확히 알기 어렵기 때문에 저울로 무게를 측정해야 합니다. 무게에 따라 가격이 다른 물건을 사고팔 때, 요리를 할 때 등 정확한 무게를 아는 것이 필요할 때 무게를 측정합니다. 개수당 가격이 정해진 경우는 무게를 측정할 필요가 없습니다.

3 지구가 물체를 끌어당기는 힘의 크기를 무게라고 합니다. 무게를 나타내는 단위에는 g중(그램중), kg중(킬로그램중) 등이 있습니다.

4 색연필 통 안에 있는 색연필의 개수가 많을수록 무게가 무겁고, 용수철이 많이 늘어나며, 지구가 색연필 통을 끌어당기는 힘의 크기가 커집니다. ㉠ 용수철이 늘어난 길이만큼 ㉡ 용수철을 손으로 잡아당겼을 때 손에 느껴지는 힘이 색연필 통의 무게입니다.

5 용수철에 물체를 매달면 용수철은 일정하게 늘어납니다. 따라서 20 g중 추가 1개 더 늘어난다면 용수철은 1 cm가 더 늘어납니다.

6 용수철저울은 손잡이, 영점 조절 나사, 용수철, 표시 자, 눈금, 고리로 이루어져 있습니다.

7 무게가 같은 두 개의 나무토막이 수평을 잡으려면 두 나무토막이 각각 받침점으로부터 같은 거리에 있어야 합니다.

8 무게가 다른 두 개의 나무토막이 수평을 잡으려면 무거운 나무토막을 가벼운 나무토막보다 받침점에 더 가까이 놓아야 합니다.

9 예시 답안
- 방법 1: 두 개의 물체를 양쪽의 저울접시에 각각 올려놓고 어느 쪽으로 기울어지는지 보고 두 물체의 무게를 비교합니다.
- 방법 2: 한쪽 저울접시에 물체를 올려놓고, 다른 쪽 저울접시에 클립을 저울대가 수평이 될 때까지 올려놓은 다음, 클립의 개수를 세어 물체의 무게를 비교합니다.

평가 항목	채점 기준	배점
양팔저울로 두 물체의 무게 비교	보기의 단어를 사용하여, 양팔저울로 물체의 무게를 비교하는 방법 두 가지 중 한 가지를 쓴 경우	6
	보기의 단어를 사용하지 않았으나, 양팔저울로 물체의 무게를 비교하는 방법을 쓴 경우	4

10 예시 답안

클립 대신 사용할 수 있는 물체는 무게가 일정해야 하는데, 돌멩이는 돌멩이마다 무게가 일정하지 않기 때문에 클립 대신 사용할 수 없습니다.

평가 항목	채점 기준	배점
양팔저울로 무게를 비교할 때 클립 대신 사용할 수 있는 물체	돌멩이 각각의 무게가 일정하지 않다는 점을 쓴 경우	4
	무게와 관련지어 썼으나 서술이 부족한 경우	2

4 혼합물의 분리

교과서 개념 확인 문제 137쪽

1 (1) 혼합물 (2) 변하지 않습니다
2 ㉠ 클립 ㉡ 파란색 ㉢ 딱딱합니다. **3** 없습니다

교과서 개념 확인 문제 139쪽

1 예 콘크리트, 반짝이 풀, 저금통 속 동전 등
2 예 꽃, 나뭇가지, 열매, 나뭇잎 등 **3** 콘크리트

교과서 개념 확인 문제 141쪽

1 (1) × (2) ○ **2** (1) ㉢ (2) ㉡ (3) ㉠
3 ㉠ 유리 ㉡ 플라스틱 ㉢ 종이

교과서 개념 확인 문제 143쪽

1 (1) × (2) ○ **2** ㉠ 콩 ㉡ 팥, 좁쌀 **3** ㉡ ○

교과서 개념 확인 문제 147쪽

1 (1) 철 (2) 자석 **2** (1) ㉡ (2) ㉠
3 예 고물상에서 철 제품을 분리하는 경우, 재활용품을 분리할 때 레일에서 철 캔을 분리하는 경우 등

교과서 개념 확인 문제 151쪽

1 녹고, 녹지 않습니다. **2** (1) ㉠ (2) ㉡ **3** 거름

교과서 개념 확인 문제 155쪽

1 증발 **2** ㉡, ㉢ **3** (1) ○ (2) ×

교과서 평가 문제 164쪽

1 성질 **2** ④ **3** 예 모래, 자갈, 나뭇가지 등
4 ㉢, ㉣ **5** ④ **6** ②, ④ **7** ②
8 ④ **9** 소금 **10** 해설 참조 **11** 해설 참조

1 두 가지 이상의 물질이 성질이 변하지 않은 채 서로 섞여 있는 것을 혼합물이라고 합니다.

2 물질의 성질에는 크기나 모양이 포함되지 않습니다. 따라서 모양이나 크기가 변했다고 해서 혼합물이 아니라고 보기는 어렵습니다.

3 화단 흙에는 모래, 자갈, 나뭇가지, 나뭇잎 등의 물질이 섞여 있습니다.

4 ㉢은 알갱이의 크기가 거의 비슷하기 때문에 물에 녹는 성질을 이용해 거름 장치로 분리하는 것이 좋습니다.
㉣은 크기가 같기 때문에 알갱이의 크기 차이로 분리하기 어렵고 자석을 사용하여 분리합니다.

5 설탕, 팥, 소금, 철 클립, 물은 혼합물로 보기 어렵습니다.

6 콩, 팥, 좁쌀을 모두 분리하기 위해서는 눈 크기가 콩보다 작고 팥보다 큰 체와 눈 크기가 팥보다 작고 좁쌀보다 큰 체가 필요합니다.

7 플라스틱 고리와 철 클립을 쉽게 분리하기 위해서는 철 클립은 자석에 붙고, 플라스틱 고리는 자석에 붙지 않는 성질을 이용합니다.

8 거름종이를 빠져나간 물질은 물에 녹은 설탕입니다. 설탕은 물에 녹는 성질을 가지고 있습니다.

9 그림은 염전을 나타내며, 염전에서는 물을 증발시켜 소금을 얻을 수 있습니다.

10 예시 답안

(1) 혼합물을 분리하면 원하는 물질을 얻을 수 있습니다. 이렇게 얻은 물질로 우리 생활에 필요한 다양한 제품을 만들 수 있습니다.

(2) 목화에서 부드러운 부분만을 분리해 솜이불을 만듭니다. 재활용품을 분리하여 얻은 물질로 다양한 제품을 만듭니다. 벌집에서 꿀만 분리하여 꿀차를 만듭니다. 등

평가 항목	채점 기준	배점
(1) 혼합물을 분리하는 까닭	까닭을 2가지 이상 쓴 경우	4
	까닭을 1가지만 쓴 경우	2
(2) 혼합물을 분리하여 제품을 만드는 예	예를 2가지 이상 쓴 경우	4
	예를 1가지만 쓴 경우	2

11 예시 답안

(1) 물이 줄어듭니다. 흰색 물질이 점점 생겨납니다. 등

(2) 햇빛이 있어야 합니다. 바람이 잘 통해야 합니다. 건조한 곳이어야 합니다. 등

평가 항목	채점 기준	배점
(1) 증발할 때의 변화 모습	증발할 때의 변화 모습을 2가지 이상 쓴 경우	4
	증발할 때의 변화 모습을 1가지만 쓴 경우	2
(2) 증발이 잘 일어나는 조건	증발이 잘 일어나는 조건을 2가지 이상 쓴 경우	4
	증발이 잘 일어나는 조건을 1가지만 쓴 경우	2

우리학교 시험 대비 평가 문제

1 지층과 화석

쪽지 시험 170쪽

1 수평인, 휘어진, 끊어진 **2** 아래 **3** 오랜
4 알갱이 **5** 모래 **6** 단단합니다 **7** 몸체, 흔적
8 공룡 **9** 화석 **10** 환경

기초 확인 문제 171쪽

1 지층 **2** ㉠ **3** (1) ㉡ (2) ㉢ (3) ㉠
4 ① **5** ② **6** 조개 화석 모형 **7** ⑤

성취도 평가 문제 1회 172쪽

1 ③ **2** ① **3** ② **4** 실제 지층
5 ③, ④ **6** ㉢ **7** (1) × (2) × (3) ○
8 ④ **9** (1) ㉠ (2) ㉢ (3) ㉡ **10** ②
11 ③ **12** ⑤

1 지층은 줄무늬가 보이며, 여러 개의 층으로 이루어져 있습니다. 지층을 이루는 퇴적물의 종류, 층의 두께와 색깔은 다릅니다.

2 지층의 모양에는 수평인 모양, 휘어진 모양, 끊어진 모양이 있습니다. 보통 처음에는 지층이 수평으로 만들어지지만, 시간이 지나면서 휘어지거나 끊어지기도 합니다.

3 이암, 사암, 역암은 퇴적물 알갱이의 크기로 분류한 것입니다.

4 실제 지층은 매우 단단하며, 만들어지는 데 오랜 시간이 걸립니다.

5 지층과 지층 모형 모두 여러 개의 층이 있어 줄무늬를 볼 수 있습니다. 그리고 위에 있는 층보다 아래에 있는 층이 먼저 쌓인 것입니다.

6 물속에 녹아 있는 여러 가지 물질이 퇴적물을 서로 엉겨 붙게 합니다.

7 (1) 화석은 오랜 세월에 걸쳐 만들어집니다.
(2) 사람 발자국, 토기 등과 같이 사람이 생활한 흔적은 먼 옛날의 생물 흔적이 아니므로 화석이 아닙니다.
(3) 화석은 생물의 몸체에 단단한 부분이 있거나 퇴적물에 빠르게 묻히면 쉽게 만들어집니다.

8 삼엽충 화석은 마디가 많은 벌레처럼 보이며 바다에서 생활했습니다.

9 찰흙 반대기는 지층에, 조개껍데기는 옛날에 살았던 생물에, 조개 화석 모형은 실제 조개 화석에 비유될 수 있습니다.

10 조개 화석 모형과 실제 조개 화석 모두 조개처럼 생겼으며, 만들어질 때 모두 조개가 필요합니다. 또한 조개의 줄무늬가 보입니다. 실제 조개 화석이 조개 화석 모형보다 단단합니다.

11 산호는 따뜻하고 얕은 바다에 삽니다. 따라서 산호 화석이 발견된 곳은 과거에 따뜻하고 얕은 바다였음을 알 수 있습니다.

12 옛날 생물이 모두 화석이 되는 것은 아니므로 옛날 생물의 정확한 종류의 수는 알 수 없습니다.

성취도 평가 문제 2회 174쪽

1 (1) × (2) ○ (3) ○ **2** ③ **3** ㉤
4 ② **5** 역암, 사암, 이암
6 (1) 이암 (2) 역암 (3) 사암 **7** ㉡
8 (1) 공 (2) 차 (3) 차 **9** 동물 화석: 삼엽충 화석, 곤충 화석, 공룡 화석, 식물 화석: 고사리 화석, 나뭇잎 화석
10 ⑤ **11** ㉠ 단단한, ㉡ 빠르게 **12** ④

1 (1) 지층은 여러 종류의 암석이 층을 이루고 있습니다.

2 바닷가 절벽, 도로 옆 산이 깎인 곳 등에서 지층을 관찰할 수 있습니다.

3 지층은 아래에 있는 층부터 먼저 쌓인 것입니다.

4 지층이 만들어지는 데에는 매우 오랜 시간이 걸립니다.

5 역암은 자갈, 모래 등으로 이루어져 있고, 사암은 주로 모래로 이루어져 있으며, 이암은 진흙으로 이루어져 있습니다. 알갱이의 크기는 자갈이 가장 크며, 모래, 진흙으로 갈수록 작습니다.

6 (1) 이암은 진흙으로 이루어져 있으며 표면의 느낌이 부드럽습니다.
(2) 역암은 자갈과 같은 큰 알갱이로 이루어져 있습니다.
(3) 사암은 주로 모래로 이루어져 있습니다.

7 한 컵에는 물을 조금 넣고, 다른 컵에는 물을 넣지 않아야 합니다. 물을 넣은 컵이 퇴적암 모형, 물을 넣지 않은 컵이 퇴적물 모형이 됩니다.

8 (1) 둘 다 같은 재료를 넣었기 때문에 알갱이의 종류는 같습니다.
(2) 퇴적암 모형이 퇴적물 모형보다 더 단단합니다.
(3) 퇴적암 모형이 퇴적물 모형보다 더 단단하므로 퇴적물 모형이 손으로 눌렀을 때 더 잘 들어갑니다.

9 동물 화석과 식물 화석으로 분류할 때 화석 속 생물을 현재의 동물, 식물과 비교합니다.

10 생물이 죽은 뒤 퇴적물과 함께 묻혀 지층 속에서 화석이 만들어지므로 화석은 주로 땅속에서 발견됩니다.

11 동물의 몸체에 단단한 부분이 있고 퇴적물이 빠르게 쌓이면 화석이 만들어지기 쉽습니다.

12 발이 큰 공룡 발자국 중 되돌아간 발자국 흔적은 없습니다.

서술형 · 사고력 문제

176쪽

1 **예시 답안**

(1) 손으로 만졌을 때의 느낌으로 분류합니다.

(2) 암석을 이루는 알갱이의 크기를 보기 위해서입니다.

평가 항목	채점 기준	배점
(1) 퇴적암 분류 활동	분류 활동에 맞는 분류 기준을 쓴 경우	5
(2) 퇴적암 관찰 도구 사용	돋보기를 사용한 까닭을 알갱이 크기와 연관 지어 쓴 경우	5

2 **예시 답안**

(1) 물을 조금 넣은 컵 속의 물질은 단단해졌지만, 물을 넣지 않은 컵 속의 물질은 단단해지지 않았습니다.

(2) 물을 넣으면 물에 섞고 가루가 녹아 알갱이들이 서로 엉겨 붙기 때문입니다.

평가 항목	채점 기준	배점
(1) 퇴적암 모형과 퇴적물 모형의 차이점	두 컵 속 물질의 차이점을 쓴 경우	5
	한 가지 컵 속 물질에 대해서만 쓴 경우	3
(2) 퇴적물이 퇴적암으로 만들어질 수 있는 까닭	물에 의해 알갱이들이 어떻게 되는지를 쓴 경우	5
	단순히 물에 섞고 가루가 녹았기 때문이다로 쓴 경우	3

3 **예시 답안**

(1) 화석 속 생물이 물속에 살았던 것입니까?, 동물 화석입니까?

(2) 화석 속 생물이 물속에 살았던 것입니까? — 산호 화석, 고래 화석 등
동물 화석입니까? — 공룡 화석, 매머드 화석 등

평가 항목	채점 기준	배점
(1) 화석 분류 기준	분류 기준을 옳게 쓴 경우	5
(2) 분류 기준에 따른 화석 분류	분류 기준에 맞는 화석 2가지를 쓴 경우	5
	분류 기준에 맞는 화석 1가지를 쓴 경우	3

4 **예시 답안**

(1) ❸

(2) 발이 큰 공룡이 발이 작은 공룡을 잡기 위해 뛰었을 것입니다.
발이 큰 공룡과 발이 작은 공룡이 싸웠을 것입니다.
발이 큰 공룡이 발이 작은 공룡을 입에 물고 이동했을 것입니다.

평가 항목	채점 기준	배점
(1) 화석 관찰 내용	발자국 모습을 옳게 찾은 경우	2
(2) 과거에 있었던 일 추리	과거에 있었던 일 2가지를 추리한 경우	8
	과거에 있었던 일 1가지를 추리한 경우	4

수행 평가

178쪽

1 **예시 답안**

수평인 모양, 휘어진 모양, 끊어진 모양

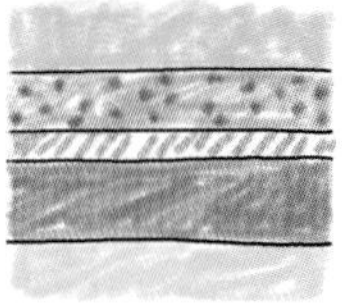
▲ 수평인 모양

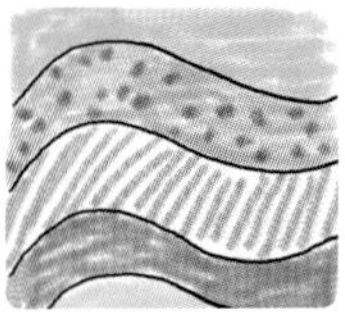
▲ 휘어진 모양

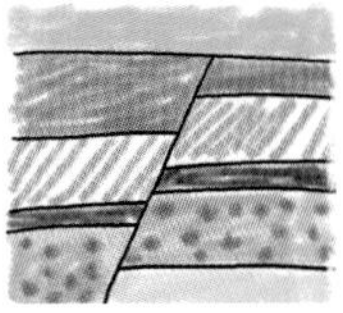
▲ 끊어진 모양

관련 주제

1 지층이 두꺼운 책처럼 보여요

채점 기준

평가 항목	채점 기준	배점
지층의 여러 가지 모습 표현하기	서로 다른 지층의 모습 3가지를 특징을 잘 살려 그림으로 나타낸 경우	10
	서로 다른 지층의 모습 2가지를 특징을 잘 살려 그림으로 나타낸 경우	6
	서로 다른 지층의 모습 1가지만 특징을 잘 살려 그림으로 나타낸 경우	3

※ 10~6점: 상, 5~3점: 중, 2점 이하: 하

2 **예시 답안**

(1) 줄무늬를 볼 수 있습니다. 아래에 있는 층이 먼저 쌓였습니다. 여러 개의 층으로 되어 있습니다.

(2) 지층을 이루고 있는 자갈, 모래, 진흙 등과 같은 퇴적물 알갱이의 종류와 색깔이 다르기 때문입니다.

관련 주제

2 지층을 만들어 보아요

채점 기준

평가 항목	채점 기준	배점
(1) 지층 모형과 실제 지층의 공통점 찾기	지층 모형과 실제 지층의 공통점 2가지를 쓴 경우	6
	지층 모형과 실제 지층의 공통점 1가지만 쓴 경우	3
(2) 실제 지층에서 줄무늬가 보이는 까닭	지층에서 줄무늬가 생기는 까닭을 퇴적물 알갱이의 종류 및 색깔과 관련지어 쓴 경우	4

※ 10~7점: 상, 6~4점: 중, 3점 이하: 하

3 **예시 답안**

한 가지 화석을 선택하여 그림으로 표현하기	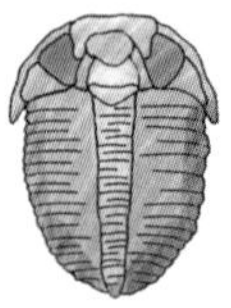
내가 선택한 화석의 특징 정리하기	• 마디가 많은 벌레처럼 보입니다. • 전체적으로 검은색으로 보이고, 작은 벌레나 나뭇잎과 비슷하게 보입니다.
5가지 화석을 분류해 보기	〈분류 기준〉 동물 화석과 식물 화석 〈동물 화석〉 삼엽충 화석, 공룡 발자국 화석, 물고기 화석 〈식물 화석〉 나뭇잎 화석, 고사리 화석

관련 주제

5 옛날에 살았던 생물을 만나 볼까요?

채점 기준

평가 항목	채점 기준	배점
화석의 특징을 살려 그림으로 표현하기	화석의 특징을 잘 살려 그림으로 표현한 경우	2
화석의 특징 정리하기	화석의 특징을 글로 잘 정리한 경우	3
분류 기준을 세우고, 화석 분류하기	양쪽에 모두 해당되는 화석이 없도록 분류 기준을 정하고, 분류 기준에 맞게 화석을 분류한 경우	5
	분류 기준만 쓴 경우	2

※ 10~7점: 상, 6~4점: 중, 3점 이하: 하

2 식물의 한살이

쪽지 시험 182쪽

1 단단합니다 **2** 온도 **3** 씨 **4** 강낭콩
5 떡잎, 본잎 **6** 물 **7** 줄기 **8** 열매
9 씨 **10** 세대

기초 확인 문제 183쪽

1 ㉡ **2** 짧고, 쉬운 **3** ㉡, ㉠, ㉤, ㉣, ㉢
4 ㉠, ㉡, ㉣ **5** ㉠, ㉡, ㉢ **6** (1) ㉡, ㉢, ㉥ (2) ㉠, ㉣, ㉤

성취도 평가 문제 1회 184쪽

1 실험 1: 물, 실험 2: 온도 **2** ①, ④ **3** ②
4 ② **5** ① **6** (나) **7** ② **8** ①
9 ㉠ 열매, ㉡ 씨 **10** ④ **11** ③

1 실험 1은 씨가 싹 트는 데 물이 미치는 영향을 알아보기 위한 것이고, 실험 2는 씨가 싹 트는 데 온도가 미치는 영향을 알아보기 위한 것입니다.

2 씨가 싹 트는 데는 알맞은 양의 물과 적당한 온도가 필요합니다. 실험 결과 물을 준 강낭콩과 얼음을 넣지 않은 보랭 컵 속 강낭콩만 싹이 텄습니다.

3 식물의 한살이를 관찰할 때는 한살이 기간이 짧고, 씨를 구하기 쉬우며, 잎, 줄기, 열매, 꽃 등을 관찰하기 쉽고, 기르기 쉬운 식물을 선택하는 것이 좋습니다.

4 강낭콩을 심을 때에는 배꼽이 아래로 향하게 넣습니다.

5 뿌리가 나온 강낭콩은 부풀어 있고, 어린잎이 조금 커지며, 어린뿌리가 자라 씨 밖으로 나오며 뿌리가 굵고 길어집니다.

6 물을 주지 않은 강낭콩은 잘 자라지 못합니다.

7 식물이 자라는 데 물이 미치는 영향을 알아보는 실험을 할 때 다르게 해야 할 조건은 물이고, 그 외 다른 조건은 모두 같게 해야 합니다.

8 잎의 크기를 측정할 때 모눈종이나 자를 이용하는 것이 좋습니다. 줄기의 굵기를 측정할 때는 끈을 이용하는 것이 좋습니다.

9 대부분의 식물은 어느 정도 자라면 꽃이 피고, 꽃이 지면 열매를 맺으며, 열매 속에는 씨가 들어 있습니다.

10 풀은 한해살이 풀과 여러해살이 풀로 나눌 수 있습니다. 나무는 모두 여러해살이 식물입니다. 한해살이 식물은 겨울을 나지 못하고 죽고, 이듬해 봄에 새로운 씨에서 싹이 틉니다.

11 사과나무는 여러해살이 식물로, 여러 해를 살면서 한살이 과정의 일부를 되풀이합니다. 씨가 싹 터서 자라 그해 열매를 맺고 죽는 식물은 한해살이 식물입니다.

성취도 평가 문제 2회 186쪽

1 (가) ㉡ (나) ㉠ (다) ㉣ (라) ㉢ **2** 물, 온도
3 ④ **4** ⑤ **5** ② **6** ④, ⑤ **7** ③
8 ㉡ **9** ④ **10** ⑤ **11** ㉠, ㉣

1 씨가 싹 트는 데 물이 미치는 영향을 알아보는 실험에서 물을 주지 않은 강낭콩은 싹이 트지 않았고, 물을 준 강낭콩은 싹이 텄습니다. 씨가 싹 트는 데 온도가 미치는 영향을 알아보는 실험에서 얼음이 들어 있지 않은 보랭 컵에 넣은 강낭콩은 싹이 텄고, 얼음이 들어 있는 보랭 컵에 넣은 강낭콩은 싹이 트지 않았습니다.

2 주어진 실험을 통해 씨가 싹 트기 위해서는 물과 적당한 온도가 필요하다는 것을 알 수 있습니다.

3 식물의 한살이 관찰 계획서에는 관찰 방법, 관찰할 식물, 관찰할 사람, 씨를 심을 날짜 등을 기록해야 합니다.

4 강낭콩이 싹 터서 흙 밖으로 떡잎이 나온 뒤 떡잎 사이로 본잎이 나오기 시작합니다.

5 식물이 잘 자라기 위해서는 알맞은 양의 물과 적당한 온도, 빛이 필요합니다.

6 식물이 자라는 데 물이 미치는 영향을 알아보는 실험에서는 한쪽 식물에만 물을 주어야 하며, 물을 제외한 다른 조건은 모두 같게 해야 합니다.

7 강낭콩이 자라는 정도를 측정하여 결과를 정리할 때 개수나 길이의 변화를 그래프로 나타내면 변화 정도를 한 눈에 비교할 수 있습니다.

8 강낭콩은 어느 정도 자라면 꽃봉오리가 생기며 꽃이 핍니다. 꽃이 지고 나면 그 자리에 열매가 맺힙니다.

9 식물이 씨를 만드는 까닭은 다음 세대를 이어 가기 위해서입니다.

10 나팔꽃은 한해살이 식물로, 한 해 동안 식물의 한살이 과정을 거치고 죽습니다. 이와 비슷한 식물로는 강아지풀, 강낭콩, 옥수수 등이 있습니다.

11 비비추는 씨가 싹 튼 해는 잎이 자라고 겨울에 땅 위 부분이 죽지만, 다음 해에 땅속 부분에서 새싹이 나오고, 잎이 자라 꽃이 핍니다. 비비추는 땅속 부분만 살아남아 겨울을 납니다.

서술형 · 사고력 문제 188쪽

1 예시 답안

(1) • 같게 한 조건: 씨의 종류, 물, 공기, 빛, 탈지면, 플라스틱 컵, 보랭 컵 등
• 다르게 한 조건: 온도

(2) 얼음을 넣지 않은 보랭 컵 속의 강낭콩만 싹이 틀 것입니다.

(3) 씨가 싹 트려면 적당한 온도가 필요합니다.

평가 항목	채점 기준	배점
(1) 같게 한 조건과 다르게 한 조건	같게 한 조건과 다르게 한 조건을 모두 쓴 경우	4
	같게 한 조건과 다르게 한 조건 중 1가지만 쓴 경우	2
(2) 실험 결과	실험 결과를 예측하여 쓴 경우	4
(3) 실험 결과로부터 알 수 있는 사실	싹이 트려면 적당한 온도가 필요하다고 쓴 경우	4

2 예시 답안

(1) 한살이 기간이 짧고, 잎, 줄기, 꽃, 열매 등을 관찰하기 쉬워야 합니다. 기르기 쉬워야 합니다.

(2) 화분 바닥에 있는 구멍을 망으로 막습니다. ➜ 꽃삽을 이용하여 흙을 화분의 $\frac{4}{5}$ 정도 넣습니다. ➜ 씨를 배꼽이 아래로 향하게 넣습니다. ➜ 흙으로 씨를 덮습니다. ➜ 물뿌리개를 이용하여 흙이 충분히 젖도록 물을 줍니다. ➜ 팻말에 식물 이름, 심은 날짜, 심은 사람의 이름을 쓰고, 팻말을 꽂은 다음, 햇빛이 잘 드는 곳에 둡니다.

평가 항목	채점 기준	배점
(1) 한살이를 관찰하기에 좋은 조건	한살이를 관찰하기에 좋은 조건 2가지를 모두 쓴 경우	4
	한살이를 관찰하기에 좋은 조건 1가지만 쓴 경우	2
(2) 씨를 심는 방법	제시된 준비물을 모두 사용하여 씨를 심는 방법을 정확하게 쓴 경우	6
	제시된 준비물을 모두 사용하지는 않았으나 씨를 심는 순서를 옳게 쓴 경우	3

3 예시 답안

(1) 열매가 맺힙니다.

(2) 다음 세대를 이어 가기 위해서입니다.

평가 항목	채점 기준	배점
(1) 꽃과 열매가 생기는 과정	열매가 맺힌다고 쓴 경우	2
(2) 식물이 꽃과 열매를 만드는 까닭	다음 세대를 이어 가기 위해서라고 쓴 경우	4

4 예시 답안

(1) (가) 한해살이 식물, (나) 여러해살이 식물

(2) 민들레, 해바라기

(3) 씨가 싹 트고 자라 꽃이 피고 열매를 맺으며 다시 씨를 만들어서 다음 세대를 이어 갑니다.

평가 항목	채점 기준	배점
(1) 식물의 분류 기준	(가)와 (나)를 모두 쓴 경우	4
	(가)와 (나) 중 하나만 쓴 경우	2

(2) 한살이에 따른 식물의 종류	잘못 분류된 식물 2가지를 모두 쓴 경우	4
	잘못 분류된 식물 1가지만 쓴 경우	2
(3) 식물의 한살이 공통점	한해살이 식물과 여러해살이 식물의 공통점을 쓴 경우	4

수행 평가 190쪽

1 예시 답안

실험 주제	식물이 자라는 데 물이 미치는 영향을 알아봅시다.
실험 결과 예상	물을 적당히 준 화분의 강낭콩이 잘 자랄 것입니다.
실험 준비물	비슷한 크기로 자란 강낭콩 화분 2개, 물, 사진기, 이름표, 유성펜
실험 조건	• 같게 할 조건: 식물의 종류, 화분의 크기, 온도, 빛, 양분 등 물을 제외한 조건 • 다르게 할 조건: 물
실험 결과 및 정리	물을 적당히 준 화분의 강낭콩만 잘 자랐고, 물을 주지 않은 강낭콩은 시들었습니다.

관련 주제

4 식물이 잘 자라려면

채점 기준

평가 항목	채점 기준	배점
실험 결과 예상하기	식물이 자라는 데 물이 어떤 영향을 미치는지 예상한 경우	2
실험 준비물 쓰기	실험 주제에 알맞은 준비물을 쓴 경우	2
실험 조건 설정하기	같게 할 조건과 다르게 할 조건을 옳게 설정한 경우	3
실험 결과 정리하기	탐구 실험을 실시한 뒤 결과를 옳게 분석하고 정리한 경우	3

※ 10~8점: 상, 7~5점: 중, 4점 이하: 하

2 예시 답안

(1) • 잎: 잎의 개수를 셉니다. 잎의 길이를 잽니다. 잎의 너비를 잽니다.
• 줄기: 줄자로 줄기의 길이를 잽니다. 줄기의 두께를 잽니다.

(2)

측정한 날짜	잎의 개수(개)	잎의 길이(cm)	줄기의 길이(cm)
5월 25일	2	0.9	8.3
5월 27일	5	2	10.5
5월 29일	8	3.2	14.2
5월 31일	11	5	20.5
6월 2일	14	8	27.7

(3)

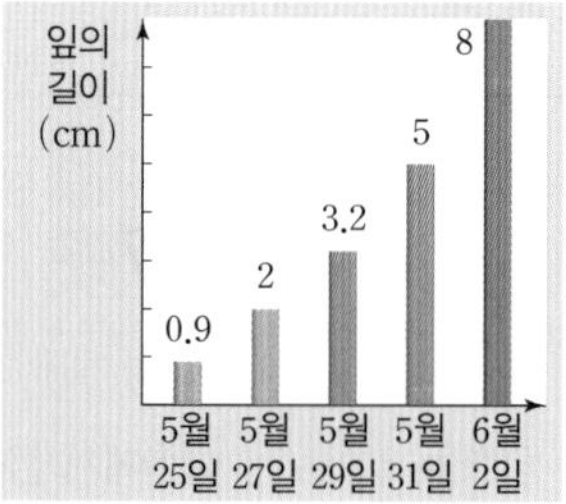

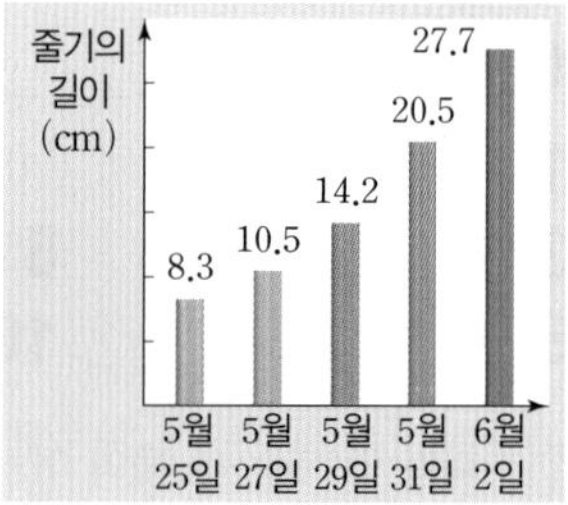

관련 주제

5 쑥쑥, 식물이 잘 자라요.

채점 기준

평가 항목	채점 기준	배점
(1) 식물이 자란 정도를 측정하는 방법 설명하기	잎과 줄기를 측정할 수 있는 방법을 다양하게 쓴 경우	3
(2) 식물이 자란 정도 측정하기	측정 도구를 바르게 사용하여 규칙적으로 꾸준히 측정한 경우	4
	측정 도구를 바르게 사용하였지만 규칙적이지 않은 날짜에 측정한 경우	2
(3) 측정한 기록을 그래프로 나타내기	측정 결과를 그래프 형식으로 잘 정리한 경우	3

※ 10~7점: 상, 6~5점: 중, 4점 이하: 하

3 물체의 무게

쪽지 시험 194쪽

1 저울 **2** 무게 **3** 지구 **4** 무게
5 많이 **6** 용수철 **7** 표시 자 **8** ○
9 ○ **10** ○

기초 확인 문제 195쪽

1 (1) ○ (2) × (3) ○ **2** (1) 많이 (2) 커집니다
3 ①, ⑤ **4** ③ **5** (가) ㉢ (나) ㉡
6 지우개

성취도 평가 문제 1회 196쪽

1 ⑤ **2** ②, ④, ⑤ **3** ⑤ **4** ① **5** 60
6 ④ **7** 영점 조절 나사 **8** 오른, ④
9 ㉡, ㉢, ㉠, ㉣ **10** ④ **11** (1) ㉠ (2) ㉡ (3) ㉠

1 손으로 어림하여서는 물체의 무게를 정확하게 알기 어렵고, 사람마다 느끼는 무게가 다릅니다.

2 젤리 가게에서 무게에 맞춰 젤리의 가격을 정할 때, 병원에서 몸무게를 측정할 때, 씨름에서 선수들의 몸무게에 따라 체급을 정할 때는 무게를 정확하게 측정해야 합니다. 그러나 도서관에 가서 책을 빌리거나 운동장에서 친구들과 공놀이를 할 때는 무게를 측정할 필요가 없습니다.

3 물체의 무게가 무거울수록 지구가 물체를 끌어당기는 힘이 커집니다. 사과가 300 g중으로 지구가 끌어당기는 힘의 크기가 가장 크고, 귤이 90 g중으로 지구가 끌어당기는 힘의 크기가 가장 작습니다.

4 무게는 지구가 물체를 끌어당기는 힘의 크기로 물체마다 무게가 다릅니다. 무게의 단위에는 'g중(그램중)', 'kg중(킬로그램중)' 등이 있습니다. 물체의 무게가 무거울수록 지구가 물체를 끌어당기는 힘이 커지고, 물체의 무게가 가벼울수록 지구가 물체를 끌어당기는 힘이 작아집니다.

5 용수철에 매단 추의 무게가 20 g중씩 늘어날 때마다 용수철이 3 cm씩 늘어났으므로 용수철이 늘어난 길이가 9 cm일 때 용수철에 매단 추의 무게는 60 g중입니다.

6 20 g중 추가 1개씩 늘어날 때마다 용수철의 길이가 3 cm씩 일정하게 늘어나기 때문에, 추의 무게가 100 g중이라면 용수철이 늘어난 길이는 15 cm일 것입니다. 추의 무게가 달라지면 용수철이 늘어난 길이가 달라지며, 추의 무게가 무거울수록 용수철의 길이가 더 많이 늘어납니다.

7 용수철저울의 표시 자가 눈금 '0'이 아닌 곳에 있으면 정확한 무게를 측정하기 어렵습니다. 따라서 물체의 무게를 측정하기 전에 용수철저울의 표시 자를 눈금 '0'에 맞추어 놓는데, 이때 사용하는 장치를 영점 조절 나사라고 합니다.

8 두 물체의 무게를 비교하려면 두 물체를 각각 받침점으로부터 같은 거리에 놓아야 합니다. 나무판자가 기우는 쪽에 있는 물체가 더 무거운 물체입니다.

9 양팔저울의 사용 방법은 다음과 같습니다.
➡ 수평 조절 장치로 저울대의 수평을 잡습니다(㉡).
➡ 양팔저울의 한쪽 저울접시에 측정하려는 물체를 올려놓습니다(㉢).
➡ 저울대가 수평을 잡을 때까지 다른 쪽 저울접시에 클립을 올려놓습니다(㉠).
➡ 클립의 개수를 셉니다(㉣).

10 양팔저울은 수평 잡기의 원리를 이용한 저울입니다. 양팔저울로 두 물체의 무게를 비교할 수 있습니다. ㉠은 받침점, ㉡은 저울대, ㉢은 저울접시, ㉣은 받침대입니다. 저울접시(㉢)는 받침점(㉠)으로부터 같은 거리만큼 떨어져 있습니다. 한쪽 저울접시(㉢)에 물체를 놓고 저울대가 수평이 될 때까지 다른 쪽 저울접시(㉢)에 클립을 놓아 무게를 측정할 수 있습니다.

11 가정용 저울과 용수철저울은 용수철의 성질을 이용하여 물체의 무게를 측정하고, 양팔저울은 수평 잡기의 원리를 이용하여 물체의 무게를 비교합니다.

성취도 평가 문제 2회

198쪽

1 ⑤	2 ②	3 ②, ④	4 ㉡	5 ㉡
6 ③	7 오른쪽, ②		8 오른쪽, ①	
9 풀	10 ③	11 ②		

1 손으로 어림하여서는 물체의 무게를 정확하게 알기 어렵고, 사람마다 물체의 무게를 다르게 느낍니다.

2 일상생활에서 저울을 사용하여 물체의 무게를 정확하게 측정해야 할 경우에는 상점에서 채소를 사고팔 때, 우체국에서 우편물의 무게를 측정할 때, 공항에서 여행 가방의 무게를 알아볼 때, 운동 경기에서 체급을 정하기 위해 몸무게를 측정할 때 등이 있습니다. 놀이터에서 미끄럼틀을 탈 때는 물체의 무게를 측정할 필요가 없습니다.

3 무게는 지구가 물체를 끌어당기는 힘의 크기이며, 단위에는 'g중', 'kg중' 등이 있습니다. 용수철저울은 용수철의 성질을 이용하여 물체의 무게를 측정할 수 있습니다.

4 용수철에 매단 물체의 무게가 무거울수록 용수철이 많이 늘어납니다. 하지만 용수철에 매단 물체의 크기가 크다고 해서 반드시 무거운 것은 아닙니다.

5 용수철저울은 용수철이 무게에 따라 늘어나는 정도가 다른 성질을 이용하여 만든 저울입니다. 용수철저울의 눈금을 읽을 때는 표시 자와 눈높이를 맞추고 눈금의 숫자를 단위와 함께 읽어야 합니다. 다만 용수철저울로 무게를 측정하려면 용수철저울의 고리에 물체를 매달 수 있어야 하고, 물체의 무게가 용수철저울로 측정할 수 있는 최대 무게를 넘지 않아야 합니다. 너무 무거운 물체를 매달면 저울의 눈금을 벗어나 무게를 측정할 수 없기 때문입니다.

6 가정용 저울은 무게에 따라 용수철이 늘어나거나 줄어드는 성질을 이용하여 만든 저울입니다.

7 무게가 같은 2개의 나무토막이 각각 받침점으로부터 같은 거리에 있으면 수평을 잡을 수 있습니다. 따라서 나무토막 1개는 오른쪽 ②번에 올려놓아야 수평을 잡을 수 있습니다.

8 나무토막 2개는 왼쪽 나무토막 1개보다 무겁기 때문에 수평을 잡으려면 나무토막 2개를 왼쪽 나무토막보다 받침점에 더 가까이 놓아야 합니다. 따라서 나무토막 2개를 오른쪽 ①번에 올려놓아야 수평을 잡을 수 있습니다.

9 양팔저울의 양쪽 저울접시에 물체를 각각 올려놓으면 더 무거운 물체가 놓인 저울접시 쪽으로 저울대가 기웁니다. 따라서 풀이 가위보다 더 무겁습니다.

10 양팔저울로 물체의 무게를 측정하기 전에 수평 조절 장치로 수평을 잡아 주어야 합니다. 양팔저울로 물체의 무게를 비교하는 방법에는 두 가지가 있습니다.
(1) 물체 2개의 무게를 직접 비교하기 – 양쪽 저울접시에 물체를 각각 올려놓았을 때 기울어진 쪽의 물체가 더 무겁습니다.
(2) 수평 잡기의 원리를 이용하여 비교하기 – 한 쪽의 접시에 물

체를 올려놓고, 다른 쪽 접시에 클립 등의 기준 물체를 하나씩 올려놓습니다. 양팔저울이 수평을 잡으면 클립의 개수를 세어 물체의 무게를 비교합니다.

이와 같이 양팔저울로 물체의 무게를 비교할 때 2)의 경우는 반드시 수평을 이루어야 물체의 무게를 비교할 수 있지만, 1)의 경우는 수평을 이루지 않아도 물체의 무게를 비교할 수 있습니다. 하지만 양팔저울로 한 번에 3가지 물체의 무게를 비교할 수는 없습니다.

11 양팔저울로 물체의 무게를 비교할 때 클립 대신 사용할 수 있는 물체의 조건은 다음과 같습니다.

- 낱개별로 크기와 무게가 일정해야 합니다.
- 측정하려는 물체보다 가벼워야 합니다.

따라서 색깔과 크기는 클립 대신 사용할 수 있는 물체의 조건이 아닙니다.

서술형 · 사고력 문제

200쪽

1 예시 답안

(1) 정확한 재료의 양을 알 수 없어 빵이 잘 만들어지지 않습니다. / 빵이 맛이 없습니다. 등

(2) 사람마다 물체의 무게를 느끼는 정도가 다르므로 무게를 정확히 측정하려면 저울로 측정해야 합니다.

평가 항목	채점 기준	배점
(1) 무게를 저울로 측정하지 않을 때 발생하는 일	무게를 저울로 측정하지 않을 때 발생하는 일을 쓴 경우	4
(2) 물체의 무게를 저울로 측정해야 하는 까닭	물체의 무게를 저울로 측정해야 하는 까닭을 쓴 경우	4

2 예시 답안

(1) 용수철에 매단 추의 무게가 일정하게 늘어나면 용수철의 길이도 일정하게 늘어납니다. / 추의 무게가 20 g중씩 늘어날 때마다 용수철은 2 cm씩 늘어납니다.

(2) 14, 추의 무게가 20 g중씩 늘어날 때마다 용수철은 2 cm씩 늘어나기 때문에 추의 무게가 120 g중일 때 용수철이 늘어난 길이는 12 cm이고, 추의 무게가 140 g중일 때 용수철이 늘어난 길이는 14 cm입니다.

평가 항목	채점 기준	배점
(1) 추의 무게와 늘어난 용수철의 길이 사이의 관계	추의 무게가 무거울수록 용수철의 길이가 늘어난다고 쓴 경우	4
	추의 무게가 20 g중씩 늘어날 때마다 용수철은 2 cm씩 늘어난다고 쓴 경우	4
(2) 용수철의 길이 예상	용수철의 길이와 그 까닭을 모두 쓴 경우	4
	용수철의 길이만 쓴 경우	2

3 예시 답안

(1) 오빠

(2) 오빠가 받침점에 더 가까이 앉습니다. / 아띠가 받침점에서 더 멀리 앉습니다.

평가 항목	채점 기준	배점
(1) 시소를 탄 모습으로 무게 비교하기	가장 무거운 사람을 쓴 경우	4
(2) 시소로 수평 잡기	아띠와 오빠가 시소에서 수평을 잡을 수 있는 방법을 쓴 경우	4

4 예시 답안

(1) 수평 잡기의 원리를 이용한 것입니다.

(2) • 조건: 낱개별로 크기와 무게가 일정해야 합니다. 측정하려는 물체보다 가벼워야 합니다. 저울접시 위에 올릴 수 있는 크기여야 합니다.

• 예: 크기와 무게가 같은 단추 / 크기와 무게가 같은 나무 블록 / 금액이 같은 동전 등

평가 항목	채점 기준	배점
(1) 양팔저울의 원리	수평 잡기의 원리를 이용한 것이라고 쓴 경우	4
(2) 양팔저울에서 기준 물체의 조건과 예	클립 대신 사용할 수 있는 물체의 조건과 그 예를 1가지 쓴 경우	4
	클립 대신 사용할 수 있는 물체의 조건만 쓰거나 그 예를 1가지만 쓴 경우	2

수행 평가

202쪽

1 예시 답안

(1) ㉢

(2) 지구가 물체를 끌어당기는 힘의 크기

(3) 지구가 물체를 끌어당기는 힘의 크기가 클수록 용수철이 많이 늘어나기 때문입니다.

관련 주제

4 무게에 따라 용수철이 늘어난 길이는?

채점 기준

평가 항목	채점 기준	배점
(1) 무게 비교하기	용수철에 매달린 추 중 가장 무거운 것을 고른 경우	3
(2) 무게의 뜻 알기	무게의 뜻을 쓴 경우	3
(3) 무게와 용수철이 늘어난 길이와의 관계 설명하기	무게와 용수철이 늘어난 길이와의 관계를 설명한 경우	4
	무게와 용수철이 늘어난 길이와의 관계를 설명하는 데 미숙한 경우	2

※ 10~8점: 상, 7~5점: 중, 4점 이하: 하

2 예시 답안

(1) 무게가 같은 경우 수평 잡기	• (가) 나무토막을 왼쪽 ④번에 놓았을 때 수평을 잡으려면, (나) 나무토막은 오른쪽 ④번에 놓아야 합니다.  • 무게가 같은 경우 수평을 잡는 방법 받침점으로부터 같은 거리에 놓아야 합니다.
(2) 무게가 다른 경우 수평 잡기	• (가) 나무토막을 왼쪽 ④번에 놓았을 때 수평을 잡으려면, (나) 나무토막은 오른쪽 ②번에 놓아야 합니다. 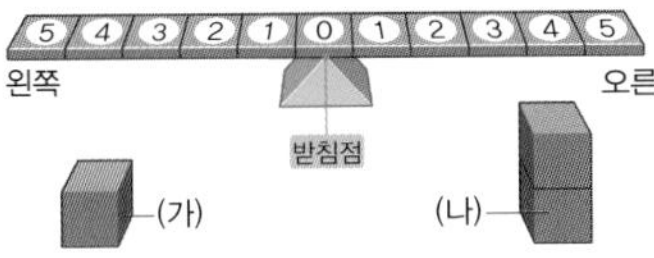 • 무게가 다른 경우 수평을 잡는 방법 무거운 나무토막을 받침점에 더 가까이 놓아야 합니다.

관련 주제

6 수평을 잡아 보아요

채점 기준

평가 항목	채점 기준	배점
(1) 무게가 같은 두 물체의 수평을 잡는 방법 설명하기	(나) 나무토막을 놓을 위치를 쓰고, 무게가 같은 두 물체의 수평을 잡는 방법을 설명한 경우	5
	(나) 나무토막을 놓을 위치를 썼으나, 무게가 같은 두 물체의 수평을 잡는 방법을 설명하지 못한 경우	3
(2) 무게가 다른 두 물체의 수평을 잡는 방법 설명하기	(나) 나무토막을 놓을 위치를 쓰고, 무게가 다른 두 물체의 수평을 잡는 방법을 설명한 경우	5
	(나) 나무토막을 놓을 위치를 썼으나, 무게가 다른 두 물체의 수평을 잡는 방법을 설명하지 못한 경우	3

※ 10~8점: 상, 6~5점: 중, 3점 이하: 하

3 예시 답안

(1) 양쪽 저울접시에 각각 물체를 올려놓고 어느 쪽으로 기울어졌는지 확인하여 비교합니다.

(2) 한쪽 저울접시에 물체를 올려놓고, 다른 쪽 저울접시에 클립(또는 동전 등)을 저울대가 수평을 잡을 때까지 올려놓은 다음 클립의 개수를 세어 비교합니다.

관련 주제

7 양팔저울로 무게를 비교해 보아요

채점 기준

평가 항목	채점 기준	배점
양팔저울로 물체의 무게를 비교하는 방법 설명하기	양팔저울로 물체의 무게를 비교하는 2가지 방법을 모두 설명한 경우	10
	양팔저울로 물체의 무게를 비교하는 2가지 방법 중 1가지만 설명한 경우	5
	양팔저울로 물체의 무게를 비교하는 방법을 설명했으나 미숙한 경우	3

※ 10점: 상, 5점: 중, 3점: 하

4 예시 답안

(1) 이용한 원리: 수평 잡기의 원리

(2) 사용한 재료: 바지걸이, 주머니 2개, 클립 여러 개

(3) 간단한 그림

관련 주제

8 간단한 저울을 만들어 보아요

채점 기준

평가 항목	채점 기준	배점
(1) 저울에 이용한 원리	수평 잡기의 원리 또는 용수철의 성질을 설명한 경우	4
(2) 사용할 재료 정하기	저울에 이용된 원리에 맞춰 저울을 만들 때 필요한 재료를 정한 경우	4
	저울에 이용된 원리에 맞춰 저울을 만들 때 필요한 재료가 일부 빠진 경우	2
(3) 간단한 저울 설계하기	만든 저울로 물체의 무게를 정확히 측정할 수 있으며, 저울을 튼튼하고 편리하게 설계한 경우	6
	만든 저울로 물체의 무게를 정확히 측정할 수 있으나, 저울을 튼튼하고 편리하게 설계하지 않은 경우	4
	만든 저울로 물체의 무게를 정확히 측정할 수 없게 설계한 경우	2

※ 14~10점: 상, 8~6점: 중, 4점 이하: 하

4 혼합물의 분리

쪽지 시험

206쪽

1 혼합물 **2** 없습니다 **3** 체 **4** 콩
5 자석 **6** 거름 **7** 좁쌀 **8** 증발
9 소금

기초 확인 문제

207쪽

1 (1) × (2) ○ (3) ○ **2** (1) ㉢ (2) ㉠ (3) ㉡
3 ㉢ **4** 자석 **5** ㉠
6 (1) ㉡ (2) ㉠

성취도 평가 문제 1회

208쪽

1 ⑤ **2** 혼합물 **3** ⑤ **4** ③ **5** ③, ④
6 (1) ㉡ (2) ㉠ **7** 체 **8** ④
9 ㉡, ㉢, ㉣, ㉠ **10** (1) 좁쌀 (2) 설탕
11 ㉠, ㉡, ㉣, ㉢ **12** ㉡, ㉢

1 마블링 물감으로 작품을 만드는 것은 마블링 물감과 물이 섞이지 않고 물감이 물 위에 뜨는 성질을 이용한 것입니다.

2 과학 교구 상자, 화단 흙, 천연 방향제 등은 혼합물입니다.

3 소금, 설탕, 물은 혼합물이라고 보기 어렵습니다.

4 모양은 물질의 성질에 해당되지 않습니다. 물질이 섞여 혼합물이 될 때 각 물질의 모양은 변할 수 있습니다.

5 혼합물을 분리하는 까닭은 혼합물을 분리하면 원하는 물질을 얻을 수 있고, 분리한 물질로 다양한 제품을 만들 수 있기 때문입니다.

6 콩, 팥, 좁쌀의 혼합물을 체를 이용하여 분리할 때 콩이 가장 먼저 분리되기 위해서는 눈 크기가 콩보다 작고 팥보다 큰 체를 먼저 사용해야 합니다. 그다음 눈 크기가 팥보다 작고 좁쌀보다 큰 체를 사용하여 팥과 좁쌀을 분리합니다.

7 마스크는 알갱이의 크기 차이를 이용하여 공기 중에 있는 먼지를 걸러 내는 것이므로 체를 이용하여 혼합물을 분리하는 것과 같은 방법입니다.

8 알갱이의 크기 차이를 이용하여 분리할 수 있는 혼합물은 크기가 다른 구슬의 혼합물입니다.

9 거름 장치를 꾸미는 과정은 다음과 같습니다.
먼저 거름종이를 고깔 모양으로 접습니다(㉡). ➡ 거름종이를 깔때기에 넣고 물을 묻혀 줍니다(㉢). ➡ 깔때기 끝의 긴 부분이 비커 옆면에 닿게 합니다(㉣). ➡ 물에 녹인 혼합물이 유리 막대를 타고 흐르도록 천천히 붓습니다(㉠).

10 거름종이를 통과하지 못한 물질은 좁쌀이며, 물에 녹은 설탕은 거름종이를 통과해 비커에 모입니다.

11 소금물을 만들어서 소금을 분리하는 과정은 다음과 같습니다.
비커에 소금과 물을 적당량 넣습니다(㉠). ➡ 소금이 완전히 녹을 때까지 유리 막대로 저어 줍니다(㉡). ➡ 페트리 접시에 소금물을 절반 정도 담습니다(㉣). ➡ 페트리 접시를 햇빛이 잘 들고 바람이 잘 통하는 곳에 둡니다(㉢).

12 증발이 잘 일어나기 위해서는 햇빛이 잘 들고, 바람이 잘 통하는 곳에 페트리 접시를 두어야 합니다.

성취도 평가 문제 2회

210쪽

1 ③ **2** ②, ⑤ **3** ① **4** ㉡
5 (1) 알루미늄 캔 (2) 철 캔 **6** ④, ⑤
7 (1) 콩 (2) 팥 (3) 좁쌀 **8** ③ **9** 거름
10 ④ **11** 증발

1 여러 가지 물질을 섞어 혼합물을 만들어도 각각의 성질은 변하지 않습니다.

2 감귤에서 과즙만 분리하면 감귤즙을 얻을 수 있으며, 이것으로 감귤 주스를 만들 수 있습니다.

3 혼합물을 분리하여도 원래 가지고 있는 성질은 변하지 않습니다.

4 두 가지 혼합물 모두 알갱이의 크기 차이를 이용하여 분리할 수 있습니다. 알갱이의 크기 차이를 이용하여 혼합물을 분리할 때에는 체를 사용해서 분리하면 편리합니다.

5 자석이 들어 있는 이동판에 철 캔이 붙고, 아래쪽 이동 장치에는 알루미늄 캔이 이동되어 모이게 됩니다.

6 자석을 이용하여 분리할 수 있는 혼합물에는 철 클립과 플라스틱 고리의 혼합물, 크기가 비슷한 철 구슬과 플라스틱 구슬의 혼합물이 있습니다.

7 콩, 팥, 좁쌀의 혼합물을 분리할 때, 눈 크기가 콩보다 작고 팥보다 큰 체를 먼저 사용하면 콩이 가장 먼저 분리되며, 그 이후 눈 크기가 팥보다 작고 좁쌀보다 큰 체를 사용하면 체 위에 팥이 분리되며, 좁쌀이 빠져나와 분리됩니다.

8 거름 장치를 꾸밀 때에는 깔때기 끝의 긴 부분이 비커의 옆면에 닿도록 설치해야 합니다.

9 설탕과 좁쌀의 혼합물은 물에 녹여 거름 장치로 분리할 수 있습니다. 이와 같이 액체에 녹지 않는 물질이 섞여 있을 때 거름 장치를 사용하여 물질을 분리하는 방법을 거름이라고 합니다.

10 치즈를 만들 때에도 거름을 이용하여 혼합물을 분리합니다. 거름으로 혼합물을 분리하려면 물에 녹는 물질과 물에 녹지 않는 물질이 섞여 있는 혼합물이어야 합니다.

11 바닷물을 모아서 막아 놓으면 햇빛, 바람 등에 의하여 물이 증발하면서 소금이 만들어집니다.

서술형 · 사고력 문제

212쪽

1 예시 답안

(1) 반짝이 풀, 콘크리트, 천연 방향제, 화단 흙, 저금통 속 동전, 바닷물 등

(2) 원하는 물질을 얻을 수 있습니다. 얻은 물질로 다양한 제품을 만들 수 있습니다.

평가 항목	채점 기준	배점
(1) 생활 속 혼합물의 예	혼합물의 예를 4가지 이상 쓴 경우	4
	혼합물의 예를 2~3가지 쓴 경우	2
(2) 혼합물을 분리하는 까닭	혼합물을 분리하는 까닭을 2가지 쓴 경우	4
	혼합물을 분리하는 까닭을 1가지만 쓴 경우	2

2 예시 답안

(1) 알갱이의 크기 차이

(2) 눈 크기가 콩보다 작고 팥보다 큰 체, 눈 크기가 팥보다 작고 좁쌀보다 큰 체

평가 항목	채점 기준	배점
(1) 혼합물의 분리에 이용하는 성질	혼합물의 분리에 이용한 혼합물의 성질을 쓴 경우	2
(2) 혼합물의 분리에서 사용하는 도구	분리에 사용하는 체 2가지를 모두 쓴 경우	4
	분리에 사용하는 체를 1가지만 쓴 경우	2

3 예시 답안

(1) 혼합물이 유리 막대를 타고 천천히 흐르도록 붓습니다.

(2) 좁쌀과 설탕의 혼합물, 좁쌀과 소금의 혼합물 등

평가 항목	채점 기준	배점
(1) 거름 장치 꾸미기	㉠에 해당하는 과정을 쓴 경우	2
(2) 거름 장치로 분리할 수 있는 혼합물	거름 장치로 분리할 수 있는 혼합물을 2가지 이상 쓴 경우	4
	거름 장치로 분리할 수 있는 혼합물을 1가지만 쓴 경우	2

4 예시 답안

(1) 증발

(2) 햇빛이 잘 비치는 곳, 바람이 잘 통하는 곳, 건조한 곳 등

(3) 물이 점점 줄어들고, 소금이 점점 많아집니다. 물이 증발하고 소금이 점점 생겨납니다. 등

평가 항목	채점 기준	배점
(1) 증발의 의미	증발이라고 쓴 경우	2
(2) 증발이 잘 일어나는 조건	증발이 잘 일어나는 조건을 2가지 이상 쓴 경우	4
	증발이 잘 일어나는 조건을 1가지만 쓴 경우	2
(3) 염전에서 소금이 만들어지는 과정	물이 증발하는 것과 소금이 생성되는 것을 모두 쓴 경우	4
	물이 증발하는 것과 소금이 생성되는 것 중 1가지만 쓴 경우	2

수행 평가

214쪽

1 예시 답안

• 혼합물을 분리하면 원하는 물질을 얻을 수 있습니다.

• 혼합물을 분리하여 얻은 물질로 생활 속에서 필요한 다양한 제품을 만들 수 있습니다.

관련 주제

3 혼합물을 왜 분리할까요?

채점 기준

평가 항목	채점 기준	배점
혼합물을 분리하는 까닭	혼합물을 분리하는 까닭을 2가지 이상 쓴 경우	4
	혼합물을 분리하는 까닭을 1가지만 쓴 경우	2

※ 4점: 상, 2점: 중, 1점 이하: 하

2 예시 답안

(1)

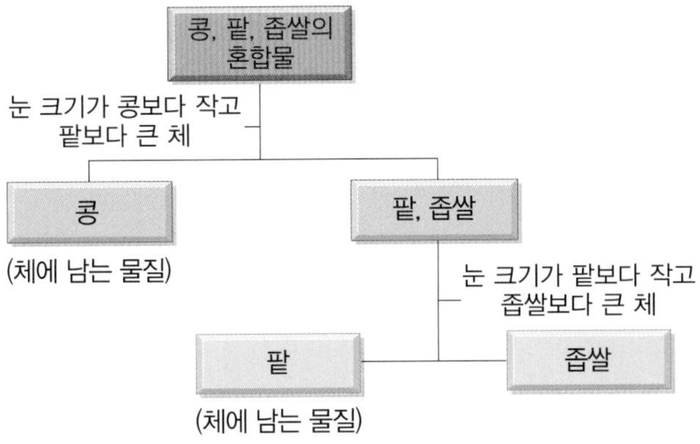

(2) 알갱이의 크기 차이

관련 주제

4 콩, 팥, 좁쌀의 혼합물을 분리해요

채점 기준

평가 항목	채점 기준	배점
(1) 혼합물 분리 과정	분리된 물질을 모두 쓴 경우	4
	분리된 물질 중 1～2가지를 쓴 경우	2
(2) 혼합물 분리에 이용하는 성질	혼합물 분리에 이용한 성질을 쓴 경우	4

※ 8점: 상, 6～4점: 중, 2점 이하: 하

3 예시 답안

(1) (라), (다), (나), (가)

(2)

	물질	물질을 물에 녹였을 때
거름종이에 남은 물질	좁쌀	물에 녹지 않음.
거름종이를 빠져나간 물질	설탕	물에 녹음.

(3) 햇빛이 잘 비치는 곳, 바람이 잘 통하는 곳

관련 주제

6 설탕과 좁쌀의 혼합물을 분리해요

채점 기준

평가 항목	채점 기준	배점
(1) 거름 장치 꾸미기	실험 순서에 맞게 쓴 경우	2
(2) 혼합물 분리 결과	분리된 물질과 물에 녹였을 때를 모두 쓴 경우	4
	분리된 물질만 쓰고 물에 녹였을 때를 쓰지 못한 경우	2
(3) 증발이 잘 일어나는 조건	증발이 잘 일어나는 조건을 2가지 쓴 경우	4
	증발이 잘 일어나는 조건을 1가지만 쓴 경우	2

※ 10～8점: 상, 6～4점: 중, 2점 이하: 하

초등 과학 실험 관찰

자습서&평가문제집 4-1

정답과 해설

www.purunet-ischool.co.kr

"공부가 재밌넷! 푸르넷"

단과 학습 프로그램

푸르넷 수학

현직 초등학교 교사와 일타 강사들의 경험을 토대로 각종 문제들을 종합 분석하여 만든 초등 수학 전문 프로그램

- 본교재(월 1권), 플러스북(월 1권)
- 중간고사·기말고사 예상문제(연 4회 / 4·6·9·11월)
- 푸르넷 아이스쿨(동영상 강의, 유사·발전 문제, 학습만화 e-book)

오! 역사논술

초·중등 역사 교육 과정을 반영하여 한국사를 총 48주 탐구 주제로 풀어낸 역사 논술 프로그램

- 본교재(월 1권), 활동자료(월 1종)
- 동영상 강의(월 4강)
- 오! 역사논술 퀴즈(월 40문항)

푸르넷 독서논술

다양한 분야의 책을 읽고, 창의·융합적 지식과 공부의 원천 기술을 기르는 독서논술 프로그램

- 1~7단계: 리딩북(월 2~4권), 워크북(월 4권), 리딩다이어리(연 1권), X-파일북(연 2권)
- 3~7단계: 동영상 강의(월 2~3강)

푸르넷 한자

실생활에서의 한자 활용 능력, 어휘력, 교과서 한자어 인지도 등을 종합적으로 향상시켜 주는 한자 학습 프로그램

- 본교재(월 1권), 교과서 한자어(월 1권), 한자 쓰기 연습장(월 1권)
- 한자 만화 e-book

영어 학습 프로그램

English Buddy

공신력 있는 리딩 프로그램과 체계적인 커리큘럼, 영어 학습에 최적화된 다양한 디지털 콘텐츠, 정확한 개별 진단 및 지도 교사의 맞춤 지도가 융합된 영어 전문 프로그램

- Beginner Reading Book 4권, Reading Study Book 1권, Phonics Study Book 1권, Pencil Book 1권, MP3 CD 1장, Smart Learning 서비스
- Prime Reading Book 4권, Reading Study Book 1권(Writing Note 포함), Study Book 1권, Smart Learning 서비스
- Experience Reading Book 4권, Study Book 1권, Webtoon for Daily Conversation 1권, Test Buddy 1권, MP3 CD 1장, Smart Learning 서비스

초등 과학 실험관찰 4-1
자습서 & 평가문제집

발행일 • 2022년 3월 1일 초판 발행
발행인 • 김무상
발행처 • (주)금성출판사
주소 • 서울특별시 마포구 만리재옛길 23 (우)04210
등록 • 1965년 10월 19일 제10-6호
구입문의 • TEL 02-2077-8144~6 / mall.kumsung.co.kr
내용문의 • TEL 02-2077-8278(8272) / thub.kumsung.co.kr

mall.kumsung.co.kr
발간 이후에 발견되는 오류는 정오표를
다운로드하면 확인할 수 있습니다.